ATN, inc.

もくじ

著者について

大久保　宙（Hiroshi Chu Okubo）

1975年東京都出身

Anna Maria College, US
The Hartt School, Univ. of Hartford, US大学院（GPD）卒業

パーカッショニスト＆ドラマー、いままでに860コンサート＆マスタークラス（内450ソロコンサート）（2007・6月現在）をアメリカ、カナダ、イギリス、オランダ、フランス、モナコ、ベルギー、デンマーク、スウェーデン、ドイツ、オーストリア、韓国、マレーシア、シンガポール、中国、台湾、そして日本国内で数少ないソロ・コンサートを行えるパーカショニストとして、ハンド・パーカッション＆電子パーカッション、ドラムスをメインに活動を行い、高い評価を得ている。また、演奏家としての活動だけにとどまらず、音楽プロデュース（2000～2002共立コミュニケーションズ株式会社：音楽部門、2003～現在HCO MUSIC）、オーケストラ・アレンジ（ロシア・サントペルブルグ室内楽団）、テレビCM、音楽療法、子どものリズム教育、講演会なども行っている。また、ATNのスーパーヴァイザーを務める。

これまでに、「TOBIRA」「I AM」「SPICE」「BUMBA」の４枚のソロCDをリリース。2005年８月には、篠笛＆打楽器とのユニットCD「葵 aoi」を発売。また数多くのCDに、プロデュースや演奏で参加している。2007年、最新ソロCD「NGOMA」をリリース。クラシックと民族打楽器を取り入れたソロアーティストとして注目されている。

ワークショップ/マスタークラスを行った学校

アクロン大学（アメリカ）
アナマリア大学（アメリカ）
国立芸術院（韓国）
コロンビア・カレッジ（アメリカ）
シカゴ美術館付属美術大学（アメリカ）
シュトゥットガルト音楽大学（ドイツ）
東海大学
東京スクール・オブ・ミュージック専門学校・渋谷
東京国際音楽療法専門学院
桐朋学園大学
バークリー音楽大学（アメリカ）
ハートフォード大学（アメリカ）
パリ国立音楽院（フランス）
ピーターコネリウス音楽院（ドイツ）
ＩＣＡＭ（アメリカ）
ＳＰＥＣＴＲＡ（アメリカ）

師　事

Greg Gazzola（Anna Maria College）、*Benjamin Toth*（The Hartt School, Unv.of Hartford）、岡田知之（洗足音楽大学）、Gary *Chaffee*（New England Conservatory）、*Al Lepak*（Hartford Symphony）、*Glen Velez*（Intarnational Solo Artist）、Nancy *Zeltsman*（Boston Conservatory）に師事。

自著の本

すべての教則本にはCDがついています。（　）内は大久保宙による一言コメント

スネア・ドラムのための　ベーシック・リズム・メソッド
（ポップ、クラシック、吹奏楽も打楽器の基本はスネア・ドラムから学べる）

パーカッション＆ドラムスのための　リズム・パターン集
（ロールに困っている人、ドラムセットで人と違うフレーズを学びたい人にお勧め！）

スネア・ドラムのための　デュエット＆アンサンブル
（CDに合わせることによって、１人でもスネア・アンサンブルを楽しめる）

４つのベーシックな奏法を学ぶ　フレーム・ドラム
（フレーム・ドラムの基本！またジャンベ、カホンに応用できるフリーハンド・スタイルを学べる）

ドラムスのフレーズと世界のリズムを叩こう　カホン＆ジャンベ
(カホンとジャンベでドラムスのリズム、世界各国の民族リズムを学べる)

和太鼓アンサンブル導入曲集
(学校教育にお勧め、和太鼓アンサンブルのみでなく、器楽合奏のアンサンブルも学べる)

和太鼓＆パーカッション・アンサンブル
(和太鼓アンサンブルと和太鼓とパーカッションのアンサンブルを学べる)

和太鼓&横笛/フルート　アンサンブル曲集
(篠笛と和太鼓のアンサンブルを学ぶにはこの本！)

基本リズムとスケールを学ぶ　**鍵盤打楽器　ベーシック・メソッド**
4マレットの基本から応用まで　**鍵盤打楽器　4マレット・テクニック**
(この2冊でさまざまなマリンバ・テクニックを学ぶことができる)

初心者から上級者まで　**マリンバ・ソロ曲集1**
初心者から上級者まで　**マリンバ・ソロ曲集2**
初心者から上級者まで　**マリンバ・ソロ曲集3**
1～4台のマリンバによる　**マリンバ デュエット＆アンサンブル曲集**
(ピアノ伴奏なし、マリンバのためのソロ曲集＆アンサンブル曲集)

監修本
ドラム・チューニング・ガイド
ドラムセットのための　**アフリカン・リズム**
ドラムセットとパーカッションのための　**ブラジリアン・リズム**
リズム、スタイル、楽器、テクニック、パフォーマンスについての実践的ガイド　**ブラジリアン・パーカッション**
ファンク/フュージョン・スタイルのリズム・コンセプト　**ドラムス**
デヴィッド・ガリバルディ　**フューチャー・サウンド**
インターミディエイト・ジャズ・コンセプション/リズム・セクション　ドラムス
ピーター・アースキン　**タイム・アウェアネス**
日本語字幕入2DVD付　**アースキン・メソッド・フォー・ドラムセット**
ピーター・アースキン　**ドラムセット・エッセンシャル Vol.1**
ピーター・アースキン　**ドラムセット・エッセンシャル Vol.2**
ピーター・アースキン　**ドラムセット・エッセンシャル Vol.3**
ピーター・アースキン　**ドラム・パースペクティヴ**
ポンチョ・サンチェス　**コンガ・クックブック**
フリーハンド・スタイルによる　**フレーム・ドラミング**
すぐにわかるジェンベの世界　**オール・アバウト・ジェンベ**
すぐにわかるコンガの世界　**オール・アバウト・コンガ**
パーカッションのための　**アフリカン・リズム**
キューバン・リズム・ランゲージを発展させる　**オッド・メーター・クラーヴェ・フォー・ドラム・セット**
音符で学ぶ　**やさしい篠笛教本**

エンドースメント

ウェブ・サイト　http://miburi.net
http://miburi.org

はじめに

本書　**ザ・ベーシック・ドラムス**は、以下の人たちを対象としています。

- ドラムスに触ってみたい
- 初めてドラムスを演奏する人
- ドラムスの基本を１から学びたい人
- 生徒に教える機会があるプロ・ドラマーまたは教師
- 基本テクニックを確認したい中級レベルのドラマー

本書は、**最初からドラムセットを叩きたい**という超初心者から、基本的な知識やテクニックをもう一度見直してさらなるステップ・アップを目指している中級レベルのドラマーに最適の内容です。

本書のアプローチは、初心者のドラマーたちが学習課程の選択肢をさらに広げ、それぞれのニーズに合った練習方法で学ぶことができます。まず初めに、スティックの握り方、フット・ペダルの踏み方を学び、片手で叩く、次にもう一方の手を加えて両手で叩く、片足ずつフット・ペダルを加え、両手両足のコーディネーションで、１ステップずつ順序を立てて学んでいきます。

練習課題は、４分音符、８分音符、16分音符、３連符を中心に、初心者がバンドで演奏する時に必要となるシンプルなリズムの練習方法が数多く収められています。またフット・ペダル練習、ハイハット、オープン、フィル・インなどをじっくり学ぶための数多くの課題が含まれています。本書は、初心者だけでなく、経験者が現在の自分自身の実力を確認するために、教育者が初心者に指導するためのカリキュラムとして、またウォーミング・アップとして、さまざまなレベルの人に使いやすく組み立ててあります。

本書は、最初からドラムセットを叩こうというコンセプトの本です。私が本書を書き下ろすきっかけとなったのは、初心者を対象としたドラム・スクールやワークショップでの指導や講習を重ねている中で、ドラミングを学びたい生徒や受講者たちは、いきなりドラムセットを叩いてみたい、学びたいと思っている人が多いと感じたことにあります。

従来の練習法はスネア・ドラムのみで始めることを勧めていますが、本書での学習は、最初からドラムセットを使って、初めに右手だけでハイハットを、次に左手でスネア・ドラムを加え、右手と左手でリズムが叩けるようになったら、足でフット・ハイハットとベース・ドラムを加えていくというアプローチです。

ドラムスを学ぶ初心者たちは、みんなが本格的なドラマーを目指してるわけではないかもしれません。そこで、ドラムセットを使って学びたい、叩きたいという人たちが、最初からドラムセットで叩いて学習できる構成にしました。本書を書き進めるうちに、この本はこれからドラムスを始める人だけでなく、中級レベルの人などが自分のベーシック・テクニックを確かめるのにも有効な内容であり、また指導者にもお勧めできる内容であると確信しました。

最後に、基本的には、ドラムセットを触る前に、従来のスネア・ドラムを（基本テクニック）勉強する方法で、私の著書である**スネア・ドラムのためのベーシック・リズム・メソッド**と**パーカッション＆ドラムスのためのリズム・パターン集**の２冊で学習するのが上達への近道だと思います。もちろん、本書で学習する人にも、上記２冊の本を併用することはとても効果的です。

本書がドラミングを学ぶ多くの人たちの役に立つことを望んでいます。

大久保　宙

本書の使い方

本書は大きくわけて2つのセクションに分かれてます。最初のセクションは、ドラムセットの説明、スティックについて、持ち方など、ドラミングを始める前に学ぶべき課題を収めてあります。2つめのセクションは、ドラムセットを使っていろいろなリズムのドラミングを学ぶ内容です。本書は、徐々にレベル・アップしていくように構成されていますので、それぞれの練習課題をとばさないように順番に学んでいきましょう。

付属CDについて

本書に付属のCDには、本書に掲載されている譜例、練習曲の模範演奏が収録されています。各練習課題を始める前に、まずCDの模範演奏を聞いて、リズムとフィーリングをつかみ、それから実際の練習を始めましょう。CDに収録されている例題にはトラック・ナンバーが記してあります。なお、収録時間の都合上一部リピートしていない例題もあります。

CDにはコール＆レスポンスで練習できるトラックも収録されています。模範演奏のあとに、クリックだけが模範演奏と同じ小節数収録されていますので、模範演奏と同じようにクリックに合わせて練習しましょう。

本書に掲載されているそれぞれの譜例にはリピート記号がついています。練習の際は、何回もくり返し練習しましょう。練習するときは必ずメトロノームを使いましょう。メトロノームはあなたのリズムの構築に強い味方となります。

ドラムセットについて

ドラムセットの基本的なセッティングは以下のとおりです。

ドラムセットのセッティングと各キットの名称

ドラムセットにはさまざまな種類があります。またシェル(ボディ)の素材にもさまざまあり、スティール、コパー、ブラスなどの金属素材(主にスネア・ドラム)や、メイプル、バーチ、オークなどの木製素材があります。

メイプルは豊かなぬくもりのあるサスティーンが特徴で、バーチは中低音の伸びのよさとシャープな高音が特徴です。私自身のドラム・セットでは、メイプルとバーチ素材のヤマハ製のドラムを使用しています。そして、シンバルはシルジャンを使用しています。

正面から見たドラムセット

ドラムの種類とサイズ

スネア・ドラムの最も標準的なサイズは14インチ(1インチ＝約2.54cm)ですが、最近では12、13インチなどの小さなサイズを使用する人も多くいます(写真は13インチ)。スネア・ドラムの裏面にあるスネア(響き線)のスイッチをオンにしておくと、ヘッドを叩くと、振動して響き線が裏面のヘッドに当たって、音を生みだします。

タムタムは8～13インチがよく使われるサイズです。タムタム2つ使用の場合は12と13、10と12、10と13、8と10インチなどが使われます。前ページの写真はタムタムを2つ(10と12インチ)使用している例ですが、タムを3つ4つとたくさん使う人もいます。ピッチの異なるタムがたくさんあると、フィル・インなどで多彩なサウンドを楽しめます。

フロア・タムはレッグ(3本の足)で床に置かれるタムのことです。標準的なサイズは14か16インチです(前ページの写真は16インチ)。

ベース・ドラムは18～24インチですが、ジャズなどの場合は小さめの口径のものを、ロックなどは大きめなサイズを使用することが多いです(写真は20インチ)。

シンバルの種類とサイズ

ライド・シンバルは通常20～22インチが多く使われます(写真は22インチ)。**クラッシュ・シンバル**は16～18インチが多く使われます(写真は18インチ)。**ハイハット**は13～15インチですが、最も標準的なものは14インチです(写真は14インチ)。最近は13インチを使う人も増えています。

ドラム・スティック

ドラム・スティックは、身体のサイズや手の大きさに合わせて選びましょう。標準的なスティックは直径14～14.5mm、長さ400mm前後(各メーカーで5Aといわれるサイズ)です。ドラムスで使うスティックの部分は、主にチップ(先端)とショルダー(横)の2ヶ所です。

チップの形状には大きくわけて、丸チップ、三角チップの2種類があります。丸チップは当たる面積が均一のため音色がそろいやすいという特徴があり、三角チップは当たる面によって音色の使い分けができるため、表情豊かでメリハリがあるのが特徴です。どの形状のチップを選ぶかは演奏する音楽、求める音によって異なります。

私は、長年プレイウッド社製の私のシグネーチャー・スティック(14×405mm)を使用しています。私のシグネーチャー・スティックには支点(持つ位置)の目安となるように2本線が記されているので、初心者には使いやすく、また教育者が指導する場合にも支点の位置が分かりやすく、お勧めのスティックです。

スティックの材質とその特徴

スティックの材質にはメイプル、オーク、ヒッコリー、コンプライト、ローズウッドなどがあります。私はヒッコリー、メイプル、オークの3種類のスティックをよく使用しています。クラシックでスネア・ドラムを演奏する場合はローズウッド、コンプライト、ゴールデン・シタンなども用いられます。

- ヒッコリーは重さと固さが最も適切で、折れにくく、お勧めスティック
- オークはとても固い木、重量も重めで音色も固くなる。値段が安い
- メイプルはとても重量が軽く、固い木で、特にシンバルの音色がきれいだが折れやすい

ヒッコリーは、ほとんどのジャンルの音楽で使用できるので、初心者にはヒッコリーのスティックをお勧めします。私も通常は主にヒッコリー素材のスティックを用いていますが、シンバル(特にライド・シンバル)を多く使うときはメイプル、ウォーミング・アップやシンバルなしのマルチセット、スネア・ワーク、ボリュームのある音がほしいときはオークのスティックと使い分けています。

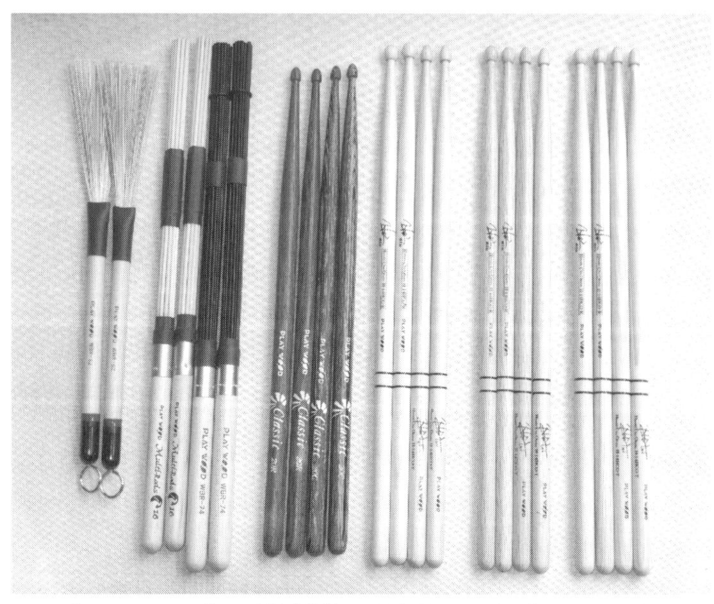
ブラシ　ロッズ　コンプライト・ローズウッド　メイプル　オーク　ヒッコリー

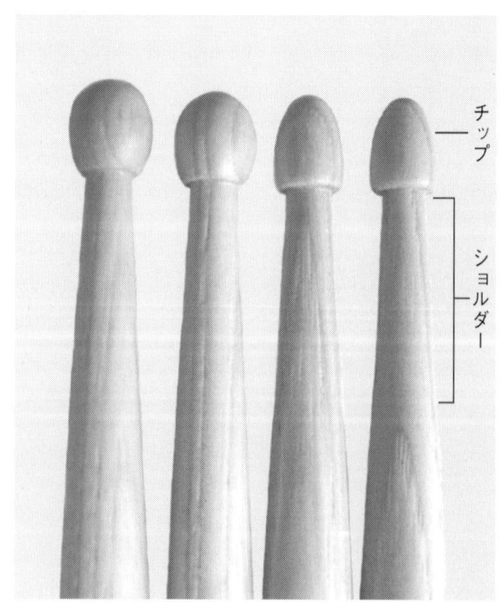

丸型チップ　三角チップ

グリップ

両手とも同じスティックの持ち方(写真A、B)を**マッチド・グリップ**と呼びます。マッチド・グリップの中で写真Aは、アメリカン・グリップ、写真Bのように親指が上を向く持ち方はフレンチ・グリップと呼ばれます。マッチド・グリップの持ち方は左右対称で音色が安定しやすく、上達が早いことから、現在ではこのグリップが主流になっています。**トラディショナル・グリップ**(写真C)は、ジャズなどで使う人が多く見られています。このグリップは、左手を使いこなせるようになるまで時間がかかることから、私が初心者を指導するときは、マッチド・グリップを勧めています。

A

アメリカン・グリップ

B

フレンチ・グリップ

C

トラディショナル・グリップ

私自身はもともとトラディショナル・グリップを使っていましたが、現在ではトラディショナル・グリップとマッチド・グリップを使い分けています。通常、表情をつけたいときはトラディショナル・グリップを使い、速いフレーズや左右、上下の動きなどが多いとき、ボリュームを出したいときはマッチド・グリップを使っています。

グリップの正しい持ち方

右手のグリップ

右手は、マッチド・グリップ、トラディショナル・グリップともに持ち方は同じです。写真Aのように親指と人差し指で握り、だいたいスティックの1/3の部分のところを支点にします。私のシグネーチャー・スティック(405mm)の場合120～130mmの位置に支点を示す線が2本入っています。この範囲の中で上下に動かし、自分に合った位置を見つけましょう(初めてスティックを握る人は目印をつけるとよい)。写真Bのように中指、薬指、小指をかぶせます。通常の演奏の場合は写真Bのように2本線の間を持ちます。写真Bの持ち方で練習をしましょう。

A

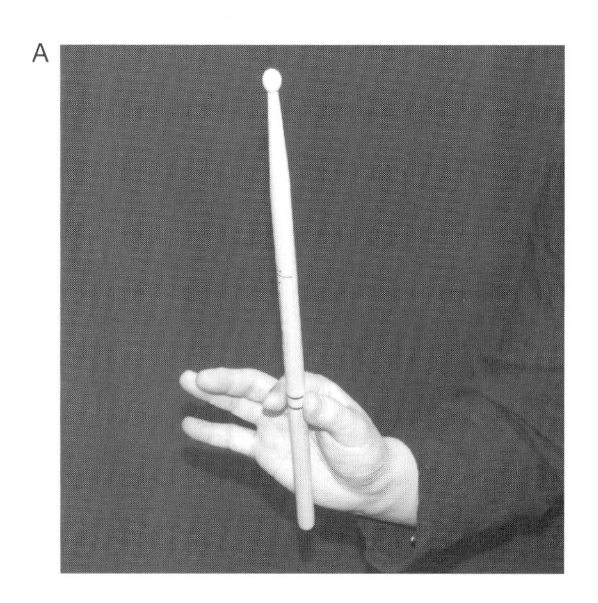

B

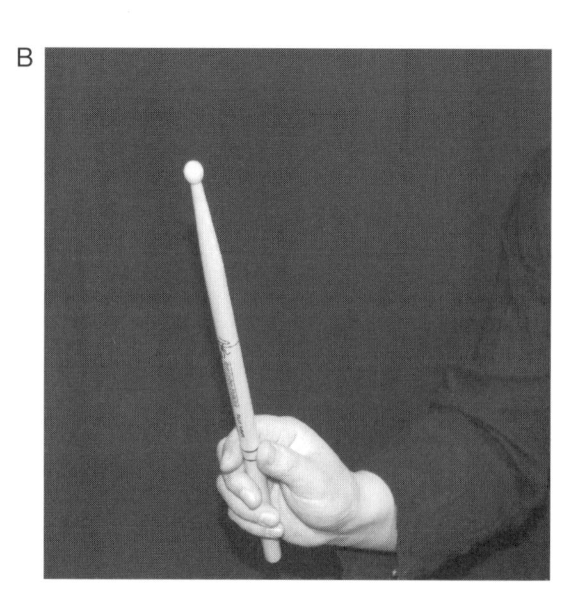

スティックの持ち方はとても大事です。写真C、D、E、F、Gはよくない持ち方の例です。このような持ち方にならないように注意しましょう。

C

支点が親指と人差し指でなく、全体で握りすぎ

D

極端に短く持ちすぎ

E

極端に長く持ちすぎ

F

脇を広げすぎている

G

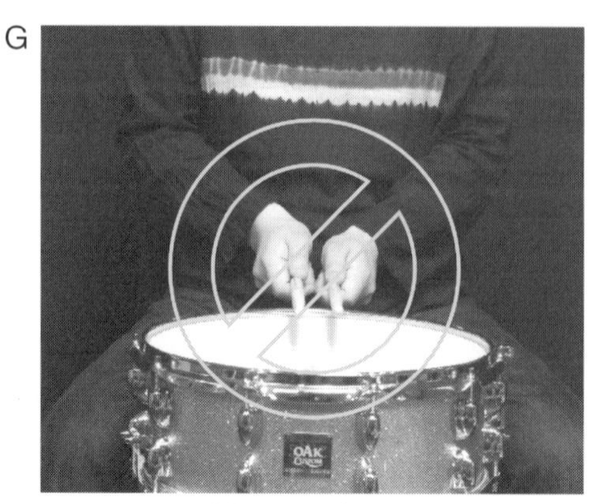

脇をしめすぎている

左手のグリップ

マッチド・グリップの左手は右手と同じ持ち方です。両手が左右対称になるようにスティックを握りましょう。鏡などを見ながら確認することをお勧めします。トラディショナル・グリップの左手の持ち方は、写真Aのようにスティックを親指と人差し指ではさみます。私のシグネーチャー・スティックを使う場合、支点の印がちょうど見える感じになります。次に、薬指、小指を曲げ(写真B)、そして、写真Cのように人差し指を、写真Dのように中指をかぶせる感じにします。私は、写真Cのように中指をかぶせず、人差し指だけかぶせて演奏することもあります。

A

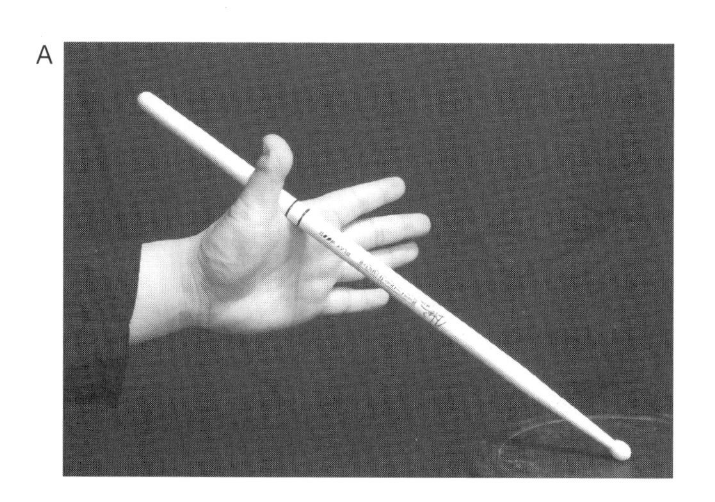

B

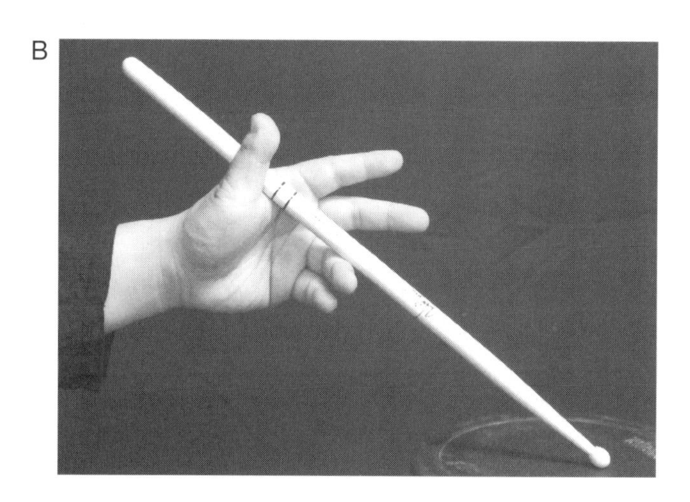

C

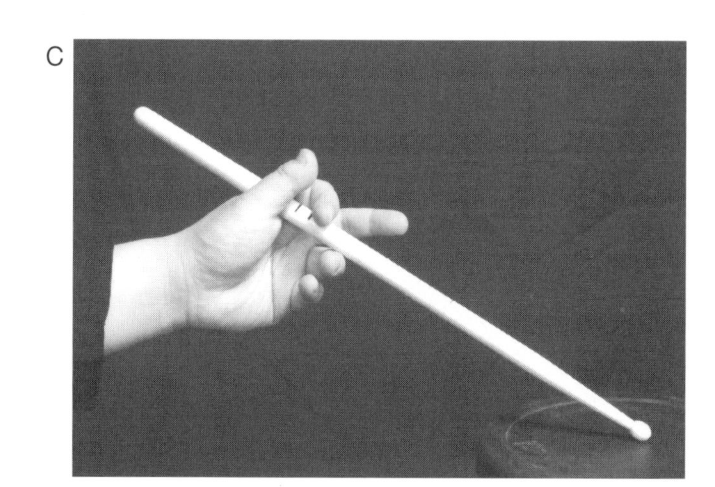

D

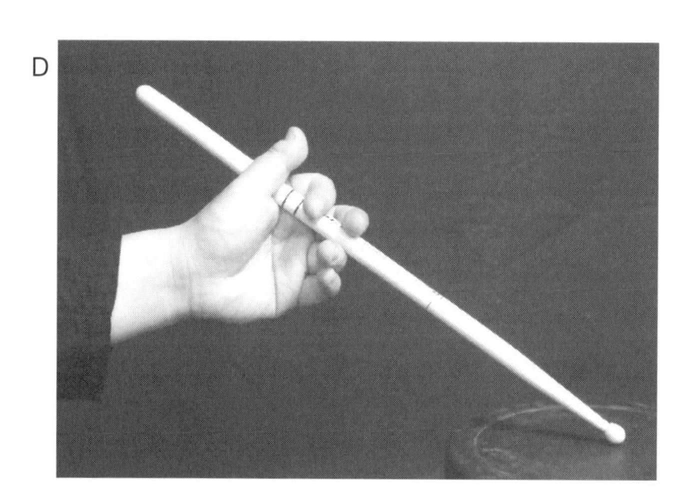

写真E、F、Gはよくない持ち方です。

E

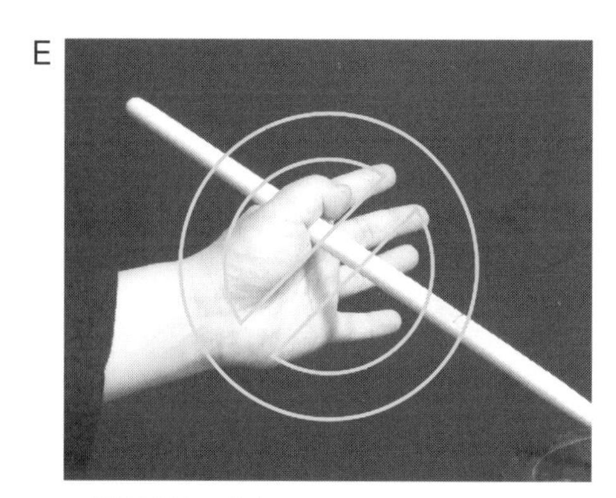

親指だけで支えている。スネアだけならこの持ち方でも対応できるが、左右、上下の動きになると演奏が難しくなる

F

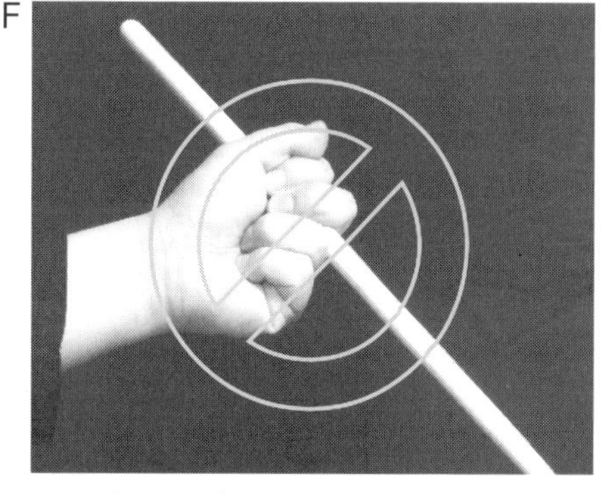

深く握りすぎる。これではきちんとしたコントロールができない

G

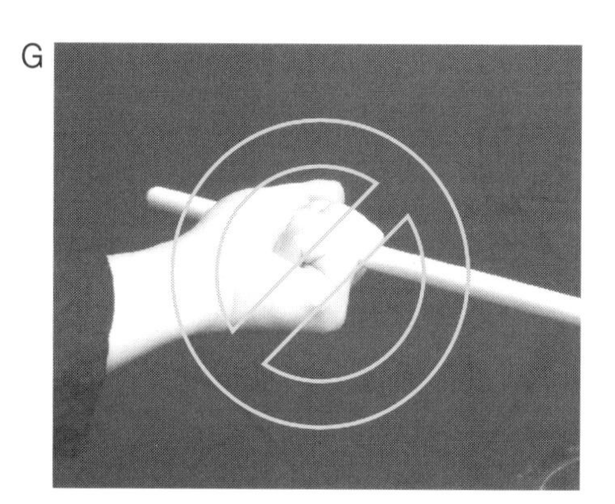

手首の内側が上を向きすぎる

スネア・ドラム

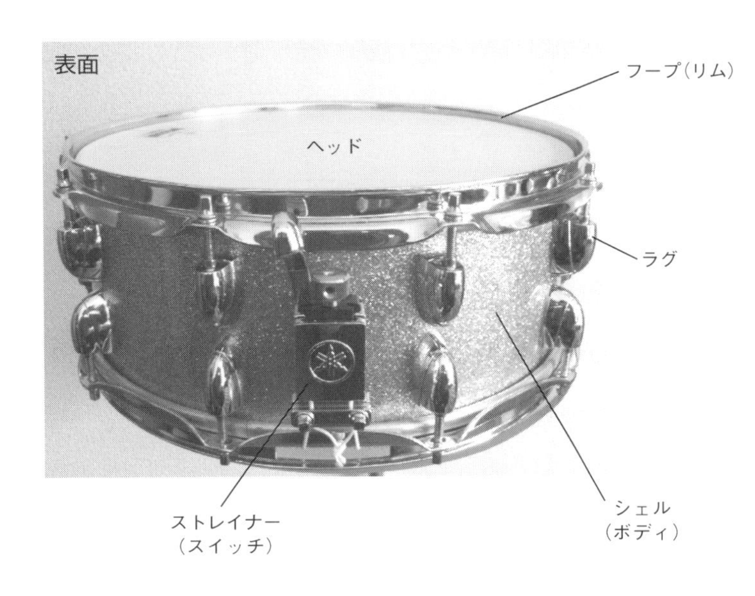

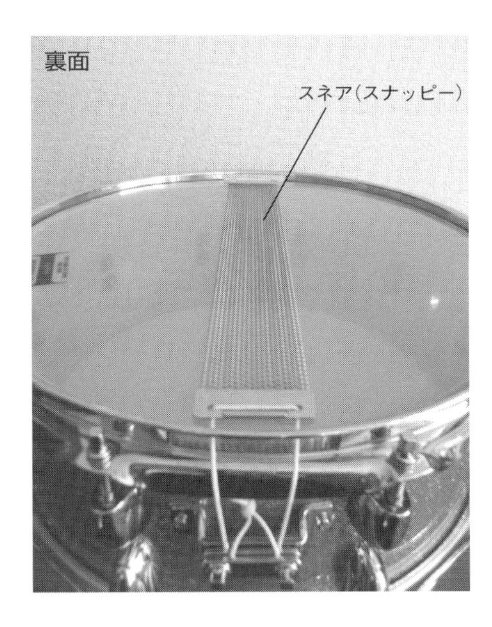

スネア・ドラムの叩く位置

写真Aの丸で囲ってある部分がスネア・ドラムを叩く位置です。ヘッドの真中を少し外したところを叩くと通常はベスト・サウンドが得られます。

A

写真Bがマッチド・グリップ、Cがトラディショナル・グリップでスネアを叩く位置です。

B

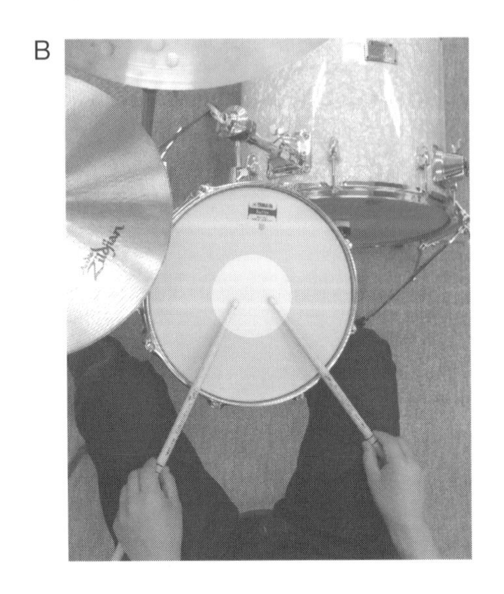

C

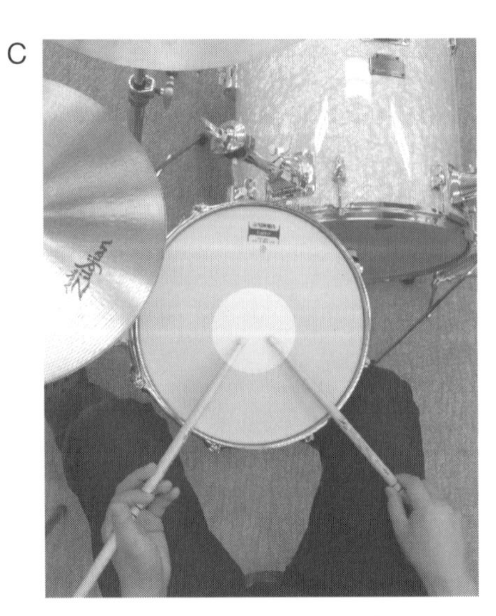

ハイハット・シンバル

写真Aがハイハットの全体図です。写真Bのクラッチ（ネジ）で上下のシンバルの間隔を調整します。写真Cのようにハイハットを開いた状態で上下の間隔は1～2 cmです。足でペダルを踏むと上下のシンバルが閉じます。通常叩くときはこのハイハットがクローズした（閉じた）状態です。

A

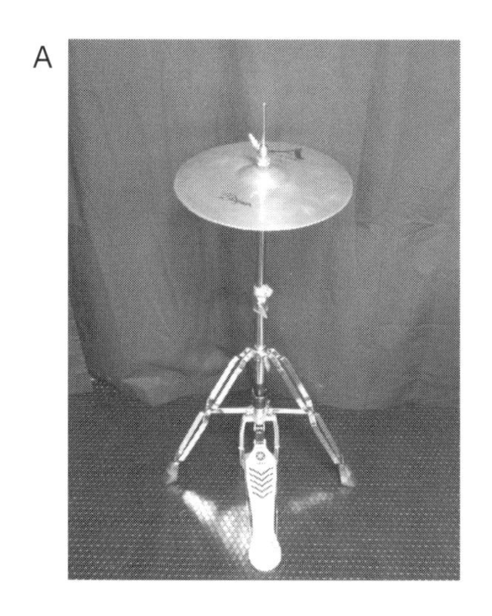

B

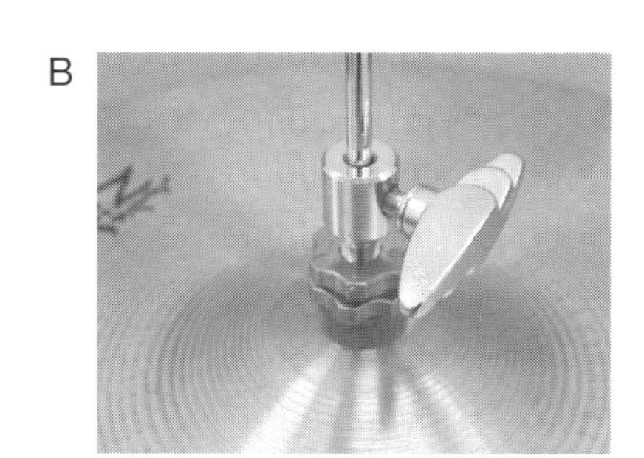

C

ハイハットの叩く位置

写真D, Eはマッチド・グリップ、Fはトラディショナル・グリップでハイハットを叩く位置です。

D

E

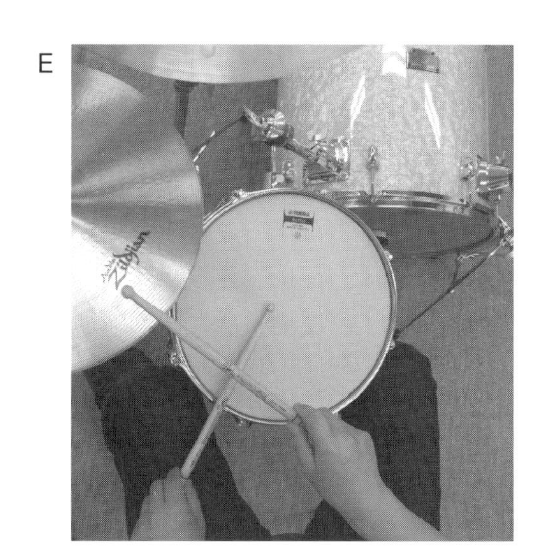

F

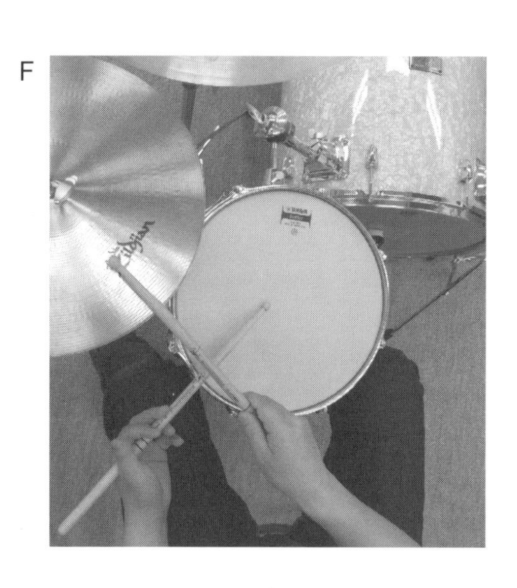

イスの位置

ドラムセットはイスに座らなければ演奏できないので、イスの高さとドラムセットからの距離を決めることはとても重要です。イスを適切な位置にセッティングするのは、身体のサイズによって個人差があるので、人によって異なりますが、両手両足を動かしたときに安定して快適に演奏できるようにいろいろ試してみて、自分の合った位置にセットしましょう。イスが極端に高すぎたり、低すぎたりするとバランスをくずしてしまいます。私は、ひざの角度が直角よりやや広い角度が演奏しやすいと感じます(写真A)。イスの高さが決まったら、スネア・ドラムを挟むような感じで両足を広げ、ベース・ドラムとハイハットのペダルに足を置きます。イスに座って両足でそれぞれのペダルが効率的に踏める位置にハイハットとベース・ドラムをセットします。

A

写真B～Dは、間違った座り方の例です。

B

遠すぎる

C

近すぎる

D

高すぎる

ハイハット・シンバルとスネア・ドラムの高さ

ハイハットとスネアの高さは、写真A～Fのようになります。一番大事なことは快適に、効率的に演奏できるようにセッティングすることです。私自身は写真Aの高さで演奏しています。

A

トラディショナル・グリップとマッチド・グリップを両方を使用する場合

B

トラディショナル・グリップのみ使用する場合、自分から見て左上がりになる。そして、スネアが写真Aより少し高い位置になる

C

マッチド・グリップでスティックを反対に持つ(*リム・ショット)場合、スネアの位置は写真Aよりは低くなるが、叩きやすくなる

D

マッチド・グリップのみを使用する場合は、スネアの位置が写真Aより少し低くなる

E

左手でハイハットを叩く場合、写真Aよりハイハットが少し低くなる

F

スネアとタムを素早く移動したい人の場合は、スネアの位置が高くなり、斜めになる

＊リム・ショットについてはp.52参照

フット・ペダル(ドラム・ペダル)の踏み方

私は、４つのフット・ペダルの奏法を使っていますが、その中で標準的な２つの奏法を紹介しましょう。写真Aは足全体に力を入れてかかとをあげて踏む奏法です。踏み込んだあとの形は、ベース・ドラムのヘッドから*ビーターが離れるのが理想的です(ビーターをつけたままではサスティーンが止まってしまう)。これはポップやロックなど大きなトーンが必要な音楽に効果的な奏法です。

A

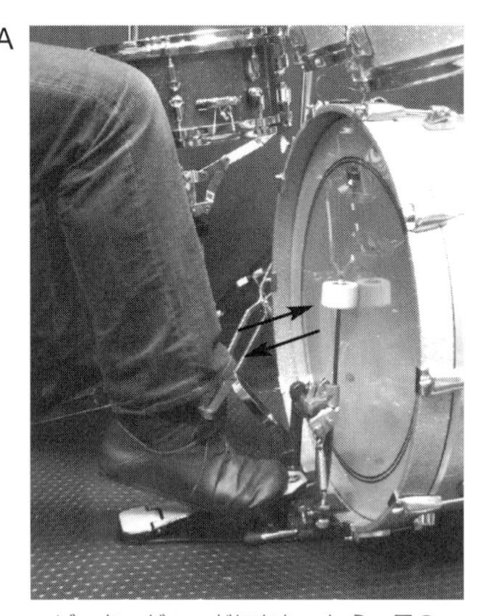

ビーターがヘッドにあたったら、足の
力を抜いて、ビーターを戻す

もう１つの奏法は、かかとを付けたままで足のつま先で演奏する方法です。これは音量は大きくないので、小さな音や繊細な音が求められたとき、特にジャズに向いてる奏法です。足全体ではなく、足首で踏む感覚です。踏みこむ前はつま先が少しあがり(写真B)、写真Cのように踏み込みます。写真Cのようにヘッドにあたったままにするとベース・ドラムのサスティーンが止まってしまうので、すぐに写真Bの位置まで戻しましょう。

B

ビーターを戻した状態

C

ビーターがヘッドにあたったとき

＊ビーターは、フット・ペダルについているスティックの代わりとなるマレットのこと

写真D～Gは間違った踏み方です。

D

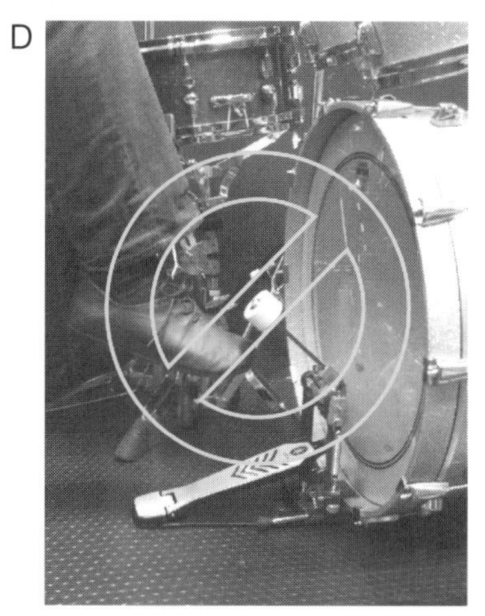

足をあげたまま準備する（足はペダルの上からは完全には離さないこと）

E

ペダルの上でなく床に足を置いている

F

極端にペダルの下の方を踏む

G

極端にペダルの上の方を踏む

ベース・ドラム・ペダル（フット・ペダル）の紹介

写真右から　ベルト・ドライヴ、ダイレクト・ドライヴ、ダブルチェーン・ドライヴ（2台）

チェーン・ドライヴのペダルが最も一般的で、初心者にはお勧めです。ベルト・ドライヴは少し柔らかめな感触が特徴で、ダイレクト・ドライヴはとても踏み心地が軽いのが特徴です。

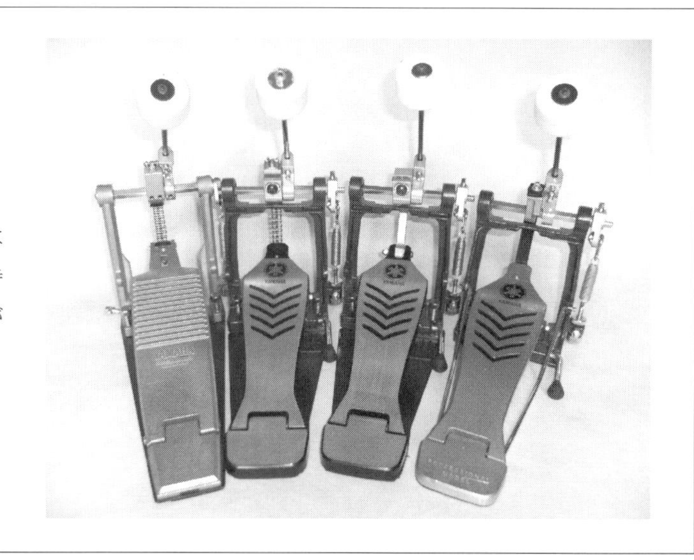

ドラムヘッドのチューニング

スネア・ドラムのチューニング

A

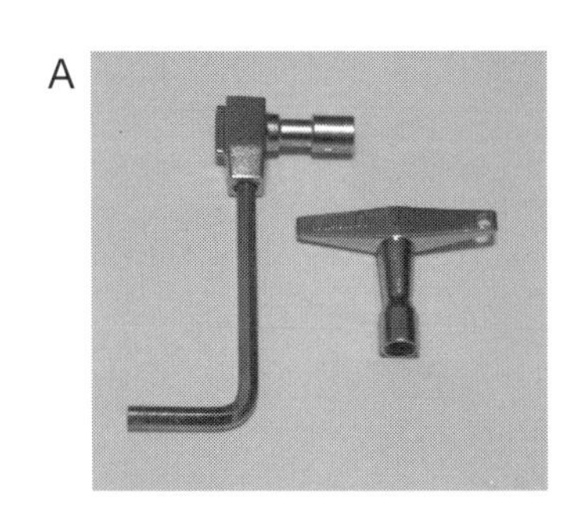

B

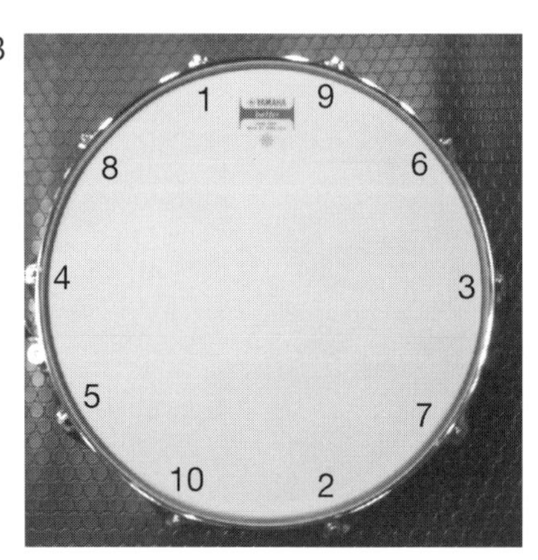

クロス・テンション・システム

C

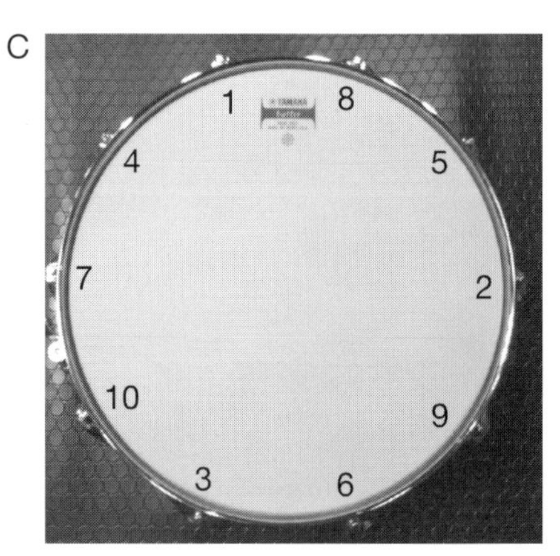

クロックワイズ・システム

D

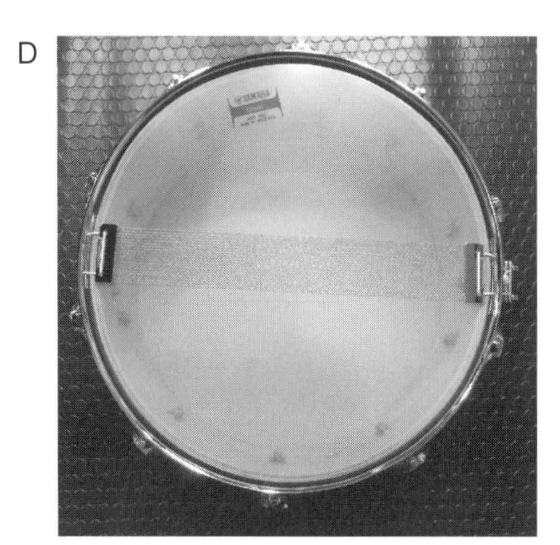

裏 面

写真の数字の順番でチューニング・キー(写真A)を使ってラグを締めたり、緩めたりします。チューニングで最も大事なのは、すべての数字のところ(ラグ・ポイント)に均等にテンションがかかることです。テンションが均等にかかっているかどうかの確認は、すべてのラグ・ポイントを叩いてみて、ピッチ(音高)が同じであれば均等に張れている状態です。ピッチが低いところがあれば、ラグを締めます。ピッチが高すぎるところはテンションがかかりすぎているので、ラグを少し緩めます。私は、Remo社アンバサダーコーテッド(ホワイト・コーティングされたシングルプライヘッド)を打面に使っています。裏面は、クリアのスネア・サイドを使っています。

スネア・ドラムは、スネアのスイッチをオンにした状態で、ミュートしないで叩くと「キーン」という倍音が鳴ります。それが気になる場合はテープなどでミュートします。叩いたときに倍音が気になる場合は、写真Eのようなミュートが市販されているので使用するとよいでしょう。プラスティックの輪はヤマハ製のリング・ミュートで、スネア・ドラムの上に乗せるだけでミュートがかかります。真ん中の黒いミュートはジブラルタル製のミュートで、リムに付けてミュートします。

E

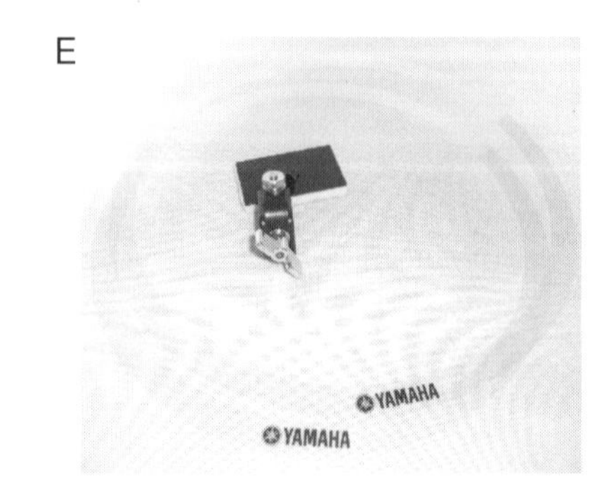

私自身はあまりミュートをしないで演奏しますが、 ヴォーカルの伴奏やアンサンブルなどの場合、倍音が邪魔なときにはミュートしています。

タムのチューニング

写真Aのように片手でヘッドの真ん中を押さえ、ラグ付近を叩いてピッチを確認しながらチューニングします。スティックか、ティンパニやマリンバのマレットなどで叩いてもかまいません。ピッチがわからない場合は、実際に押してみて、テンションのかかり具合を確認しましょう(写真Bのように)。私の場合は、ヘッドを緩めにチューニングし(ジャズ、ブラス・バンド、クラシック系のときのみ高めのピッチにする)、ボトム・ヘッドの方が高いピッチにします。タムのヘッドはRemo社製ピンストライプ(またはクリア)、ボトムはクリアヘッドを使用。ジャズなどの場合は、コーテッドを使用します。

A

B

ベース・ドラムのチューニング

フロント・ヘッド

A

穴なし

B

小さな穴をセンターより少しずれた位置に

C

センターに大きめの穴

フロント・ヘッドに穴を開ける理由は

- マイクを入れるため
- 中にこもる空気を抜くため
- ベース・ドラムの音色を調整するため

フロント・ヘッドに穴がないとペダルを踏んだときに空気の逃げ場が少なく、反動が返ってきて踏みにくい場合もあります。しかし、穴がないと音が抜けないので低音のなりが良いです。穴があることによって、空気の逃げる道ができペダルを踏んだときの反動は少なくなります。ヘッドの穴の大きさが大きくなればなるほどアタックの強い音になります。私自身は22インチのベース・ドラムは写真Bの穴の開け方です。20インチのベース・ドラムは写真BとC、18インチのベース・ドラムは写真Aを使っています。

チューニングは、18インチなどの小さいサイズ(ジャズ向き)は少し張りぎみに、大きいサイズになるほどゆるめにチューニングします。24インチなどの大きいサイズはロックやポップに向いています。

ベース・ドラムのミュート

最近ではミュート付のヘッドや専用のミュートなども発売されていますが、タオルなどを使ったミュートの方法もあります。

D

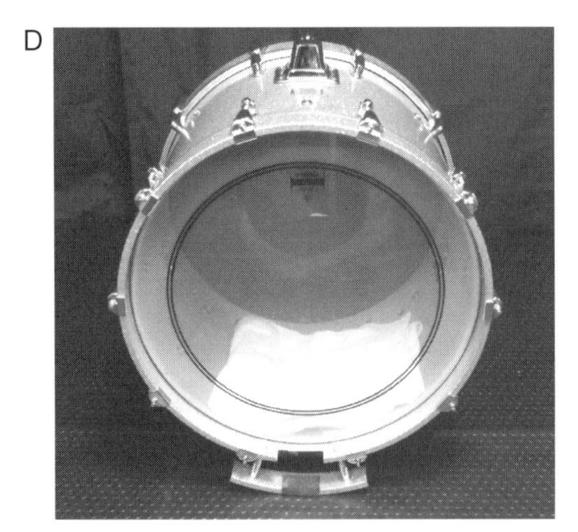

薄手のタオル

E

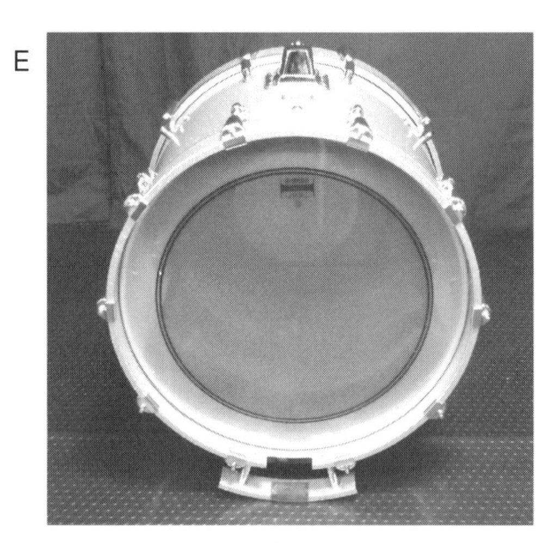

スポンジ系

F

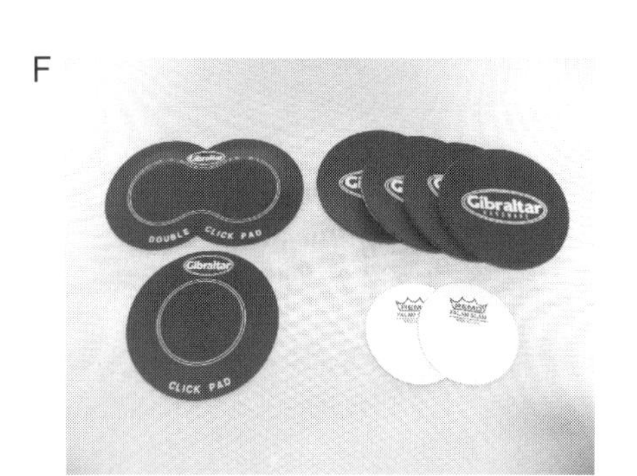

ビーター・パッド

写真Dのように、実際にこのくらいの少ない量のタオルでも打面側にテープで止めるととてもよい感じにミュートします(ミュートがもっと必要な場合はタオルの量を増やすか、打面への接地面を大きくしていきます)。よくベース・ドラムに大きな毛布を詰め込んでいる人を目にすることもありますが、毛布の入れすぎは、ベース・ドラム本来の音が失われてしまうので注意しましょう。

写真Eはスポンジ素材を使ったミュートです。これも実際によく使います。この場合は大きめのミュートですので、打面とフロント面と両方にミュートしています。

私自身はミュートの押さえはテープで打面に直接貼ります(テープも多少のミュートの効果がある)。また音楽のジャンルや状況に合わせて写真Fのようなパッドを打面(ヘッド)に直接貼ることもあります。

左の写真F、左の上と下の２つのシールの中には鉄の板が入っているので、アタック音がとても増幅します。私は、ソロなどでベース・ドラムの連打が多いときに使います。

写真F右上のパッドは少し厚みがあり、ミュートの役割もします。写真F右下の２つはベース・ドラムのビーターからヘッドを守る役割としても使われます(強く踏んでいくとヘッドが凹んでいくので、その防止になる)。

ドラムセットを用いない練習

日本の住宅事情を考えると、家で毎日ドラムセットを叩ける人はあまり多くないでしょう。そこでお勧めするのはトレーニング･パッドを使った練習です。

写真Aはゴムでできたトレーニング･パッドで、スネアの代わりなどになります。写真Bはヤマハ製の電子ドラムです。ドラムセットと同じようなセッティングで練習ができます。電子ドラムの音はヘッドフォンやスピーカーで聞くことができます。実際のドラムとはもちろん異なりますが、音楽に合わせて演奏したり、いろいろな機能が多くあるので、家でドラムセットを叩けない人などに強くお勧めします。

トレーニング･パッドや電子ドラムで練習するときは、メトロノームを使用して、ゆっくりのテンポから始めましょう。

A

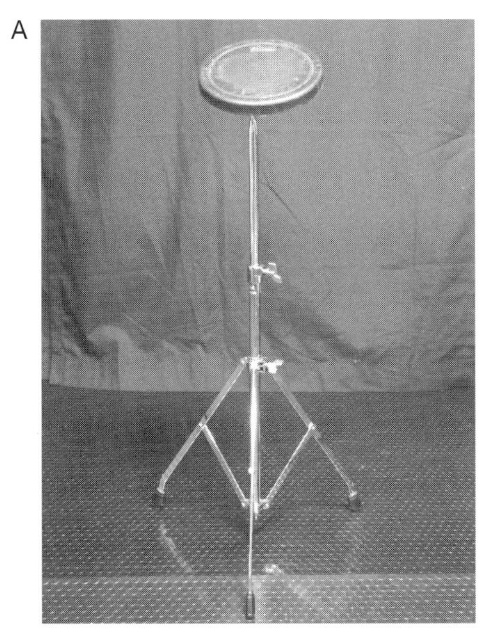

トレーニング･パッド

B

電子ドラム

音符と休符の長さ(音価)

音 符

音符の形はその音の長さ(音価)を表しています。以下に、主要な音符の長さと、それと等価の休符を一覧しました。全音符から順に、音符は、すぐ上の音符の長さの半分の音価(例：２分音符１つ＝全音符１つの１/２の長さ。４分音符１つ＝２分音符１つの１/２の長さ)です。

音 符

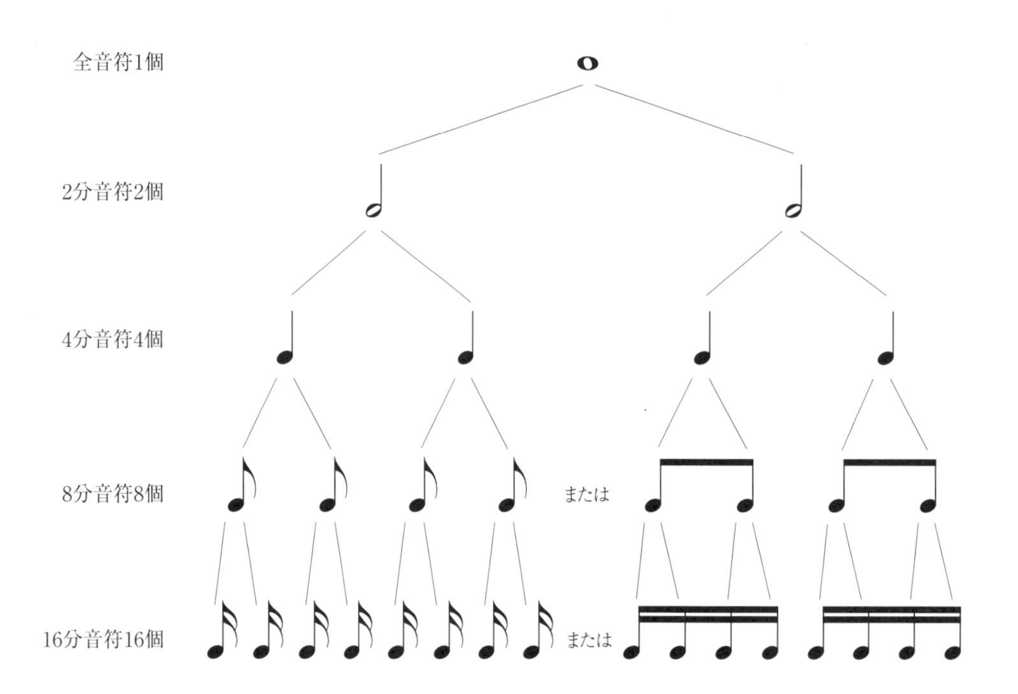

この一覧では、16分音符までを示しましたが、音符はさらに細かく分割することができます。

休 符

次に、各音符と、それと同等の音価の*休符があります。上の音符と同じ長さ(音価)の休符の記号を下段に示しています。

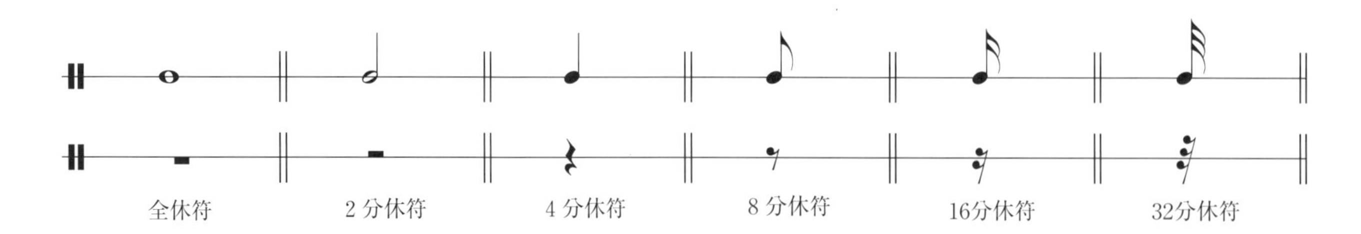

*音楽用語の休符とは、音を出さない部分(休み)のこと

付点音符

音符の右側に小さな点の付いた音符を付点音符、(休符は付点休符)といいます。この点が付くことにより、元の音符の半分の長さ分を加えて延ばすことを意味します。

例えば付点全音符は、4分音符を1拍と数えると4拍で、付点はその半分なので2拍となり、合計6拍の長さ(音価)になります。右の一覧を参考にしましょう。

付点全音符
付点2分音符
付点4分音符
付点8分音符
付点16分音符
付点32分音符

複付点音符

付点音符の右に、さらに点の付いた音符を複付点音符(休符は複付点休符)といいます。2つめの点は、1つめの点の半分の長さを表します。

例えば、複付点全音符の場合は、4分音符を1拍と数えると、4拍＋2拍＋1拍で、7拍の長さ(音価)になります。右の一覧を参考にしましょう。なお、ここでは複付点16分より小さい音価は省略しました。

複付点全音符
複付点2分音符
複付点4分音符
複付点8分音符

付点休符と複付点休符

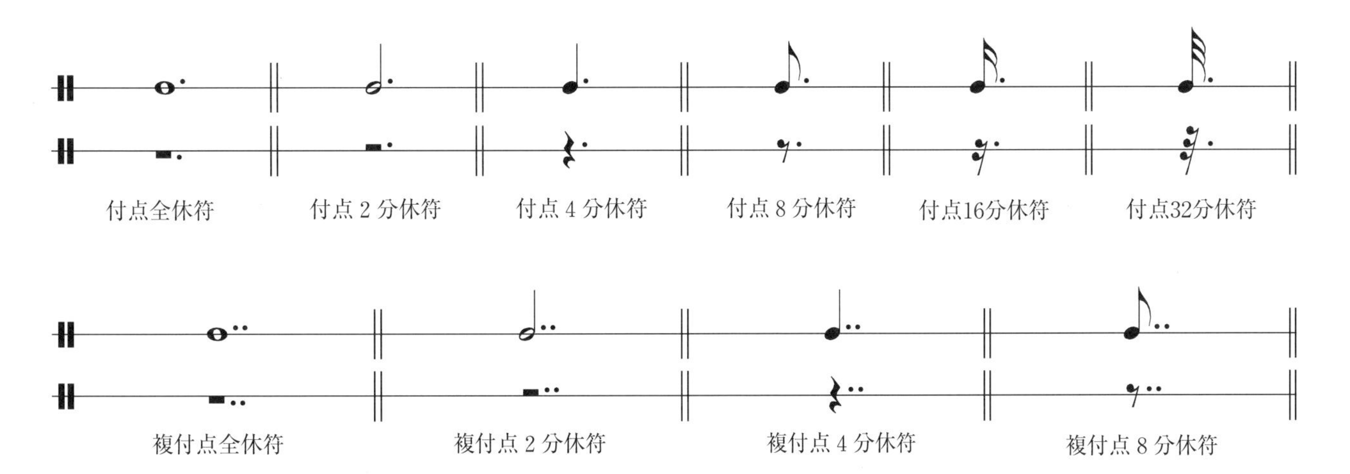

連 符

単純音符は、それぞれ２、４、８、16、32と分割できますが、場合によっては３、５、６、あるいはそれ以上に等分することが必要な場合もあります。その時は、等分した音符を連結させ、連符の上か下に数字が付けられたものを連符(または連音符)といいます。連符１つひとつの長さは均等です。

以下の譜例の３拍めのように、１つの音符が３等分された音符を３連符、または３連音符といいます。

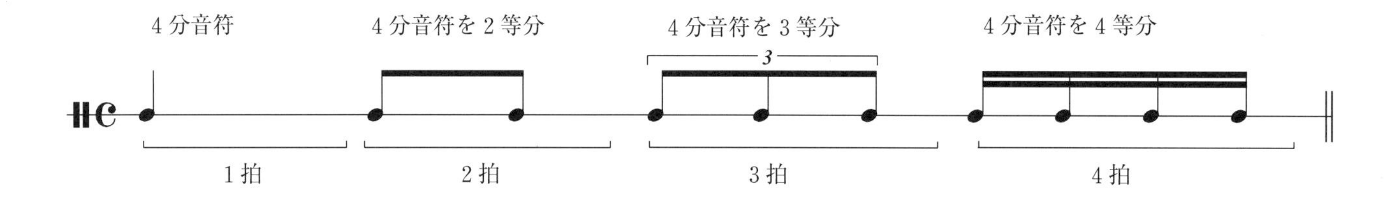

単純音符(p.24)を連符で表すと次のようになります。以下の４種類は、左から順に３連符、５連符、６連符、７連符です。

連符に休符が入る場合もあります。以下は４分音符の３連符です。

記号と用語

楽譜には、さまざまな音楽記号や音楽用語が出てきます。

強弱記号

音の強弱を表す記号です。弱くから強くまで、順番に示してあります。

ppp	*pp*	*p*	*mp*	*mf*	*f*	*ff*	*fff*
ピアニッシシモ	ピアニッシモ	ピアノ	メゾピアノ	メゾフォルテ	フォルテ	フォルティッシモ	フォルティッシシモ
ピアニッシモより さらに弱く	きわめて弱く	弱く	やや弱く	やや強く	強く	きわめて強く	フォルティッシモより さらに強く

fp	*sf*
フォルテピアノ	スフォルツァンド
強く、ただちに弱く	とくに強く

diminuendo(dim.) ＞ だんだん弱く

crescendo(cresc.) ＜ だんだん強く

rit. (ritardando) だんだん遅く

accel. (accelerando) だんだん速く

アーティキュレーション

反復記号（リピート記号）

この記号内を2回演奏する。小節の始めに戻る時は、
最初の小節の反復記号を省略することがある

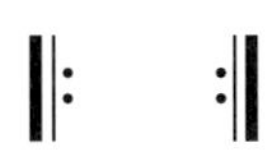

ドラム譜の表記と音部記号

ドラム用の５線譜には、他のピッチ(音高)のある楽器に使うのと同じような５線譜を使いますが、パーカッション・クレフと呼ばれる音部記号を用いて表します。ドラム譜の線と間は、ピッチを示すのではなく、ショットするドラムやシンバル類を表します。

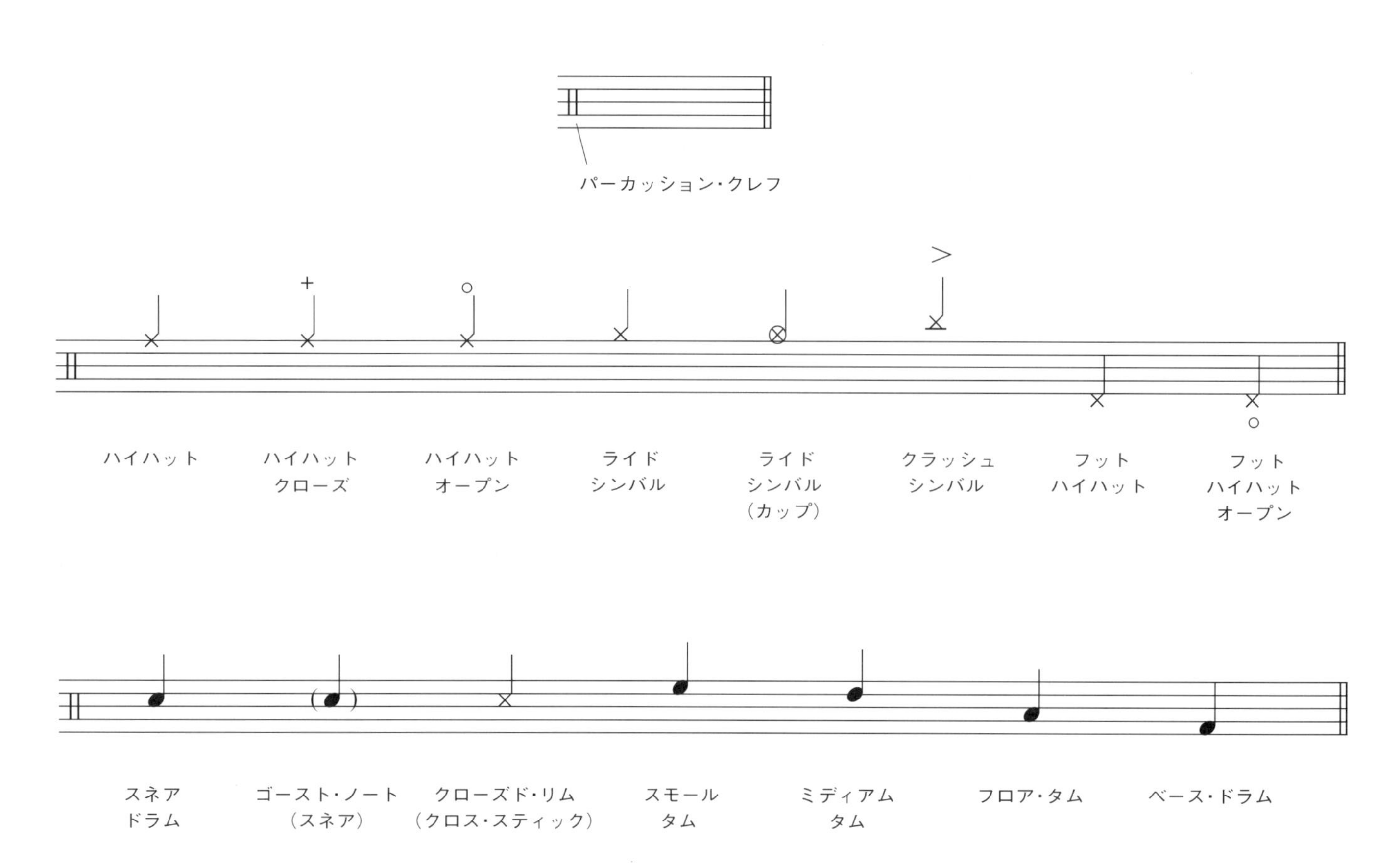

上の表記は、タム２つ、フロア・タム１つの場合の表記です。タムの数が増えれば、スモール・タムの上、及びフロア・タムの上の線に追加されます。

ハイハット・シンバル、スネア・ドラム、ベース・ドラムの練習

ハイハット・シンバルの練習

ハイハットはペダルの付いたハイハット・スタンドに上下２枚のシンバルがセットされています。上のシンバルはペダルによって上下に動きます。２枚のシンバルは上下を向かい合わせてして、通常１～３インチくらい離してセットします。

ハイハットは、写真Aのようにスティックのショルダー部分で叩きます。ショルダーで叩くのが基本です。やさしく叩くときやボリュームを出したくないとき、また細かいフレーズを演奏するときなどには、スティックのチップで演奏することもあります(写真B)。

スティックのショルダーとチップで(写真AとB)交互に演奏する場合もあります。

A

B

Track 1-3

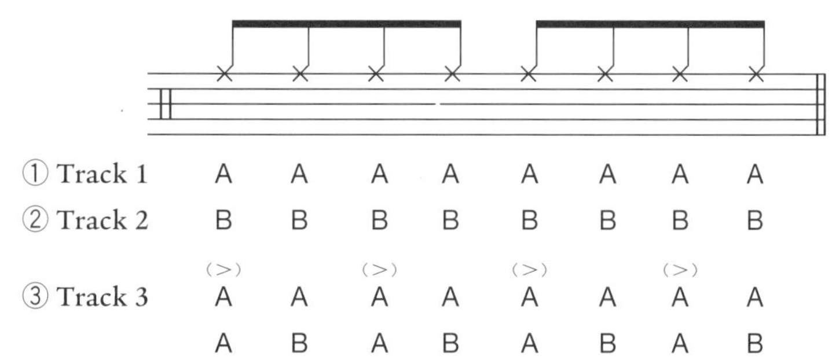

Track 1は写真Aの叩き方で、Track 2は写真Bの叩き方で、Track 3は写真Aの叩き方で１、２、３、４拍めを強めに叩く。

まずは①の叩き方で練習しましょう。できるようになったら、②、③と練習しましょう。

ハイハットは両手と左足のフット・ペダルを使って演奏しますが、右手でハイハットを演奏するときは、**左足でペダルを踏み込んだまま**(写真C)、シンバルをクローズにした状態で演奏しましょう。

C

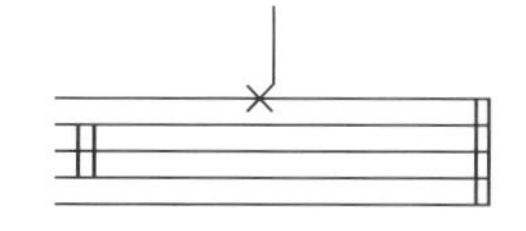

右手でハイハットを叩く練習　4分音符

メトロノームに合わせて、まず写真Aの叩き方で♩=60から始めましょう。あなたが演奏できる速さまで、徐々にテンポを上げていきましょう。最初はゆっくりのテンポで、タイムを意識し、一定のリズムで正しく演奏することが最も重要です。左足はハイハット・ペダルを踏んでクローズの状態でいきましょう。

Track 4

1

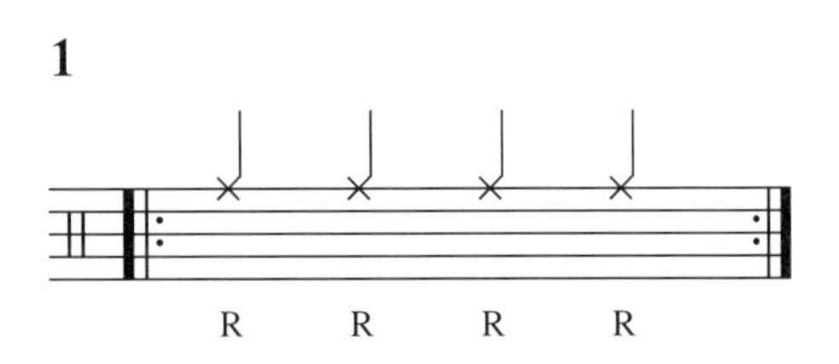

2

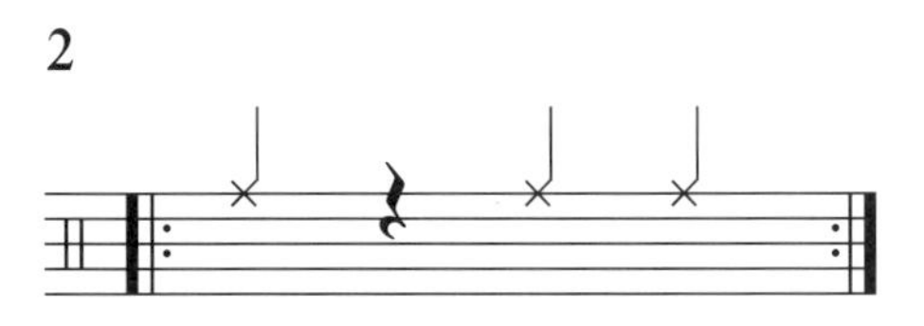

3

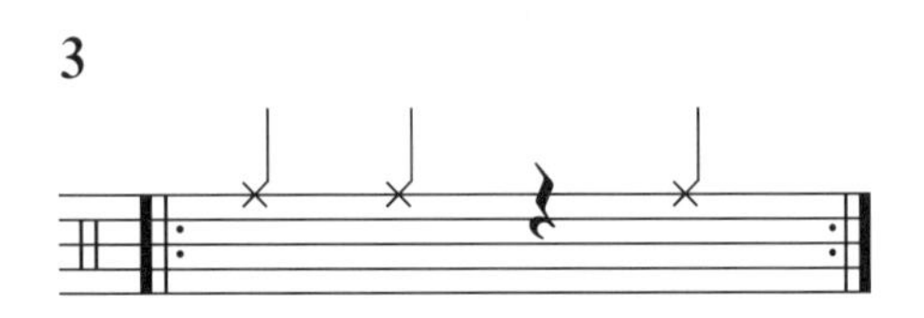

4

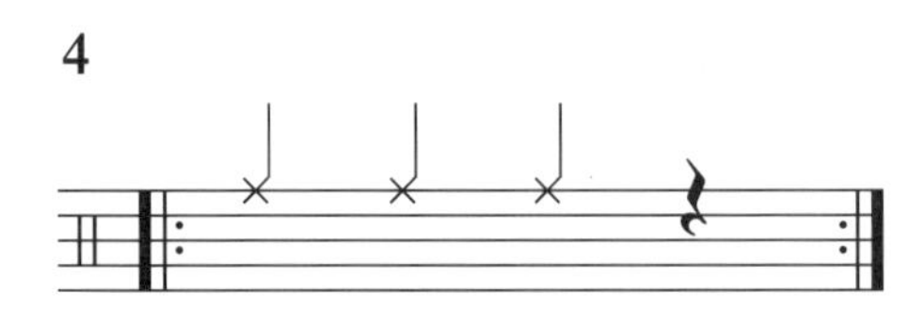

5

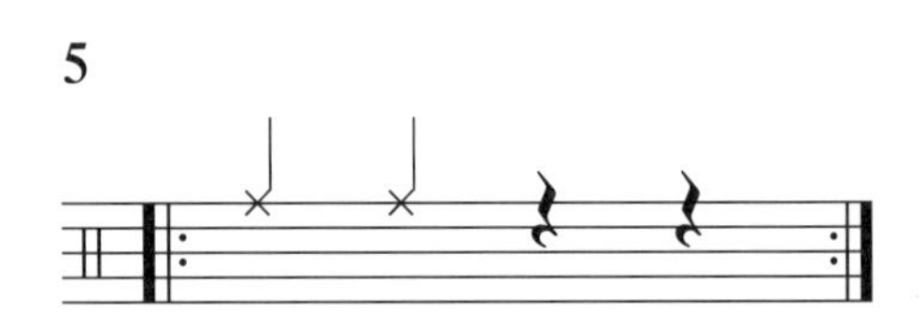

6

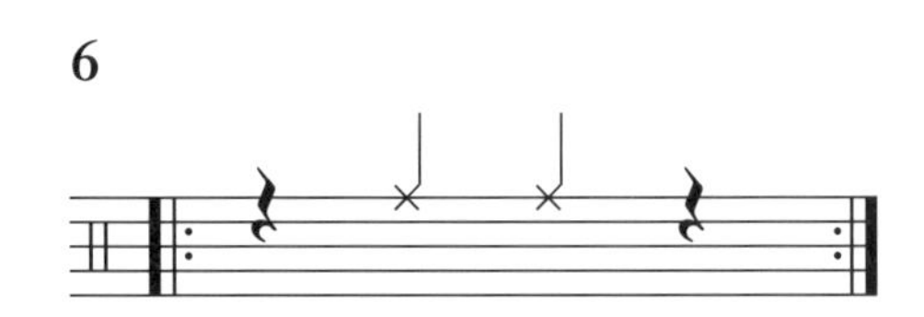

7

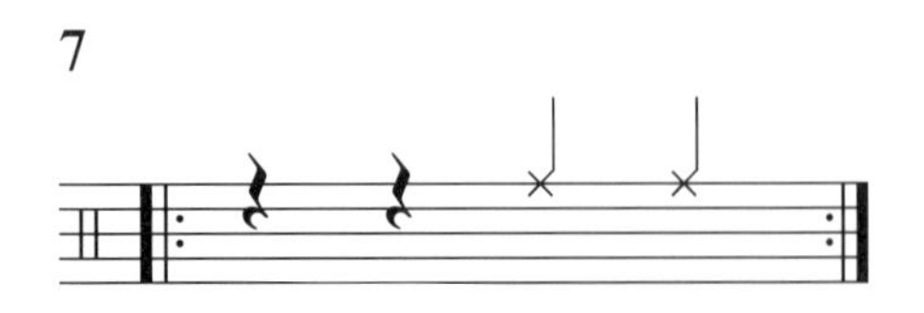

8

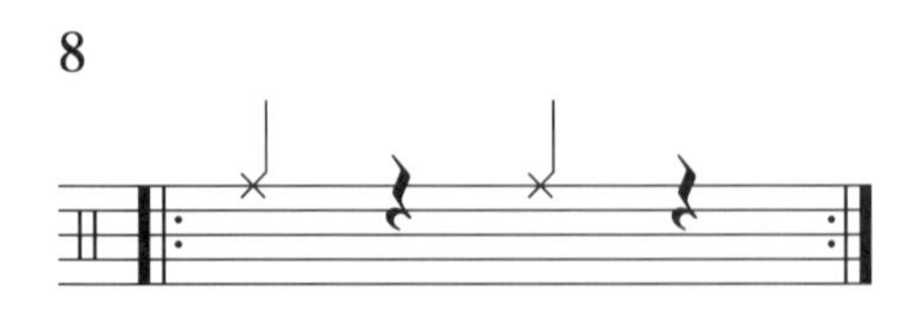

9

10

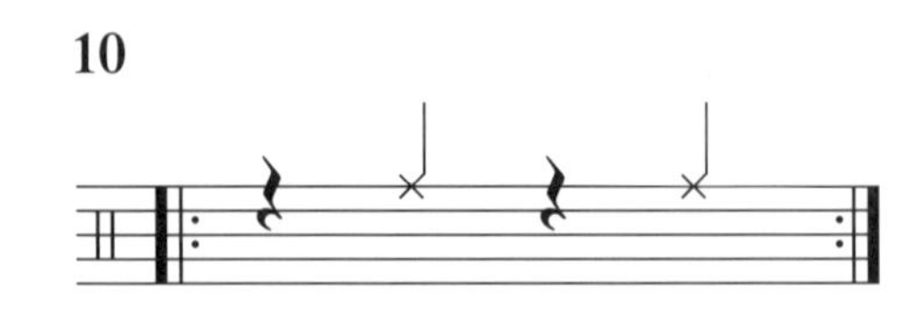

右手でハイハットを叩く練習　4分音符と8分音符

右手でハイハットを叩く8分音符の練習です。最初はゆっくりのテンポで始め、一定のリズムで正確に叩くことができてから、徐々にテンポを上げていきます。正しくできないのに、速いテンポでリズムがくずれた演奏をするよりも、ゆっくりのテンポで正しいリズムで演奏できることがとても大切です。練習するときは、常にタイムを意識して演奏し、クリック（メトロノーム）に合わせてできるようになったら、少しずつテンポを上げていきましょう。

Track 5

1

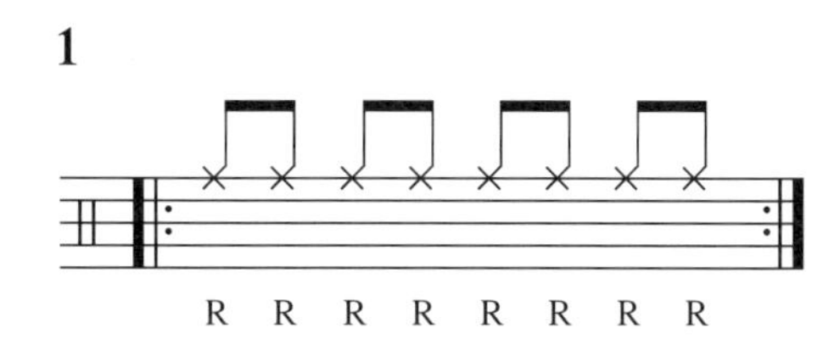

2

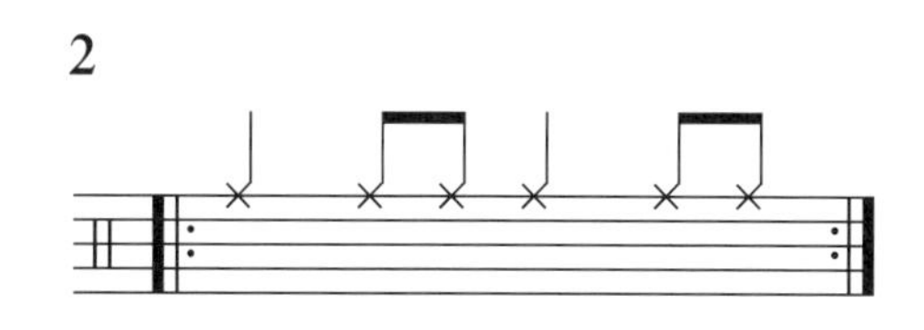

3

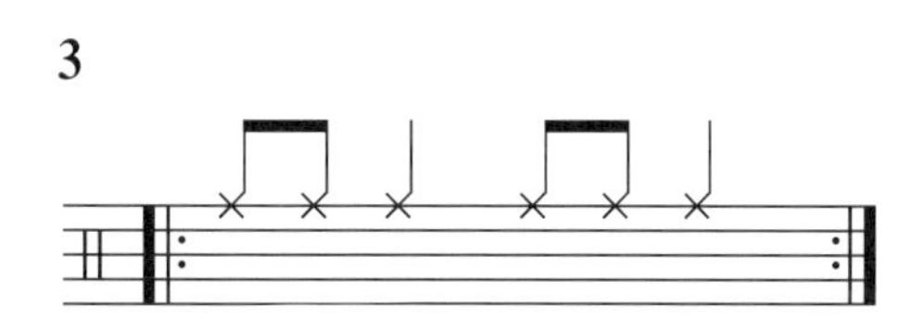

4

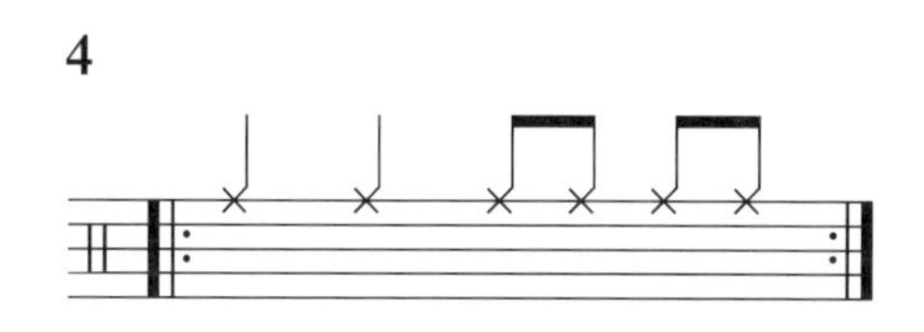

5

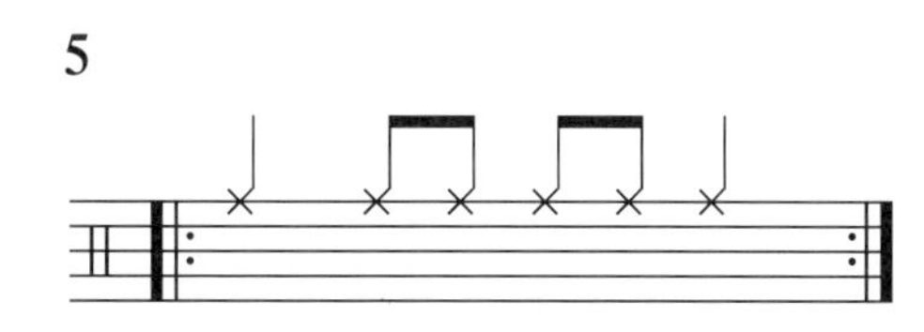

6

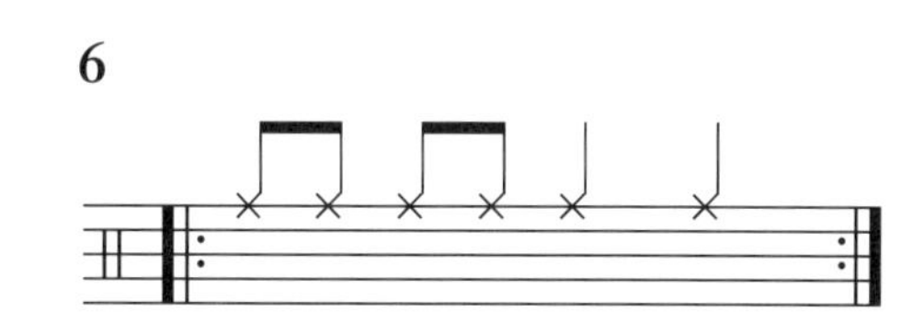

7

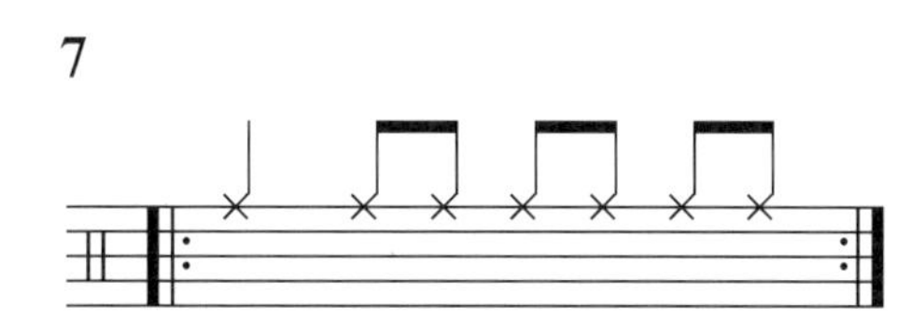

8

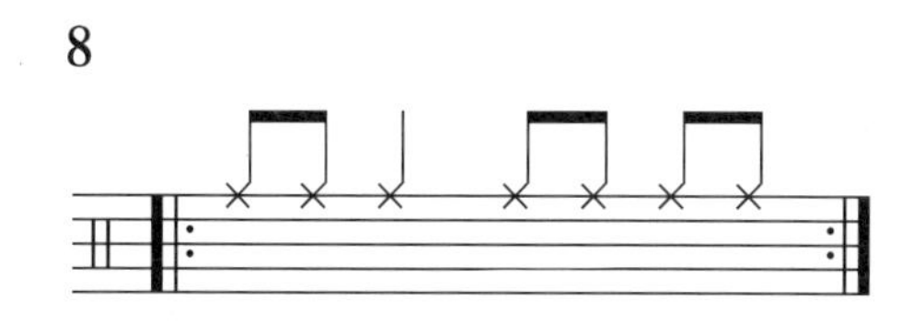

9

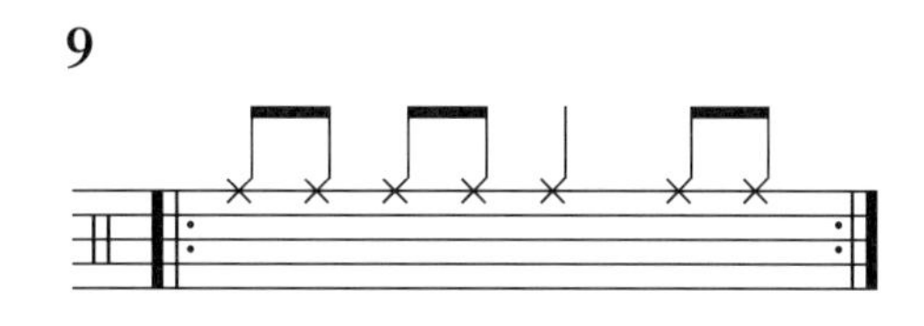

10

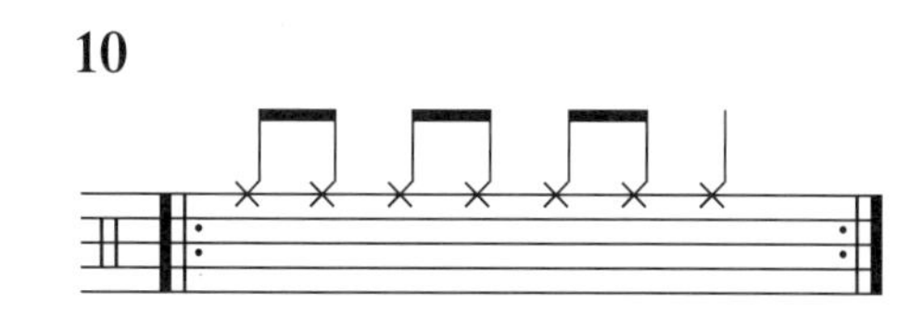

Track 6

11

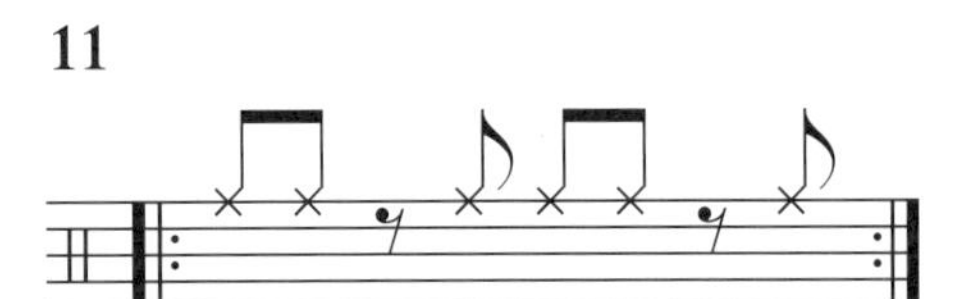

12

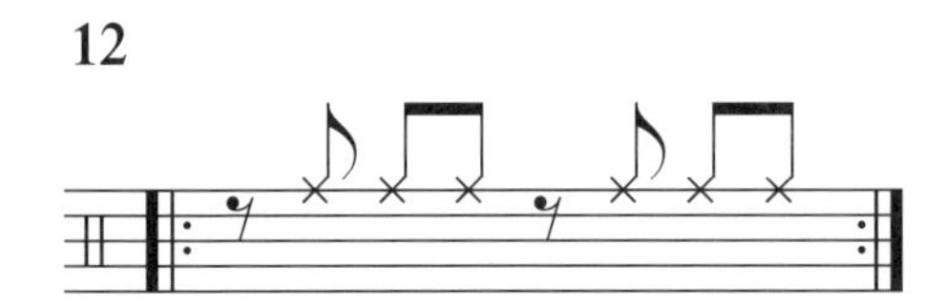

13

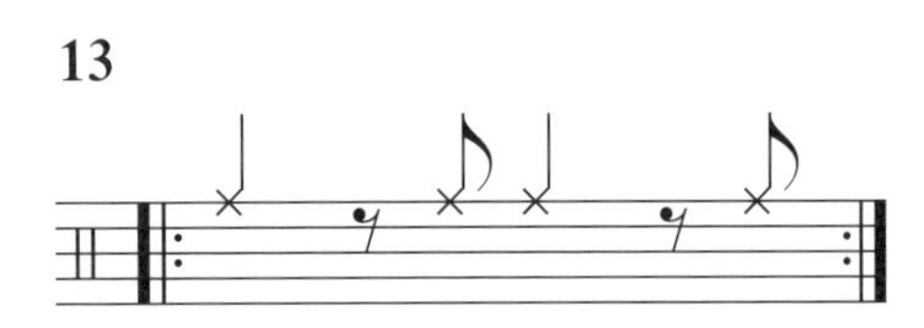

14

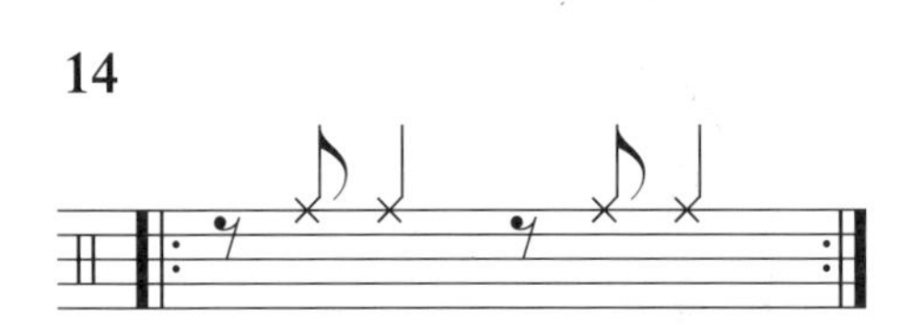

15

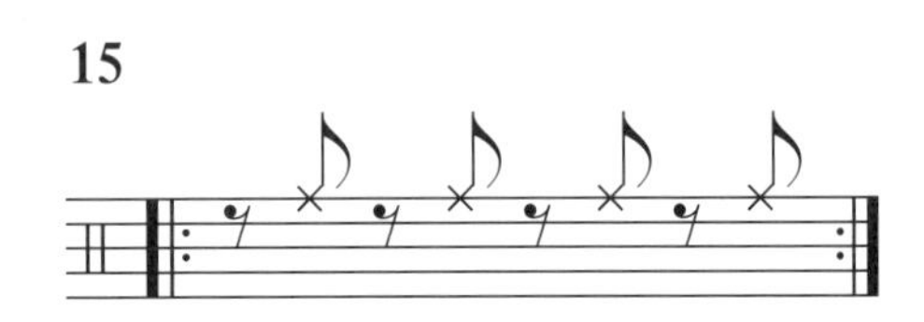

16

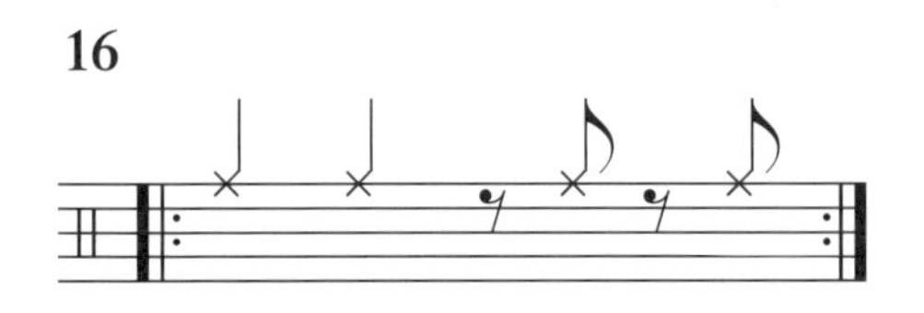

17

18

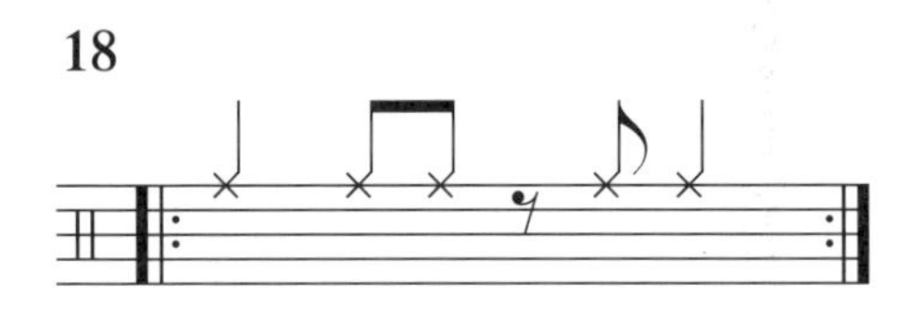

19

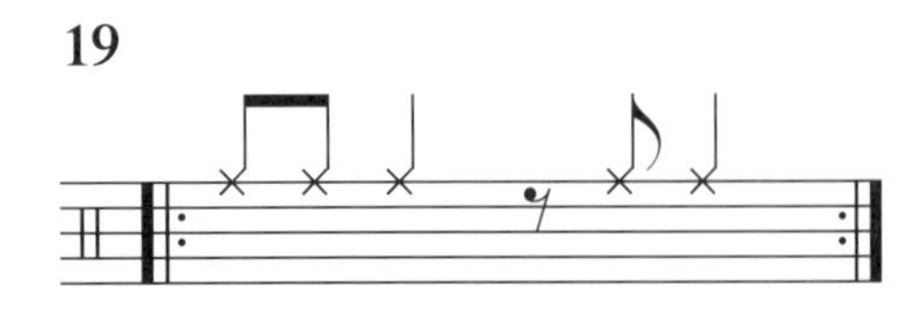

20

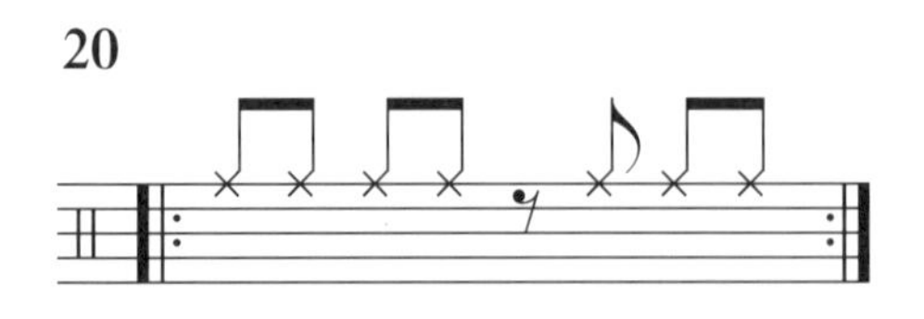

21

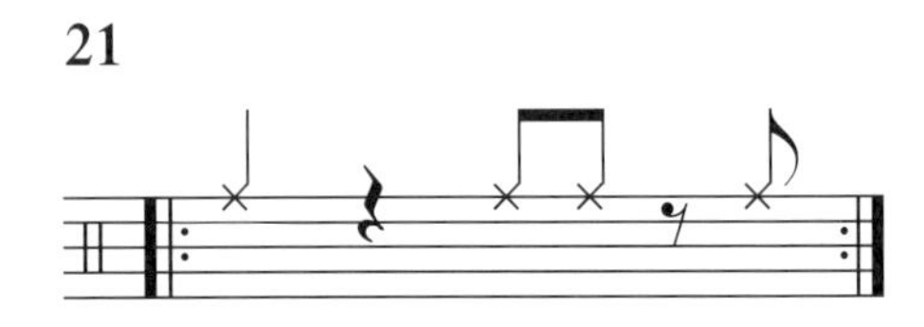

22

左手でスネア・ドラムを叩く練習　4分音符

ハイハットとスネアを両手で叩く練習の前に、左手でスネア・ドラム（4分音符）を叩く練習をしましょう。1音1音はっきりと大きな音で叩きましょう。スティックは叩いたあとヘッドに残さず、すばやく離しましょう。初めに左手で練習し、できるようになったら右手でも練習しましょう。

Track 7

1

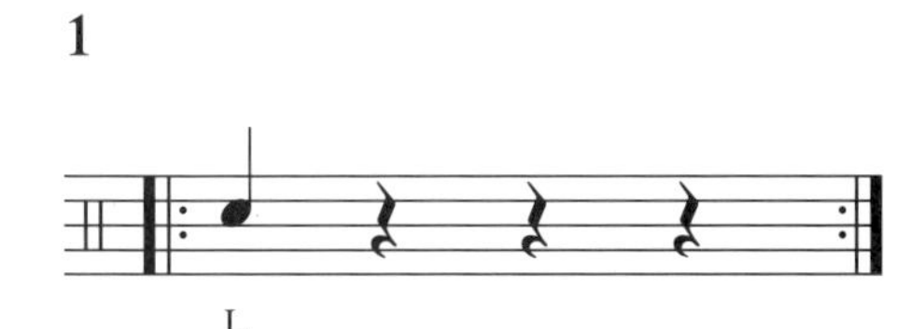

2

3

4

5

6

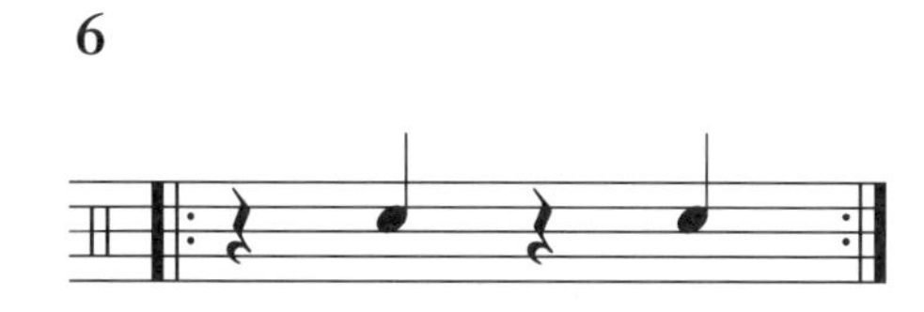

7

8

9

10

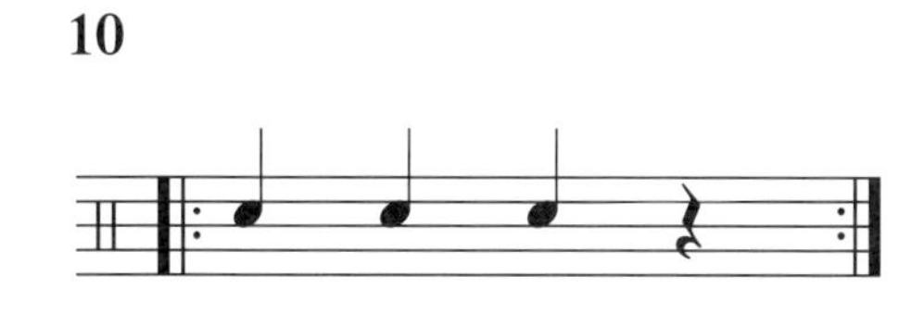

11

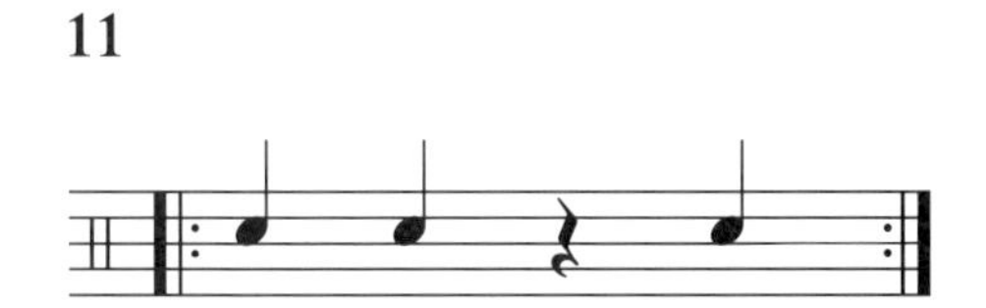

12

両手でハイハットとスネアを叩く練習

右手を上側にして腕をクロスして構えます(p.16参照)。まずA、B、Cの譜例を練習して、これができるようになってから下の練習に進みましょう。それぞれの課題は1回だけリピートするのではなく、くり返し練習するとよいでしょう。

Track 8

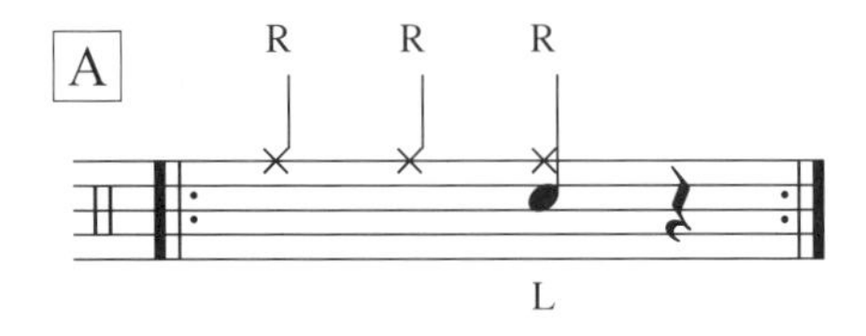

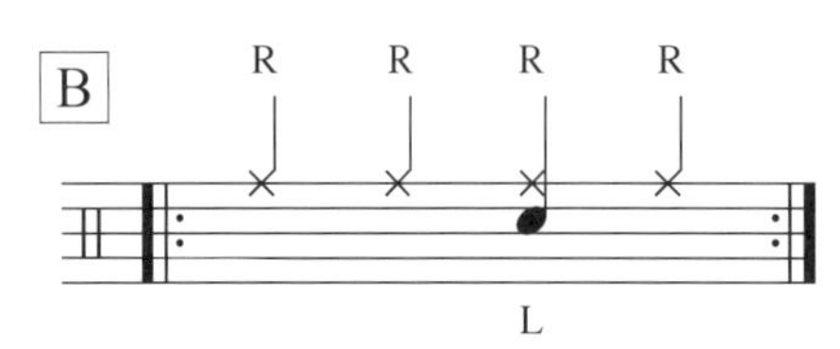

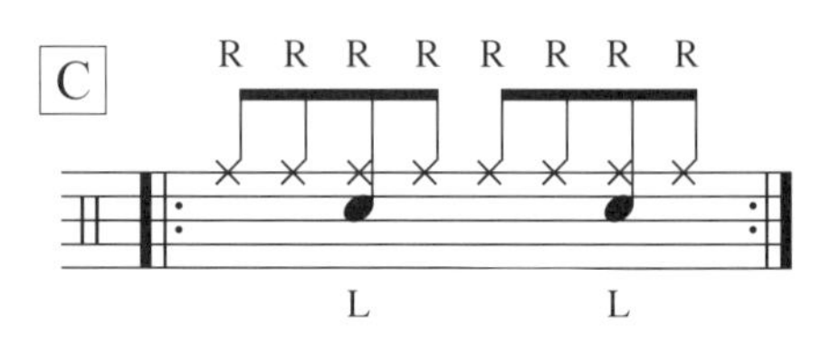

Track 9

1

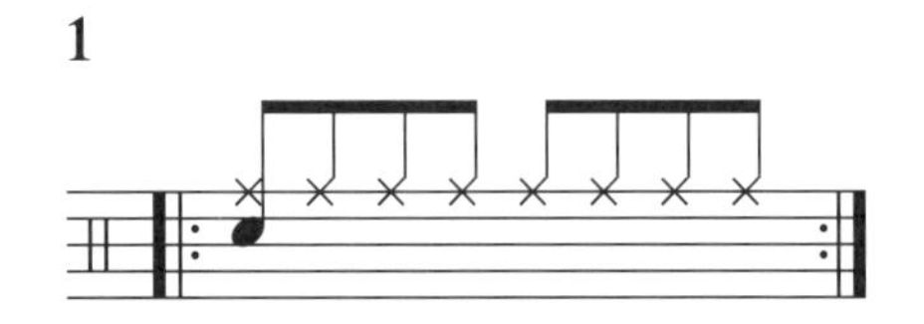

2

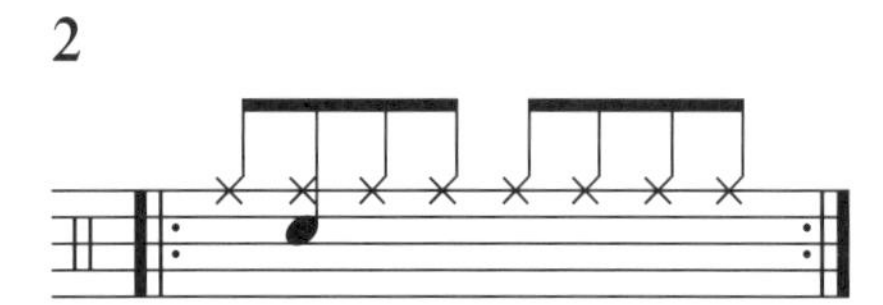

3

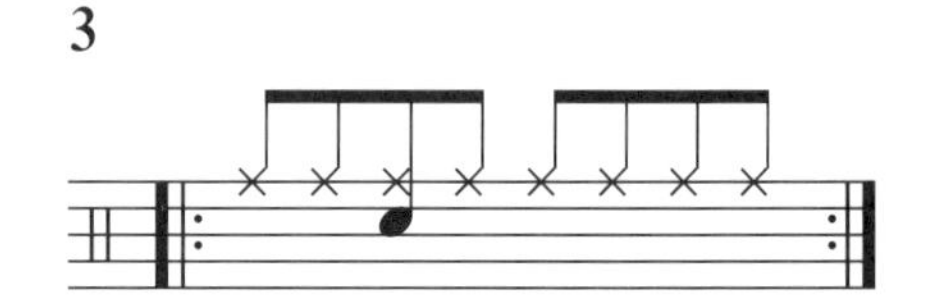

4

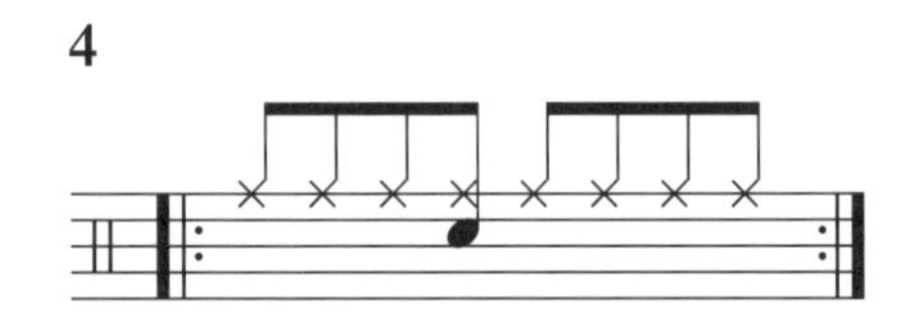

5

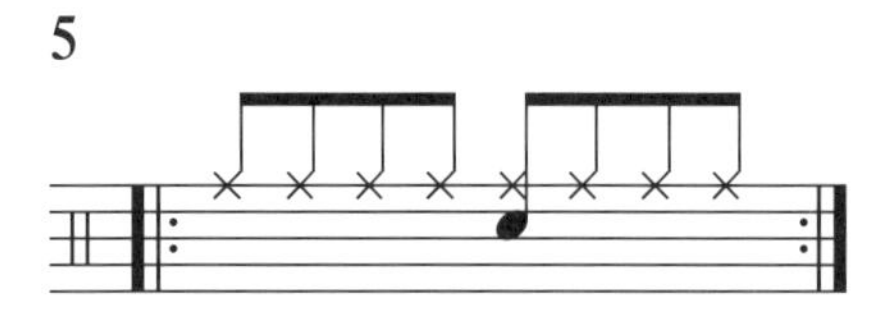

6

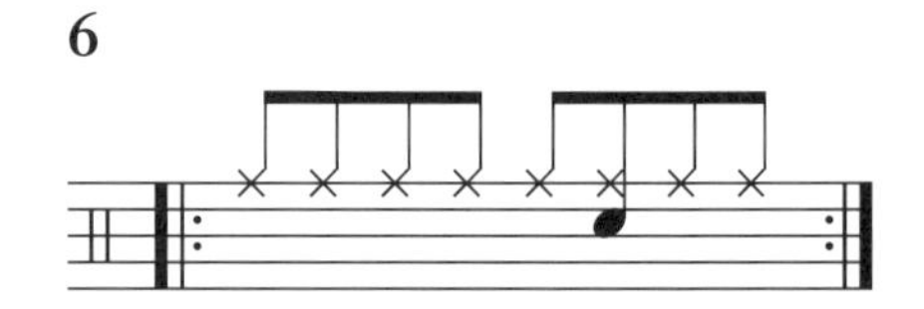

7

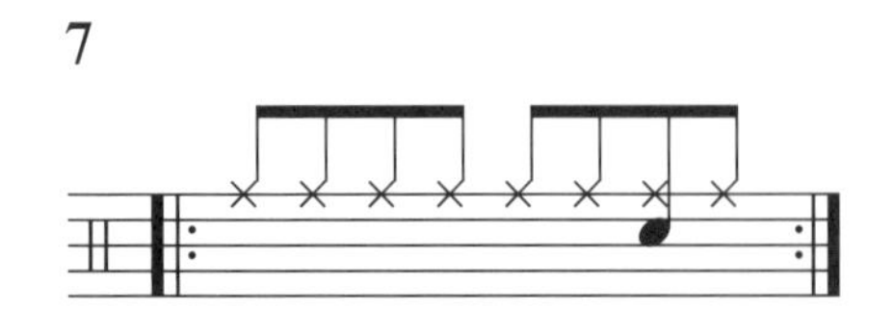

8

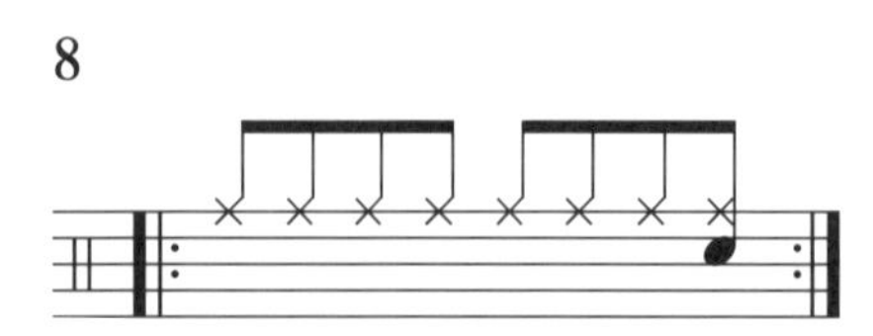

9

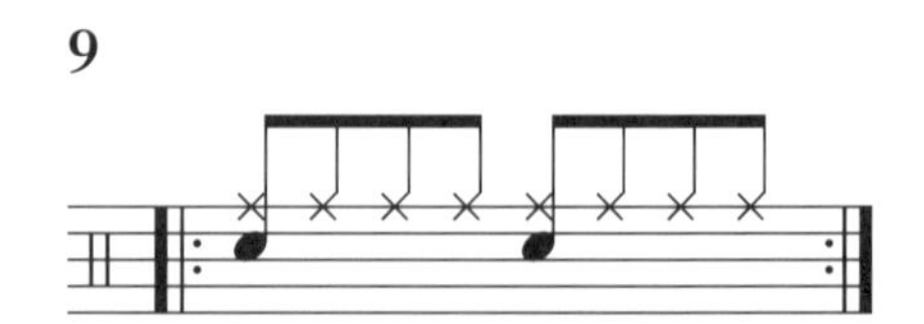

10

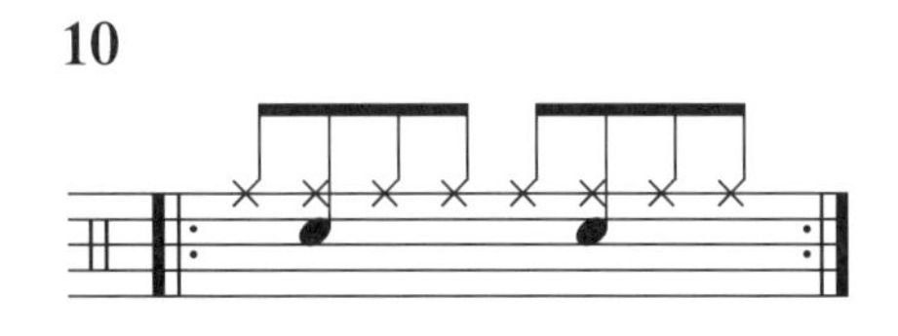

11

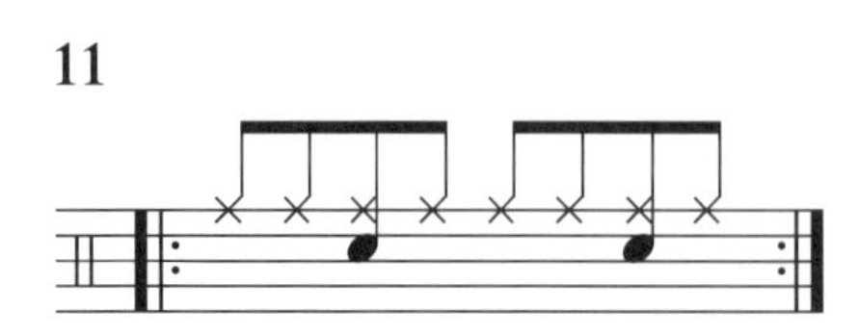

12

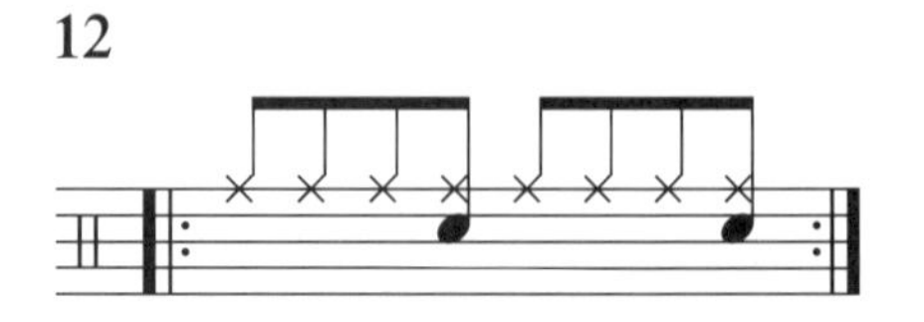

右足でベース・ドラムを踏む練習

フット・ペダルの演奏は、スティッキングにくらべてボリューム調整が難しいです。すべての音が同じボリュームで演奏できるようにくり返し練習しましょう。

 Track 10

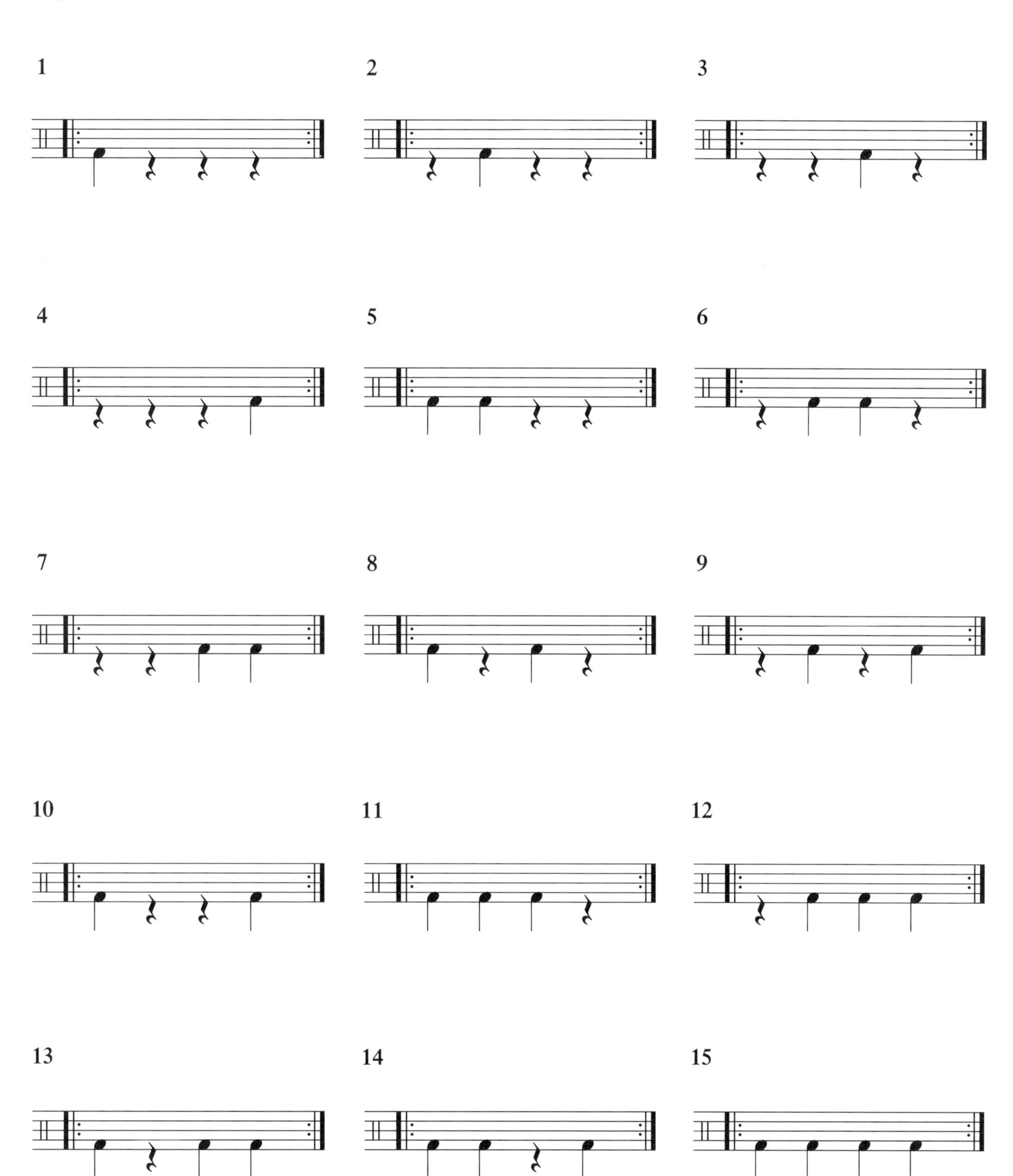

ハイハット、スネア・ドラム、ベース・ドラムを一緒に演奏する練習　ハイハットによる8thノート・ビート

８分音符をベース・ドラムで演奏します。初めはベース・ドラムだけで８分音符を演奏するのは難しいので、右手のハイハットに合わせて練習しましょう。また右手、左手、右足で同時に音を出すところでは、特に３つの音が同時に演奏できるように意識して練習します。メトロノームに合わせて、ゆっくりのテンポから始めましょう。

Track 11

1

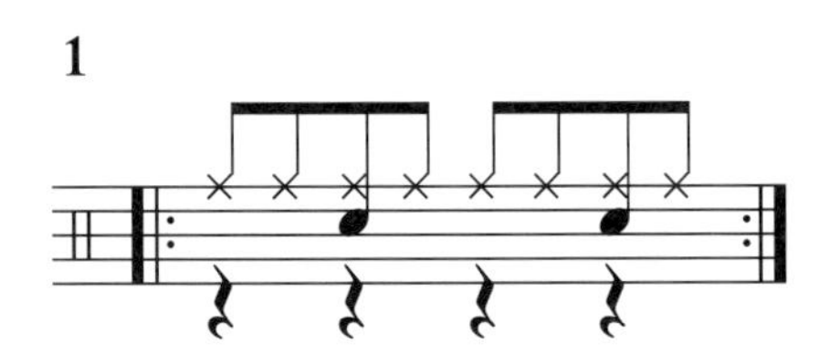

2

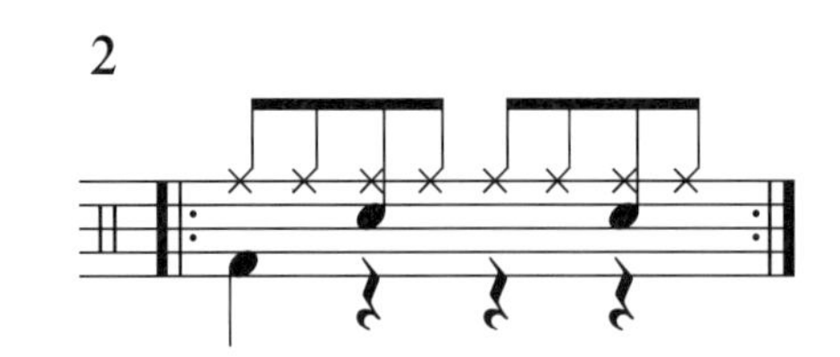

3

4

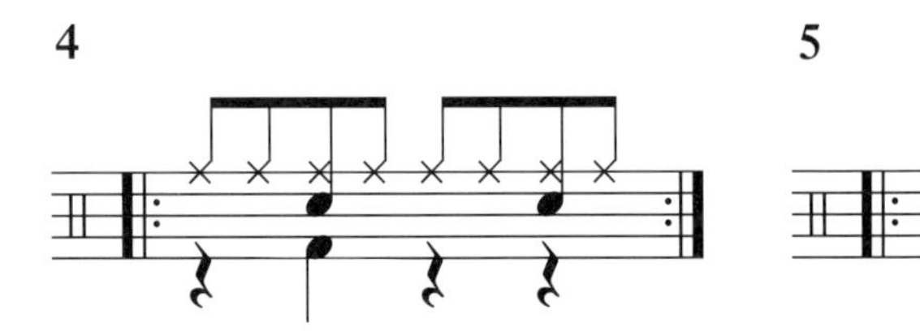

5

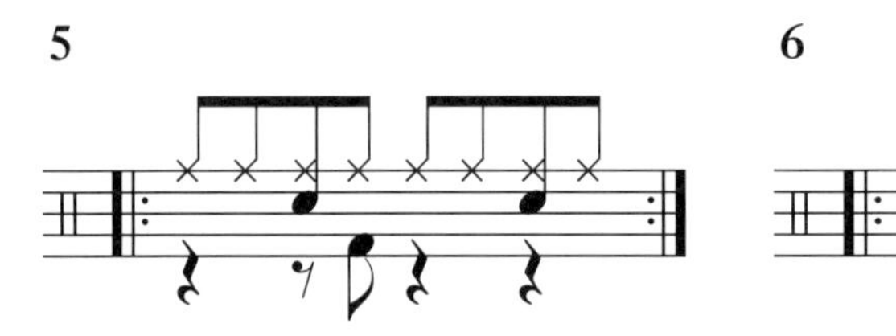

6

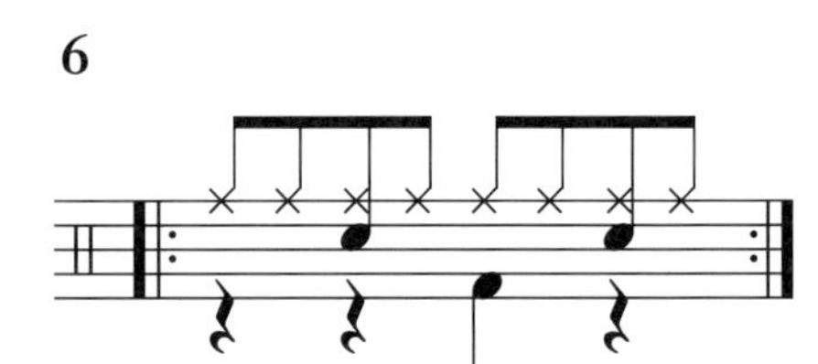

7

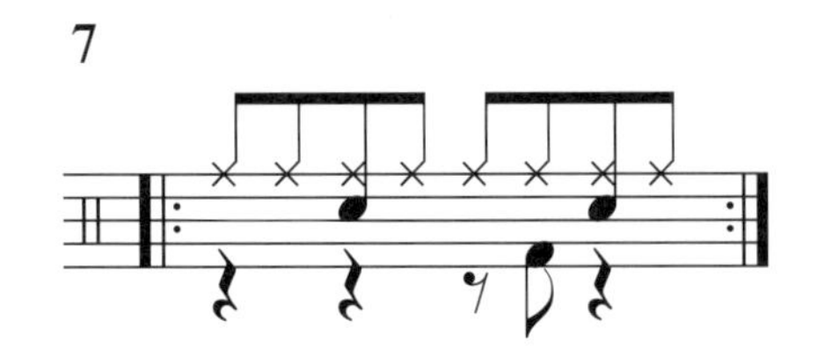

8

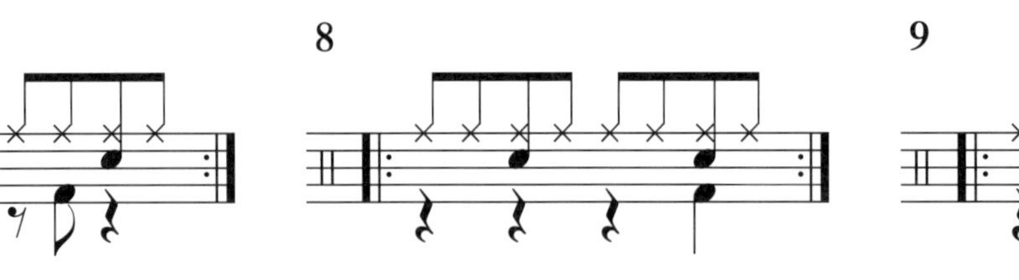

9

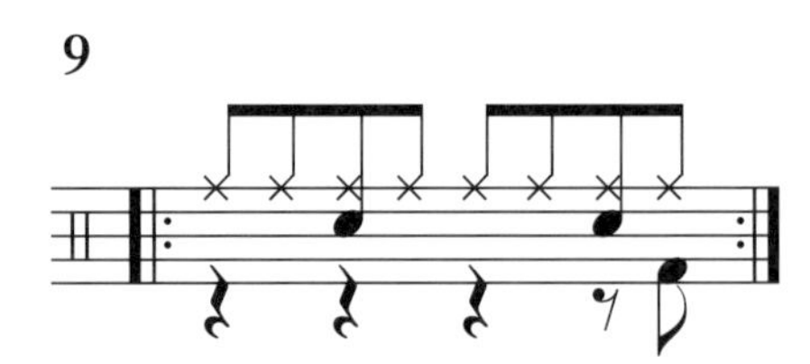

10

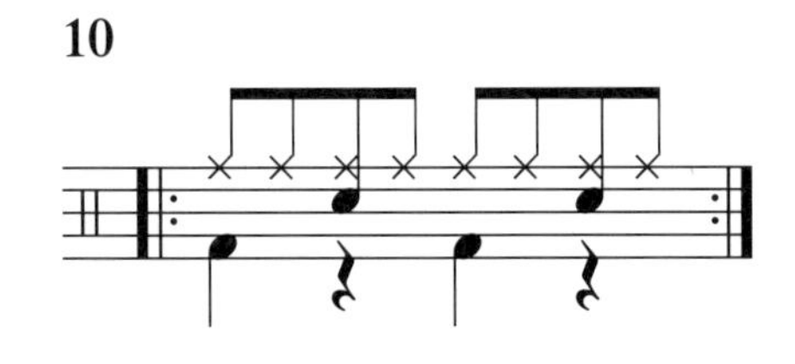

11

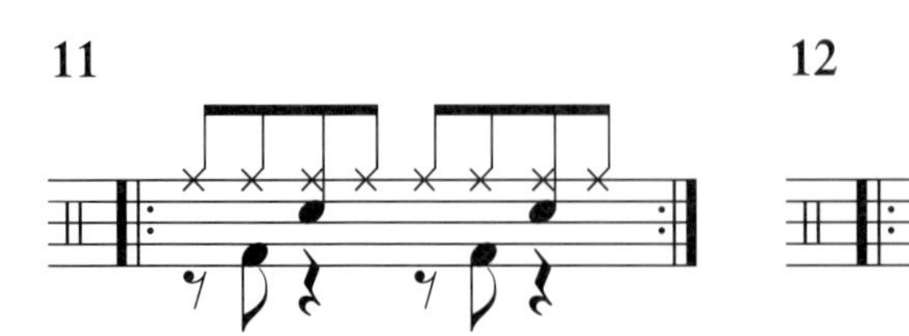

12

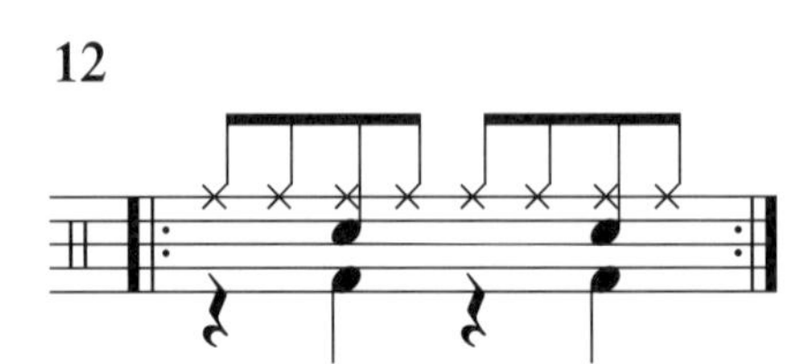

Track 12

13

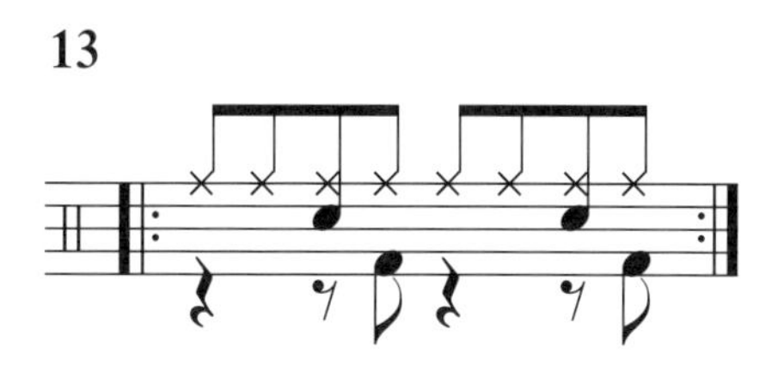

14

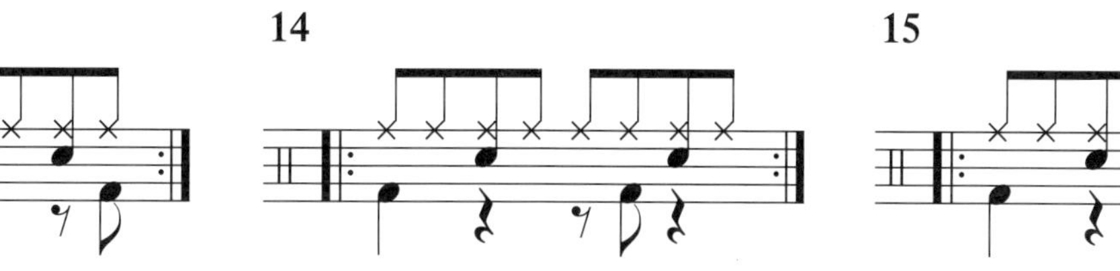

15

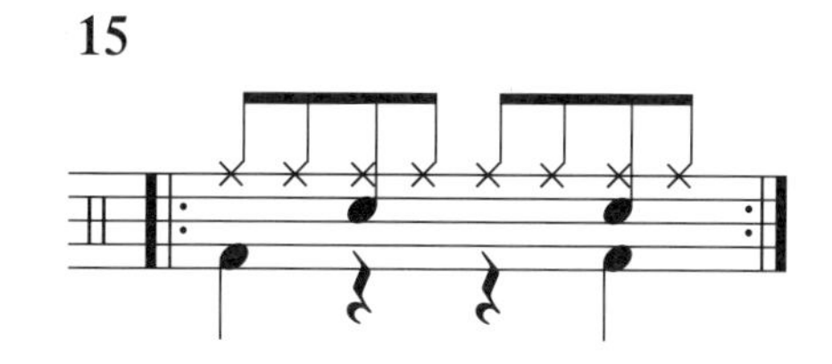

16

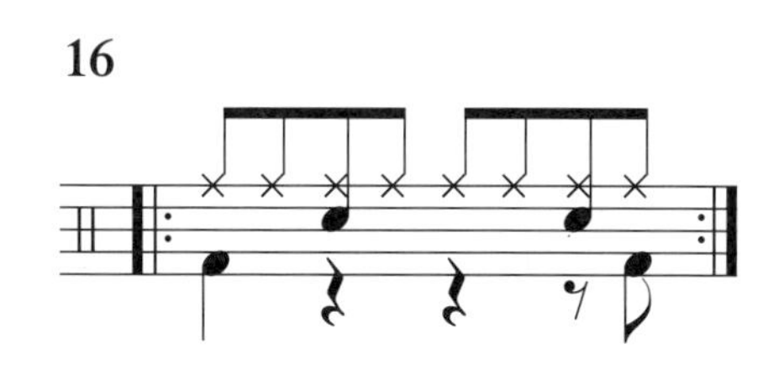

17

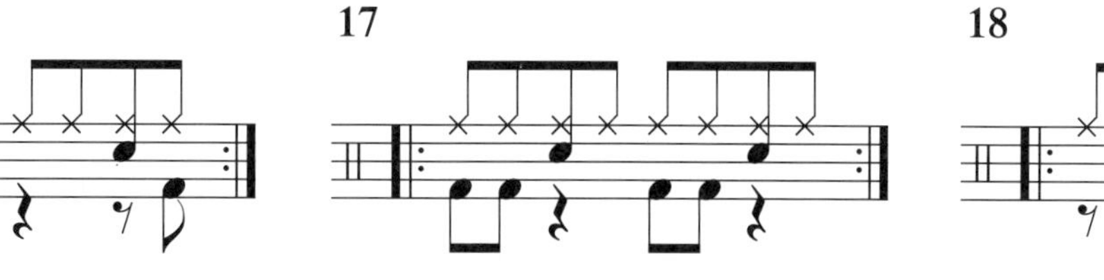

18

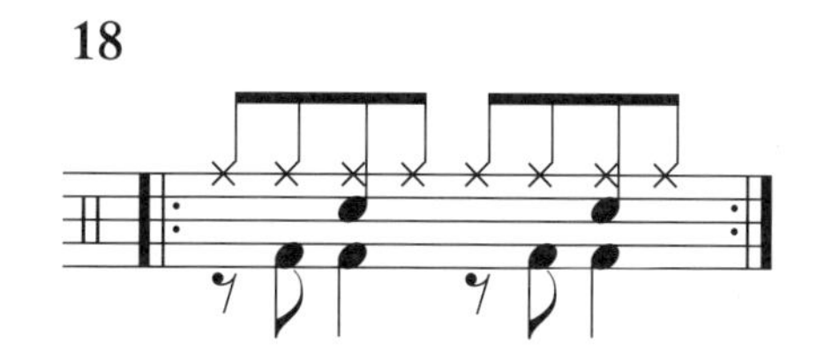

19

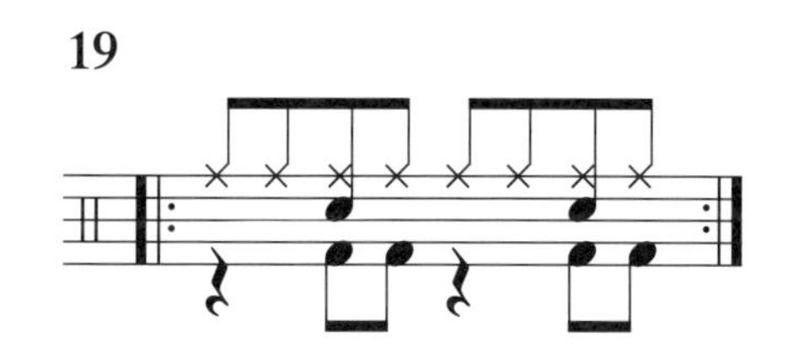

20

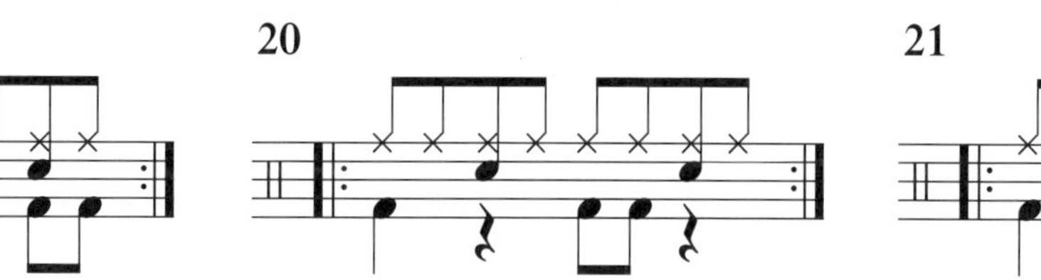

21

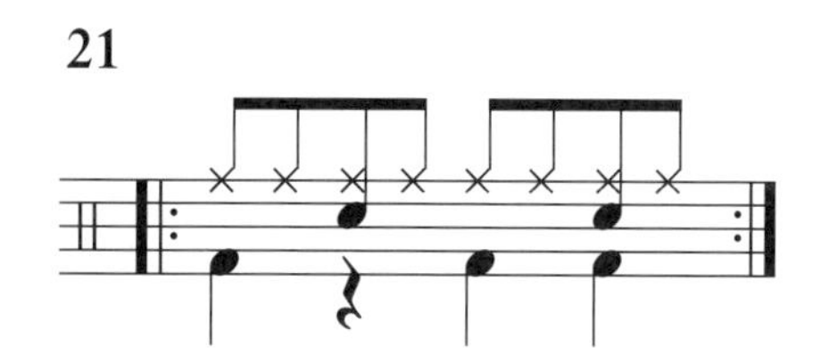

22

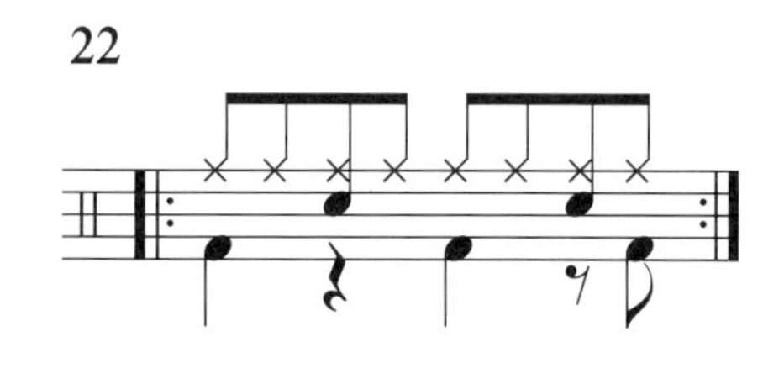

23

24

25

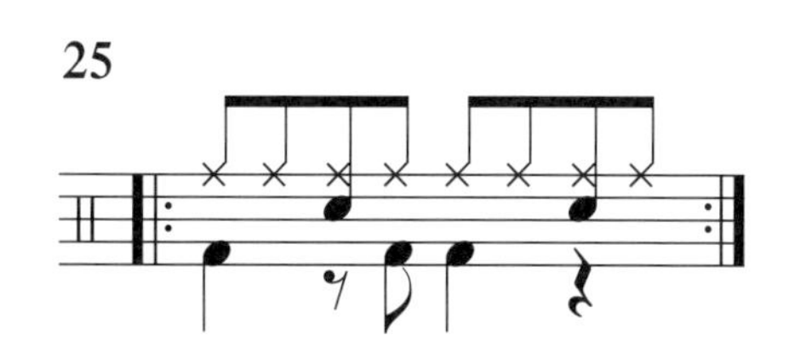

26

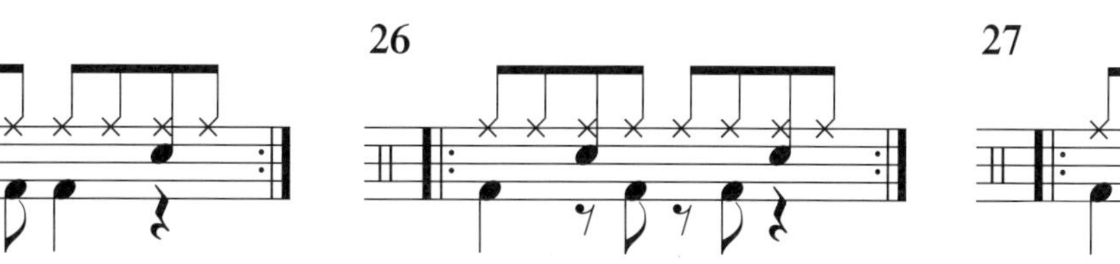

27

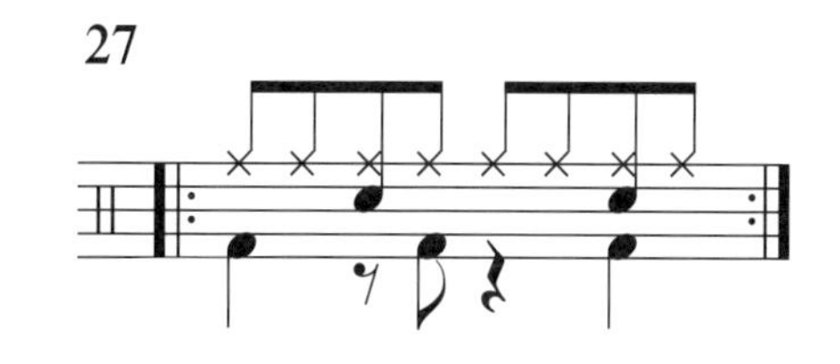

28

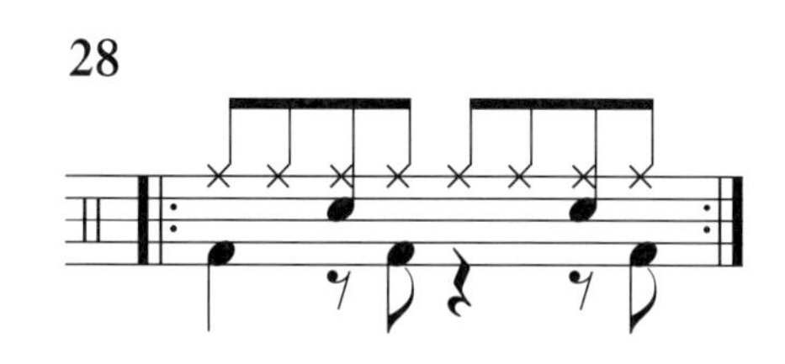

29

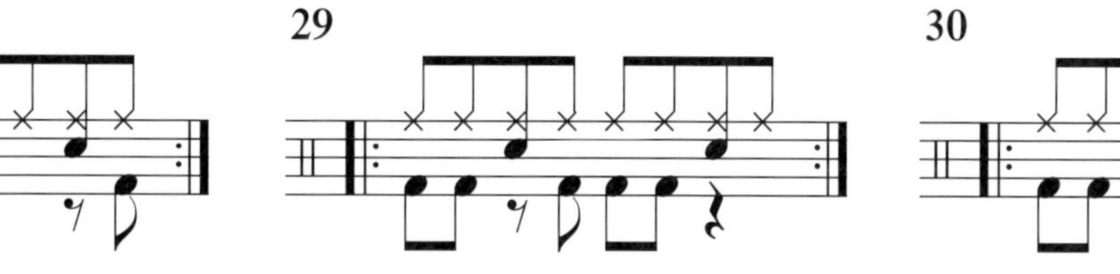

30

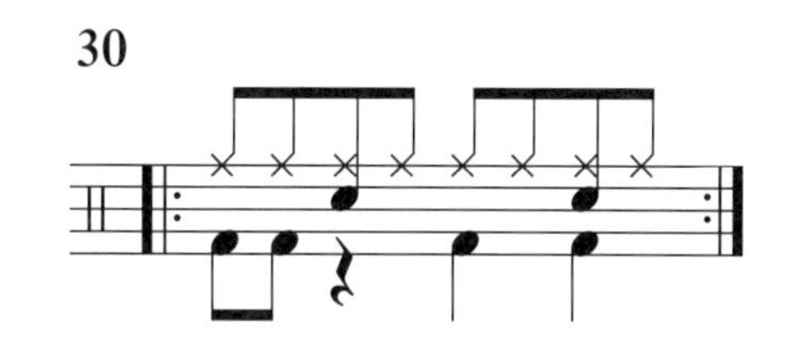

Track 13

31
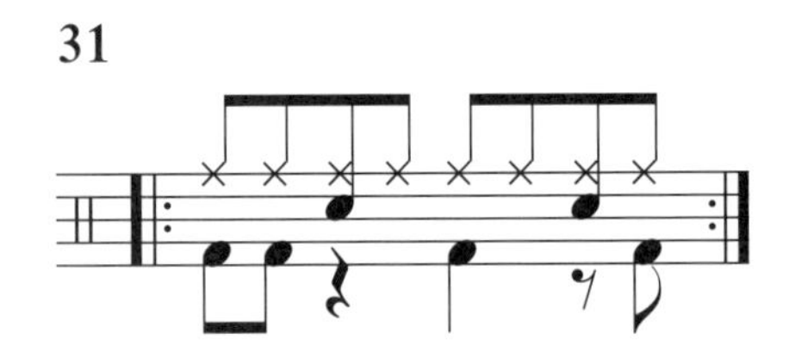

32
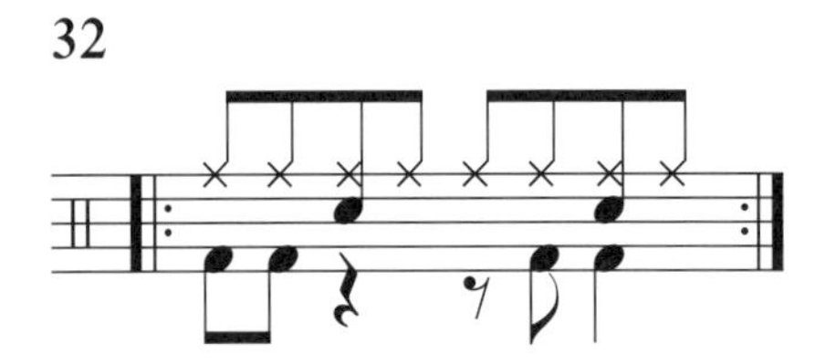

33
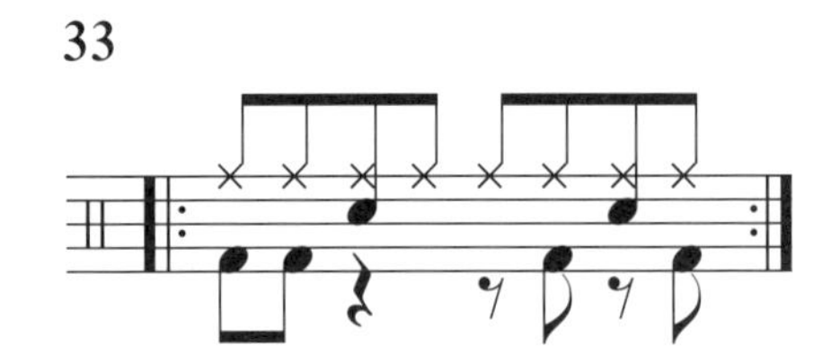

34
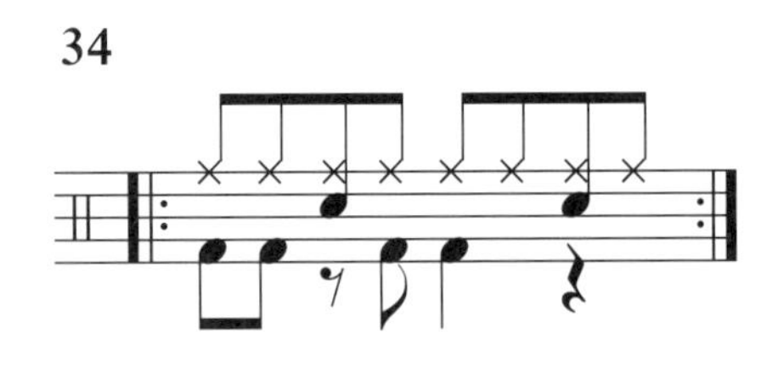

35
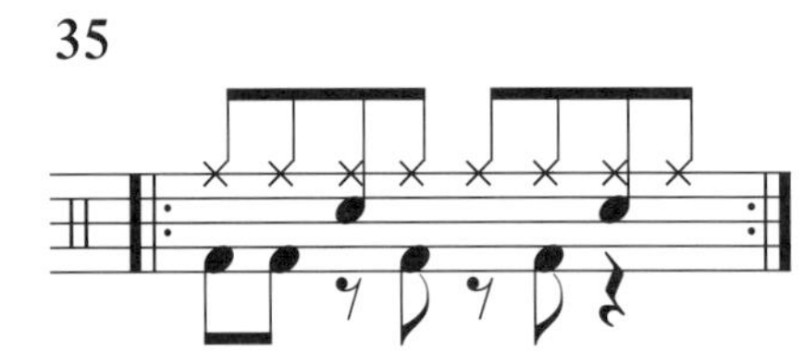

36
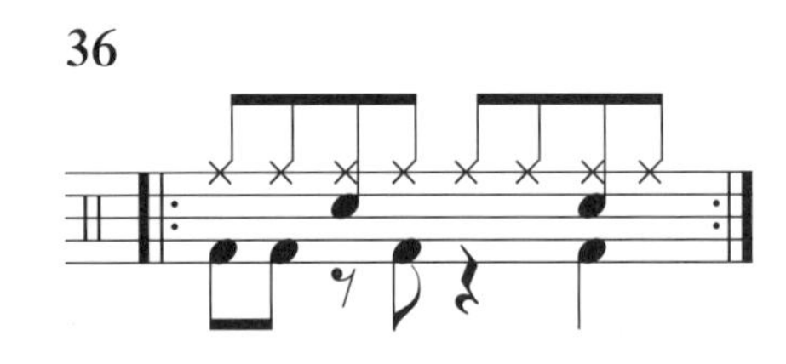

37
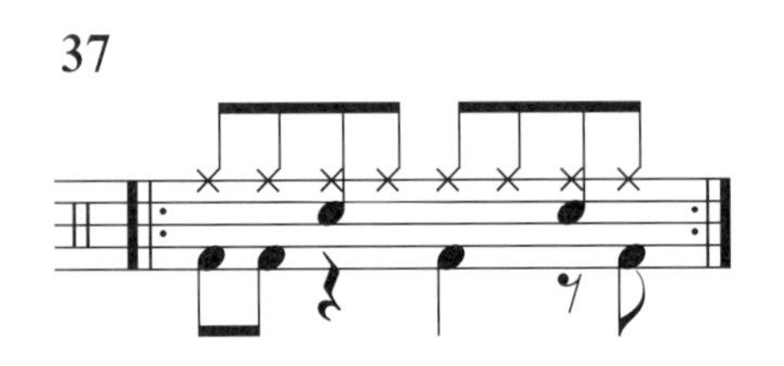

38
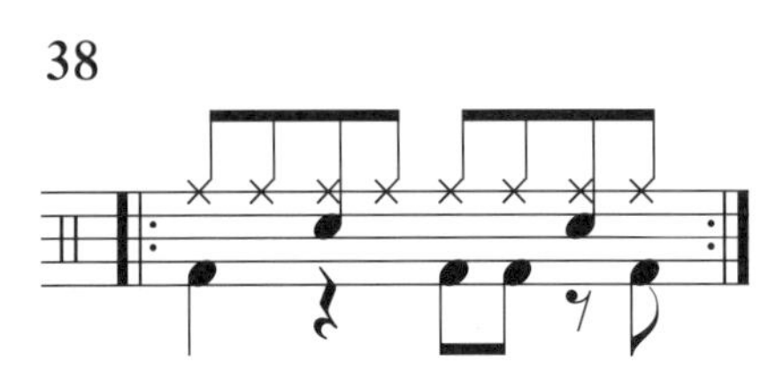

39
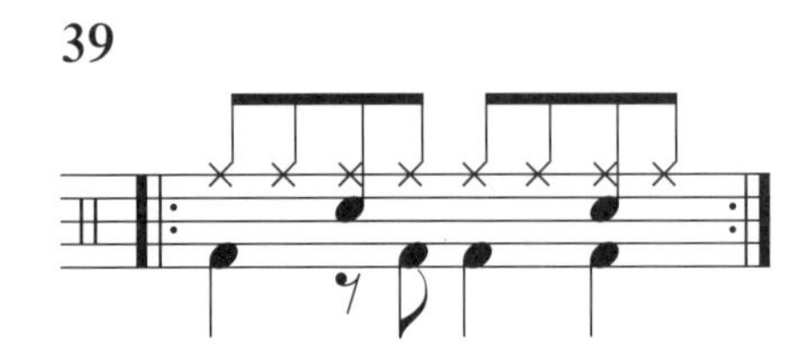

40
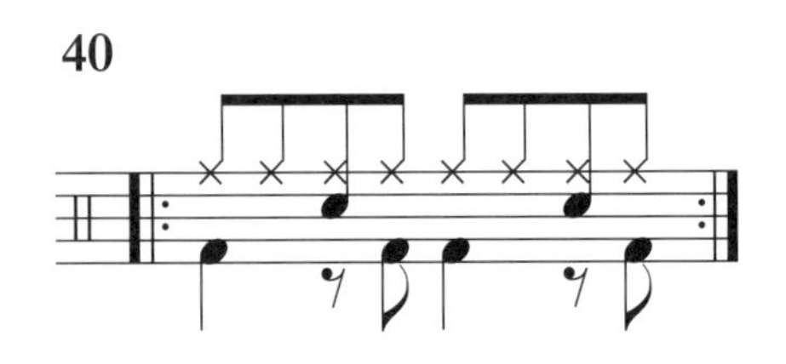

41
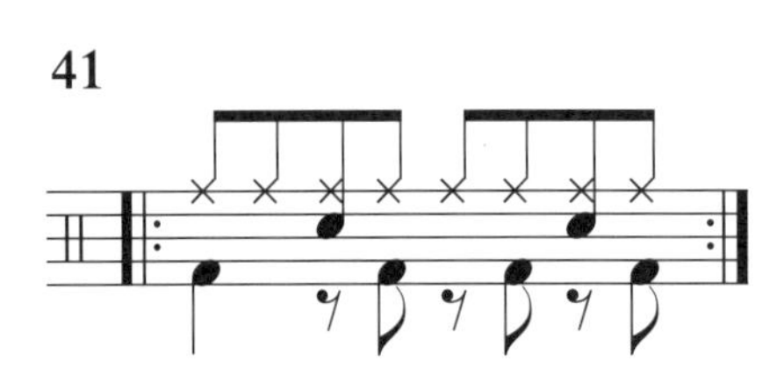

42
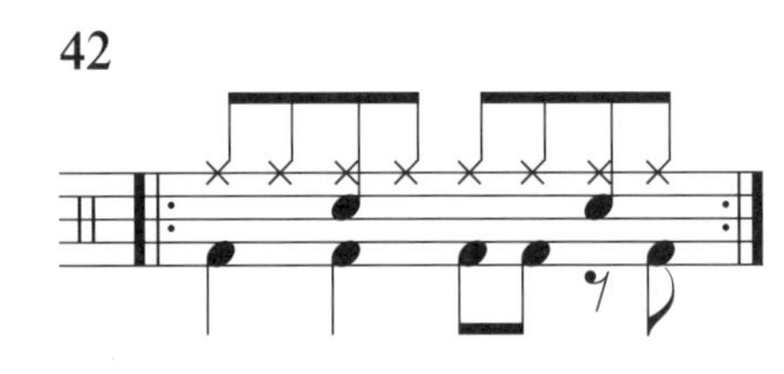

43
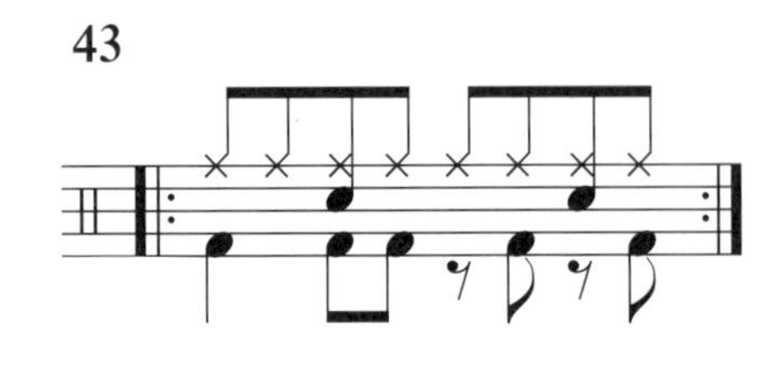

44
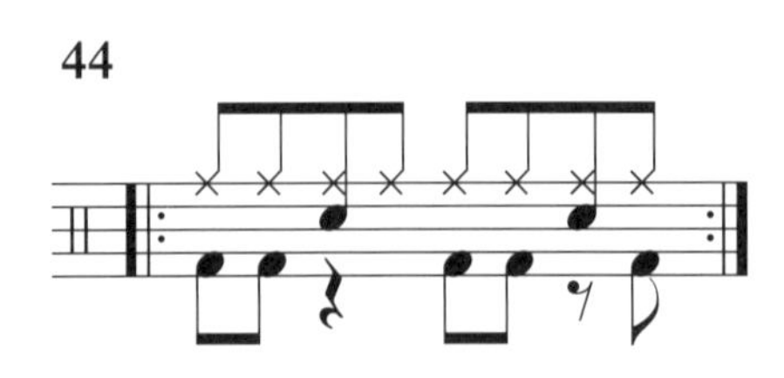

45
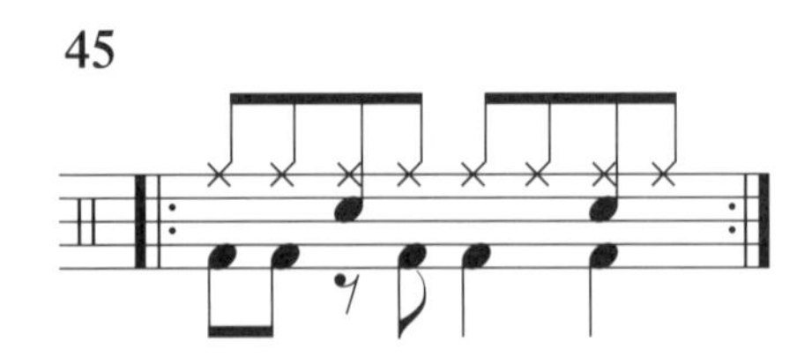

46
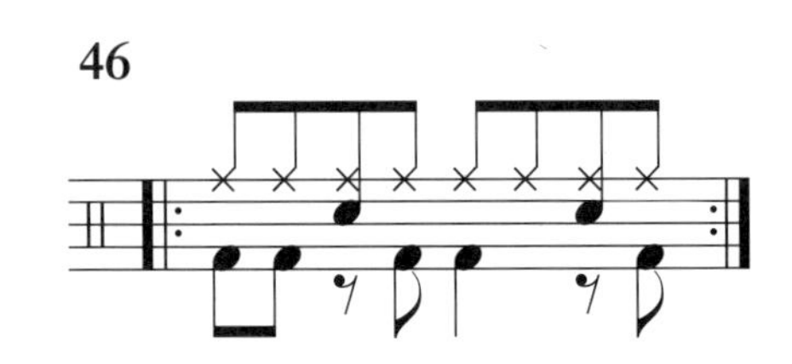

47
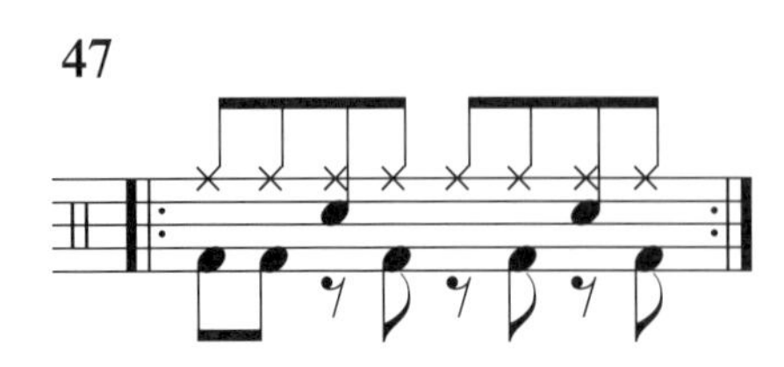

48
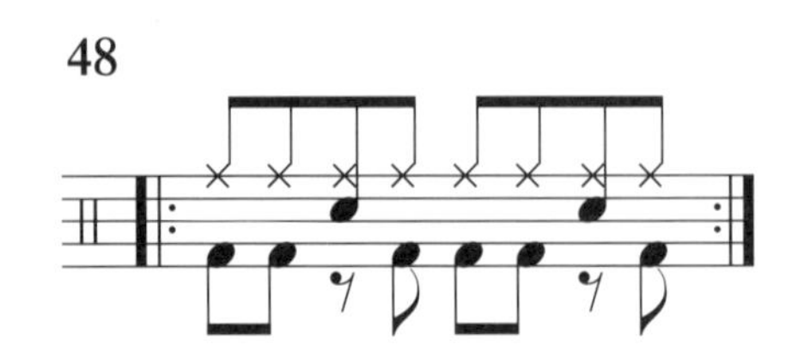

クラッシュ・シンバルの練習

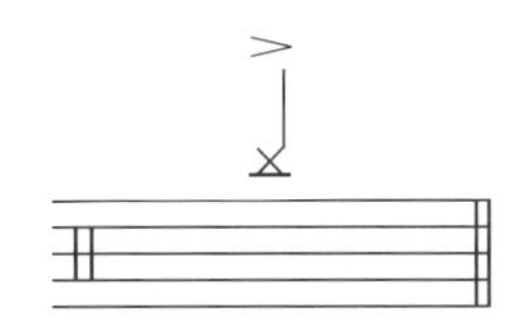

右手のスティックのショルダー部分でシンバルのエッジを叩きます(写真A)。この叩き方はシンバルのヴォリューム(倍音)が一番よくでるので、これがクラッシュ・シンバルの叩き方の基本となります。写真Bは、スティックのチップ部分で演奏しています。チップ部分で叩く場合は、ショルダーに比べて倍音は少なく、ボリュームも小さいので、小さな音色が必要なときなど効果的です。

A

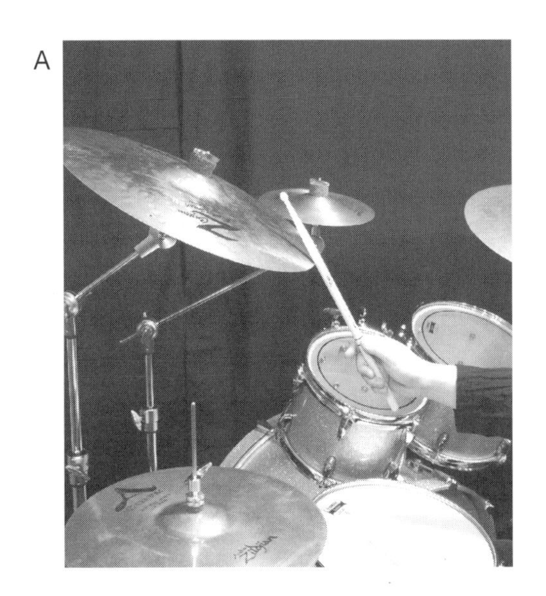

B

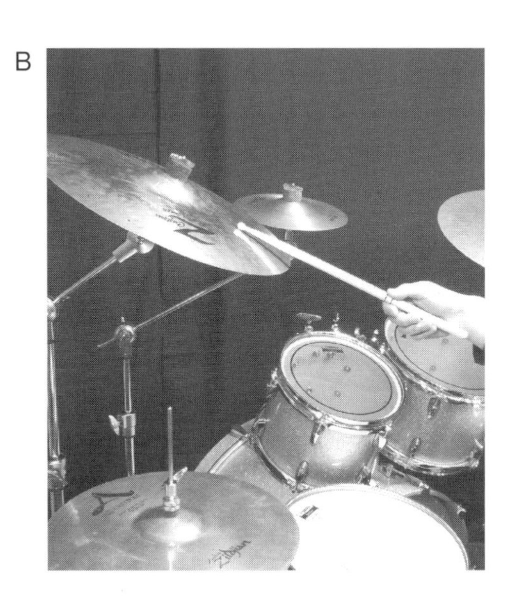

左手(マッチド・グリップ)で左側のクラッシュ・シンバルのエッジを叩いています(写真C)。写真Dは、右手で右側のシンバルを叩いています(写真のドラムセットではチャイナ・シンバルを叩いているが、クラッシュ・シンバルでもよい)。

C

D

トラディショナル・グリップの左手で、クラッシュ・シンバルのエッジをスティックのショルダー部分で叩いています(写真E)。写真Fは、チップの部分で叩いています。

E

F

マッチド・グリップ(写真G)とトラディショナル・グリップ(写真H)で両手で演奏しています。

G

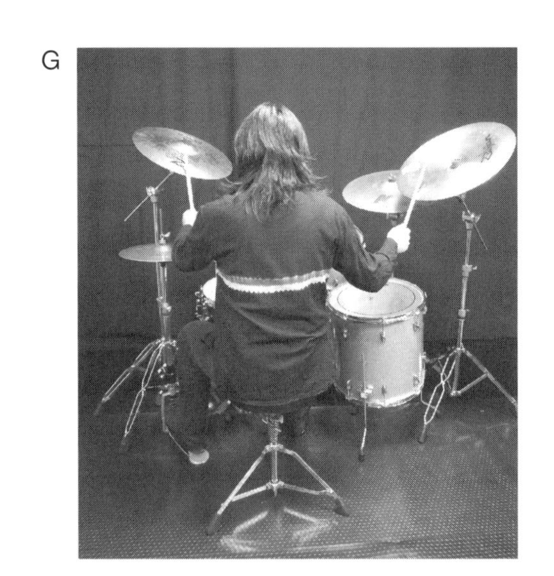

H

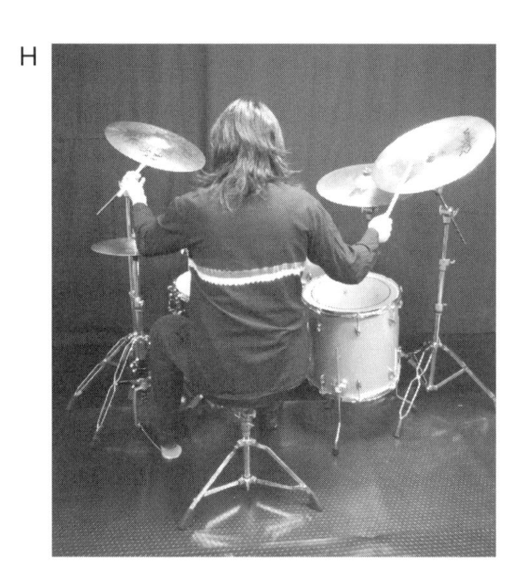

特殊な演奏

これは、私が使う奏法でトラディショナル・グリップの左手甲が上を向きます。通常のトラディショナル・グリップのクラッシュ音と倍音やボリュームが違います。興味のある人は試してみましょう(写真I)。

私は左手での連打がある場合、写真IとEを交互に叩く奏法も使います。

I

初めに[A]～[D]のシンバルのみを練習して、これができるようになってから1～10の練習に進みましょう。

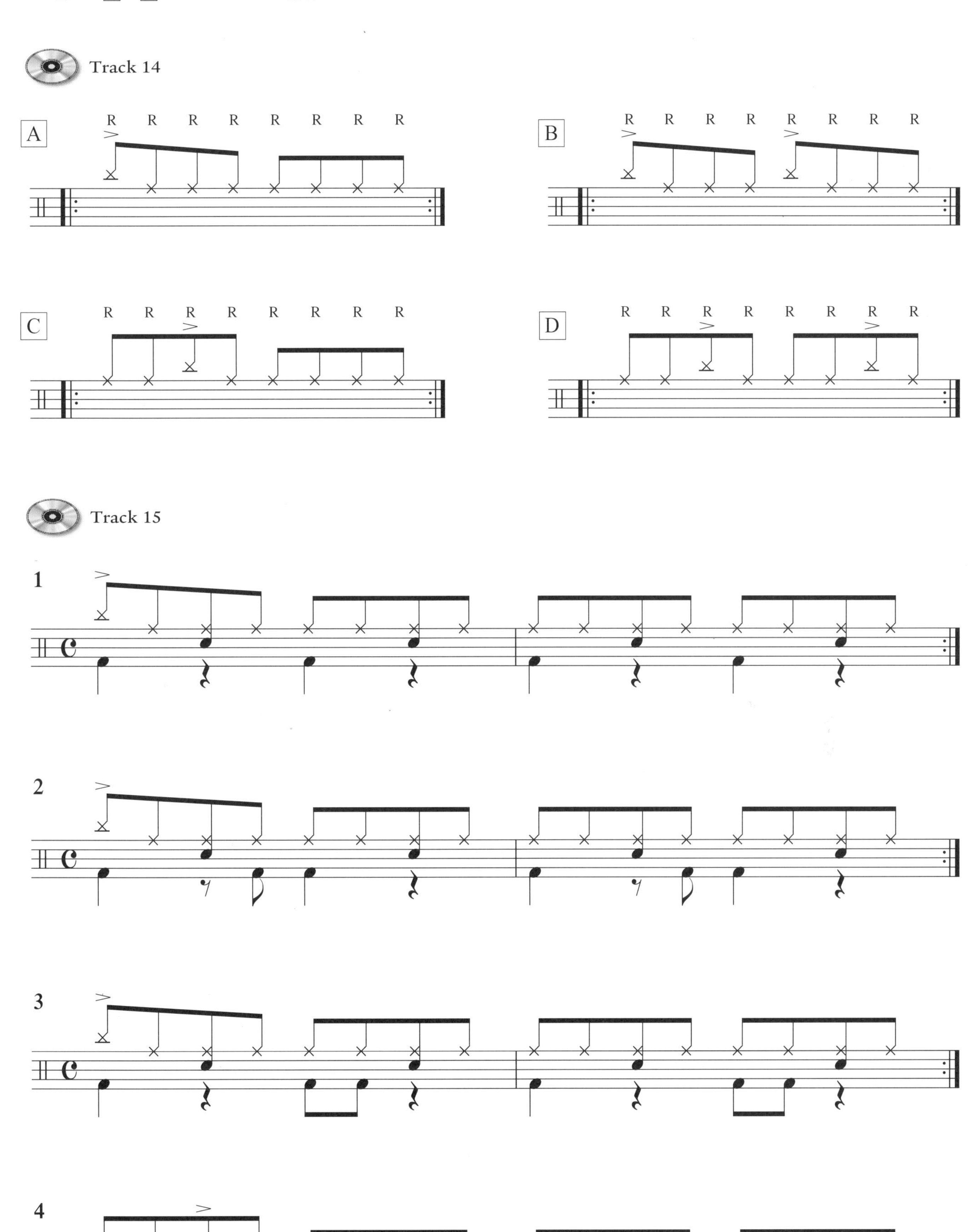

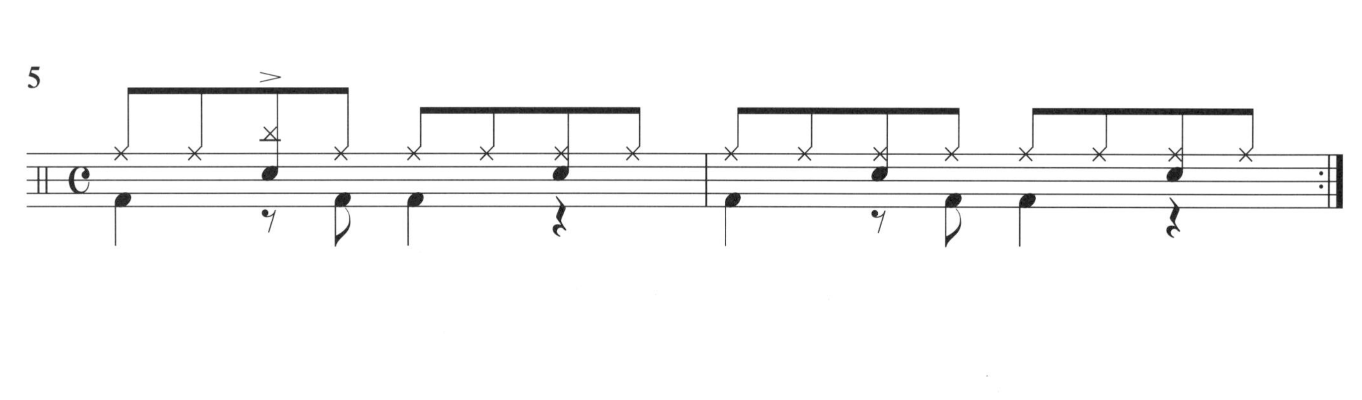
5

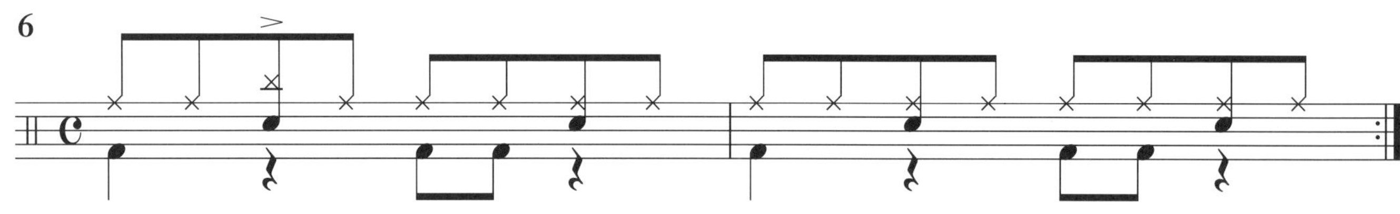
6

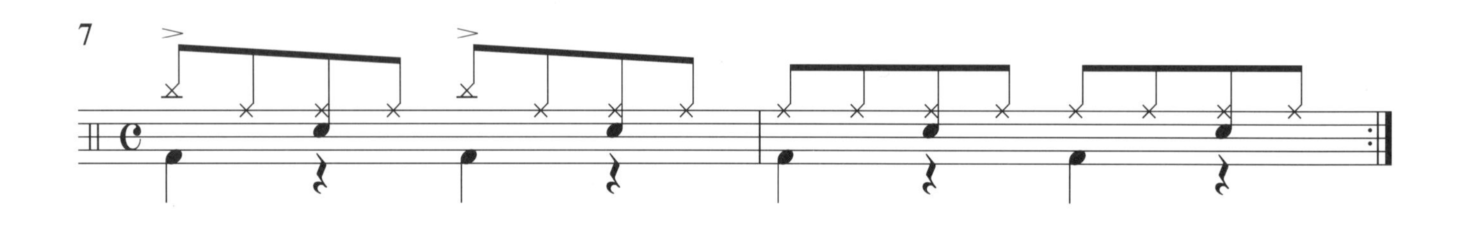
7

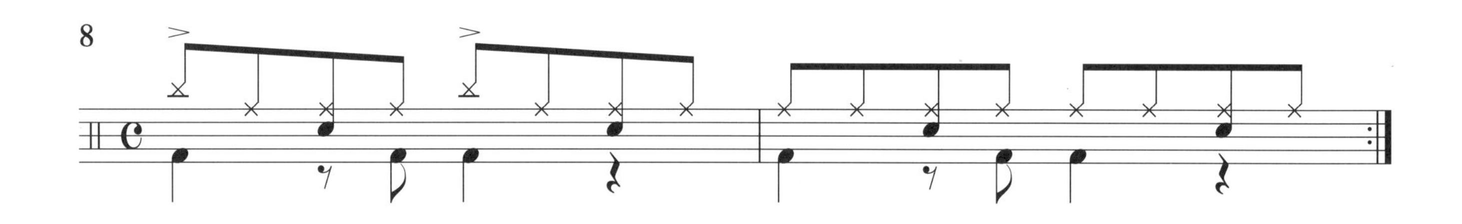
8

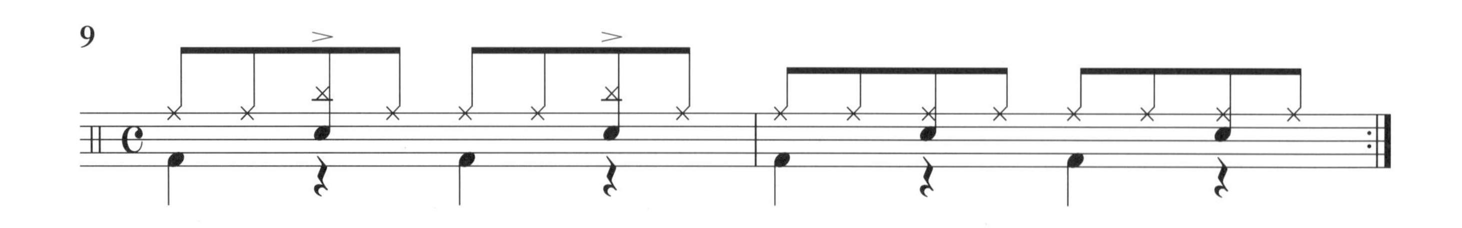
9

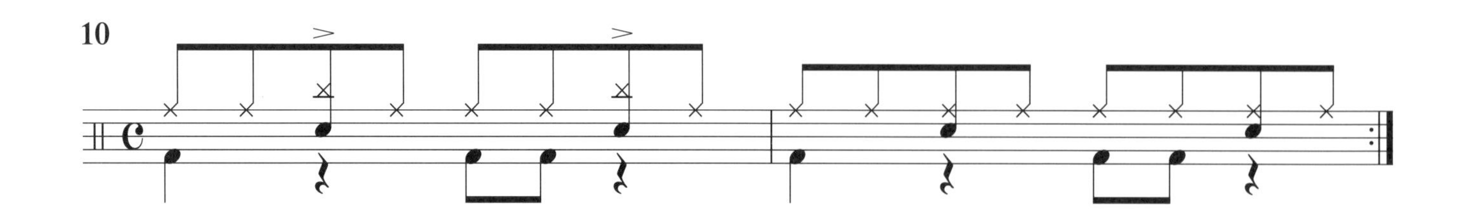
10

ライド・シンバルの練習

スティックのチップ(スティックの先)でライド・シンバルを叩いています。ライド・シンバルの場合は、クラッシュ・シンバルとは異なり、この叩き方が基本となります(写真A)。

A

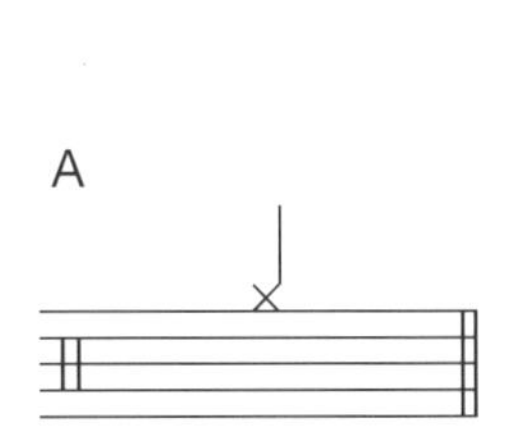

A

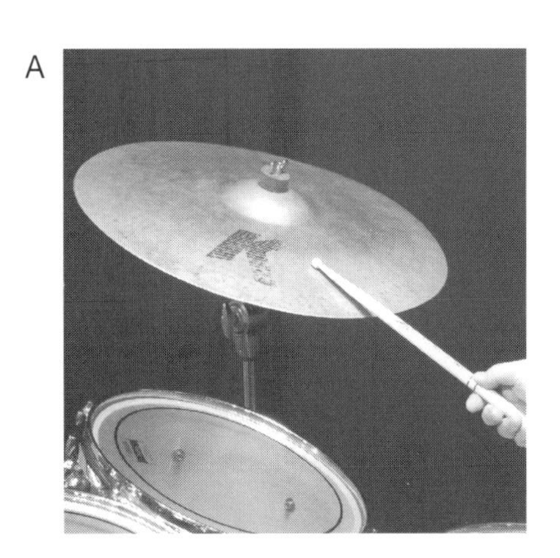

スティックのショルダーでカップ部分を演奏しています。良い音がするのはカップの根元の部分です(写真B)。写真ではカップの左側を叩いていますが、右側でもかまいません。

B

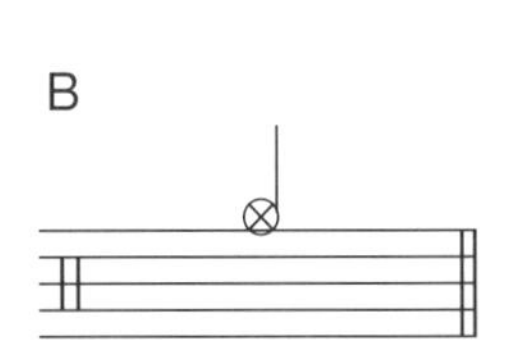

B

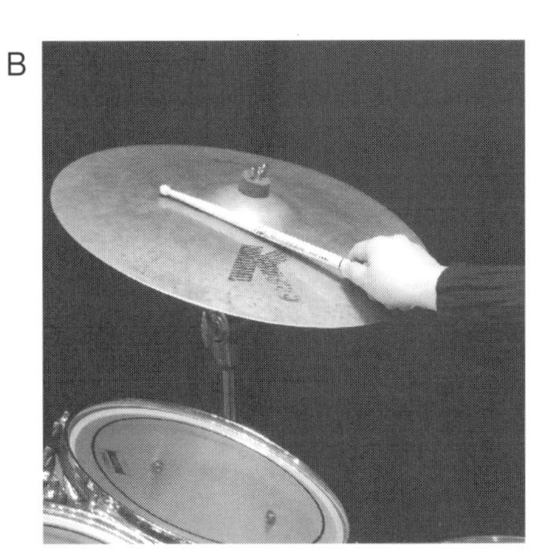

クラッシュ・シンバルと同様に、ライド・シンバルのエッジをスティックのショルダーで叩いています。ボリュームを出したいときや盛り上がるところなどでこの奏法を使います(写真C)。

C

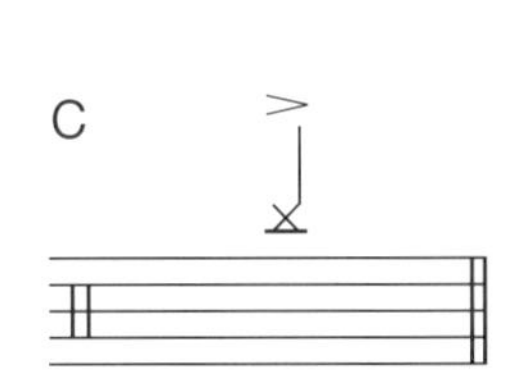

C

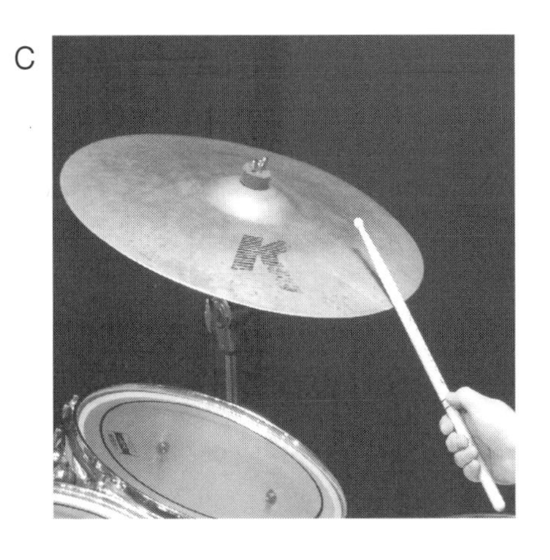

ライド・シンバルの種類はカップがあるタイプ(写真D)と、カップのないタイプ(写真E)の２種類があります。カップのないライド・シンバルはフラット・ライド・シンバルと呼ばれ、通常のライド・シンバルよりボリュームが小さく、繊細な音がでます。特にスティックの音がきれいです。写真Eの右側に貼っているのはテープで、倍音が気になったときなどに使う場合があります(ミュート)。

D

E

1～4のパターンができるようになったら、1から8のベース・ドラム・パターンを加えて練習しましょう。以下のA～Cは、前ページの写真A～Cを叩くことを表しています。

Track 16

A

1

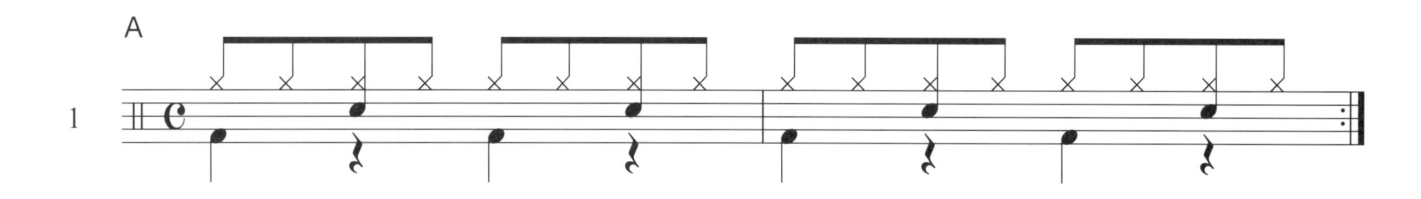

B

2

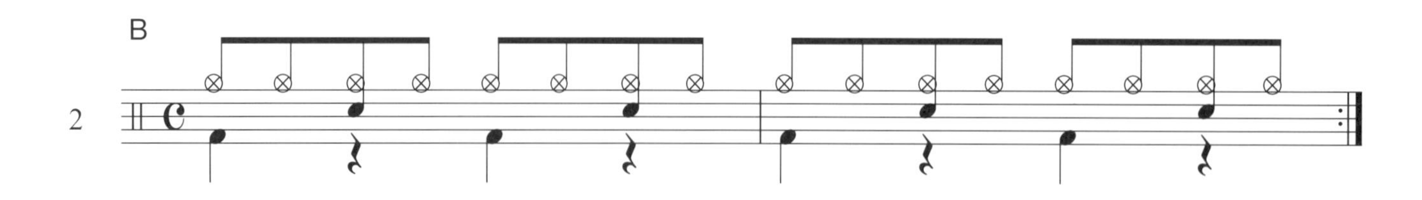

A + B

3

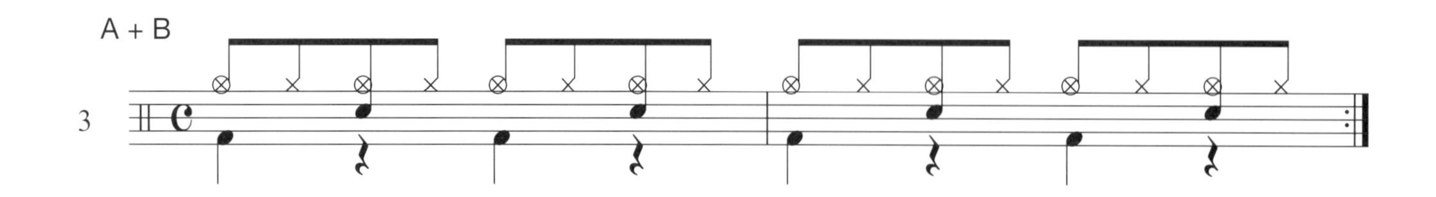

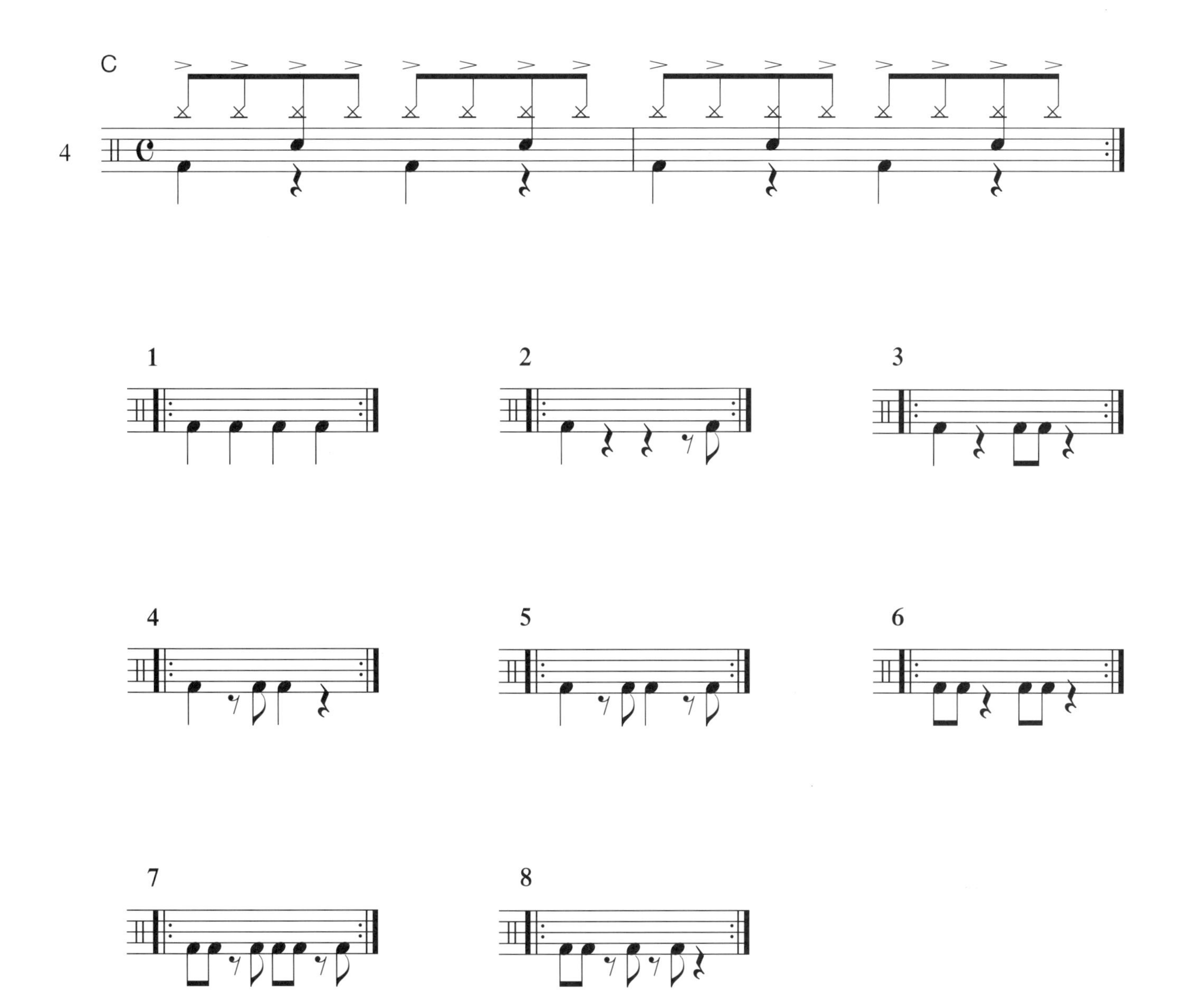

以下の例は、Aのシンバル・パターンに3と8のベース・ドラムを組み合わせたフレーズです。

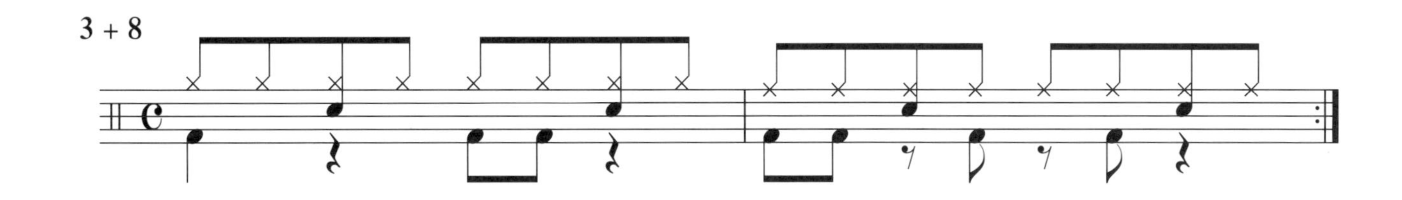

4分音符と8分音符のリズム・トレーニング

左右の手を交互に使って練習しましょう。ここから先のレッスンに進むためには、このリズム・トレーニングが避けては通れません。楽譜は、スネア・ドラムの位置で記譜されていますが、スネア・ドラムだけでなくハイハットでも、また練習パッドなどでも練習しましょう。CDは、ハイハットで収録されています。譜面どおりにできたら、RとLを変えて練習しましょう。

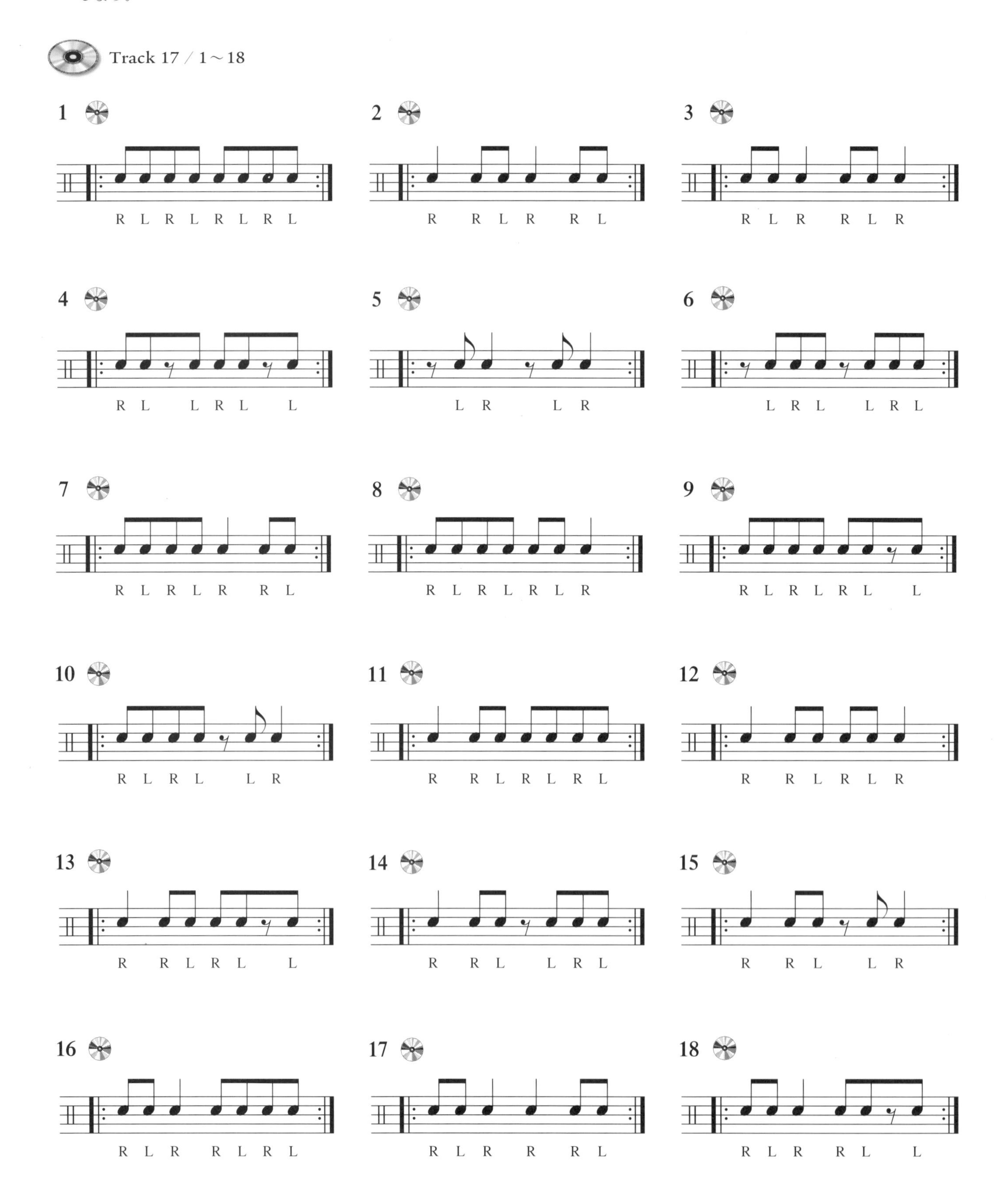

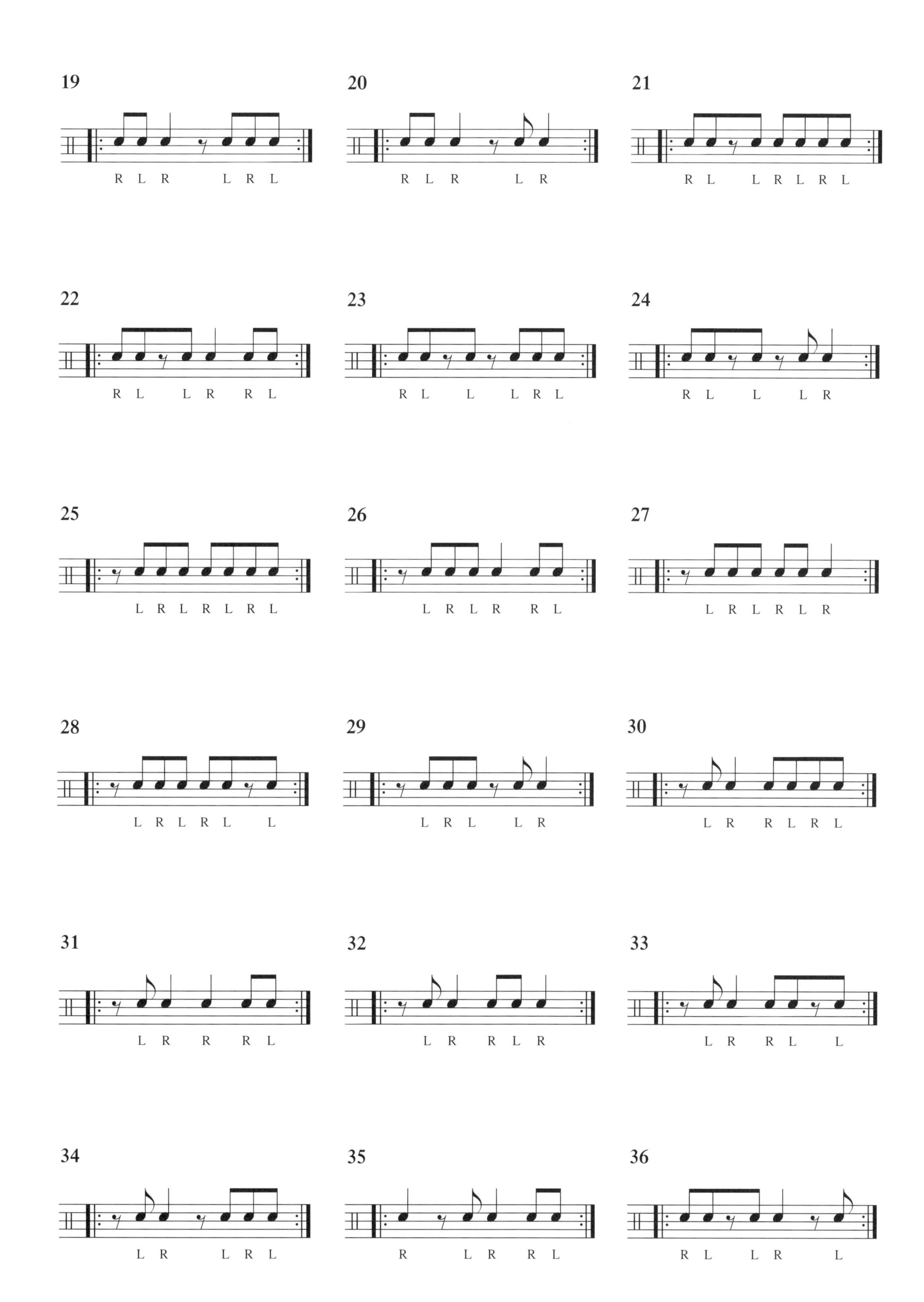
19
R L R L R L
20
R L R L R
21
R L L R L R L
22
R L L R R L
23
R L L L R L
24
R L L L R
25
L R L R L R L
26
L R L R R L
27
L R L R L R
28
L R L R L L
29
L R L L R
30
L R R L R L
31
L R R R L
32
L R R L R
33
L R R L L
34
L R L R L
35
R L R R L
36
R L L R L

フィル・イン

ドラムスにおけるフィル・インとは、メロディ・ラインの間の空白部分などを装飾する、即興的なリズミック・フレーズのことです。

スネアとタムを使って８分音符のフィル・インの練習をしましょう。

タムのセッティングで注意しなければならないのは、フィル・インなどをタムで演奏するときにスネアとの段差を少なくするために極端に傾けるセットが見られることです(写真B)。タムもフロア・タムも打面がドラマーに向かって多少傾く程度の角度にセットします(写真A)。安定したフォームを保って演奏しましょう。特にトラディショナル・グリップの場合は注意します。

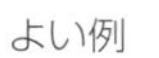

よい例

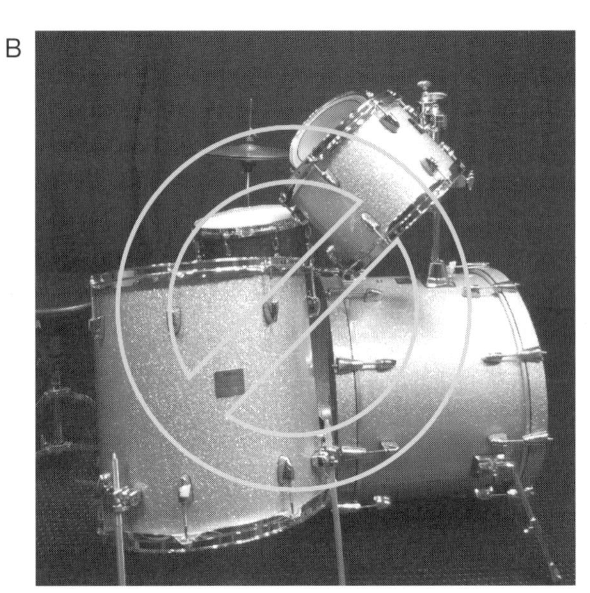

よくない例

1～**21**の練習を楽譜どおりに(Ⓐのベース・ドラム・パターン)演奏できるようになったら、次は、Ⓑ～Ⓕのベース・ドラム・パターンに変えて練習しましょう。

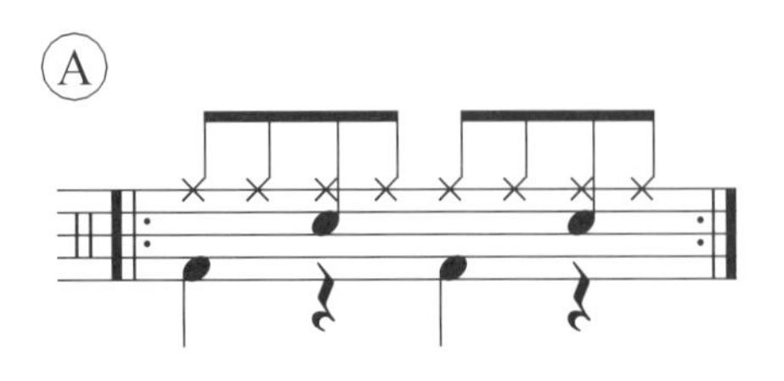

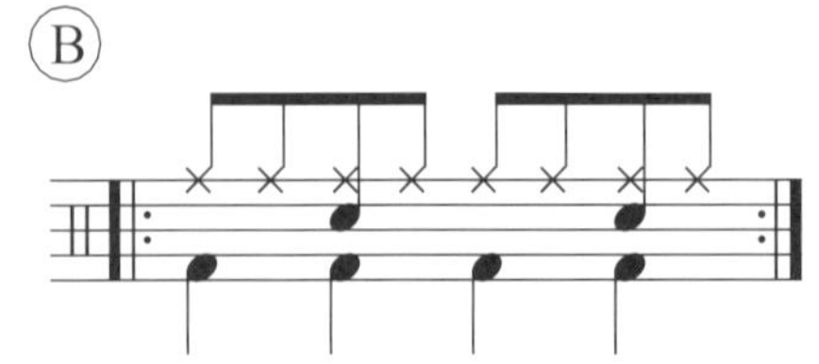

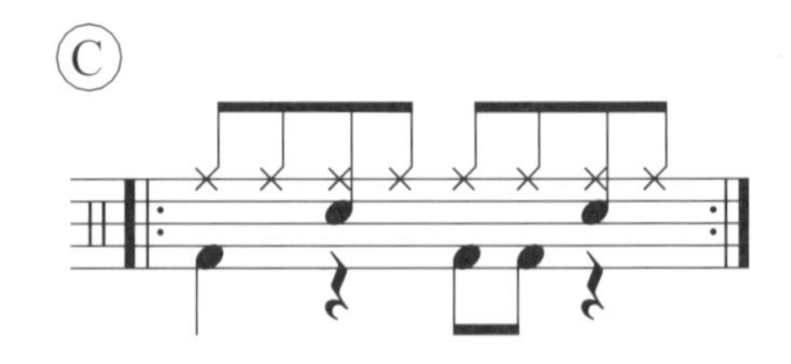

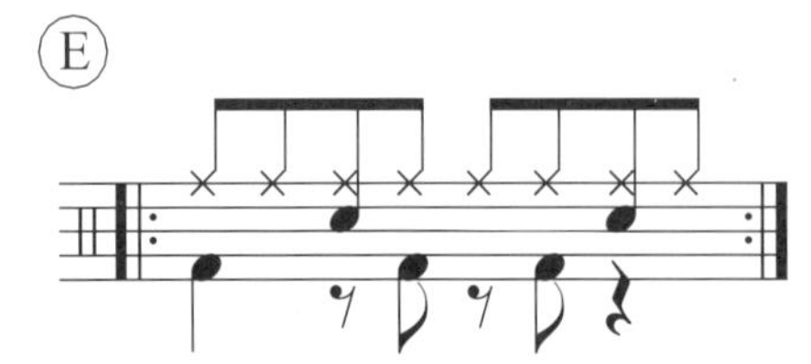

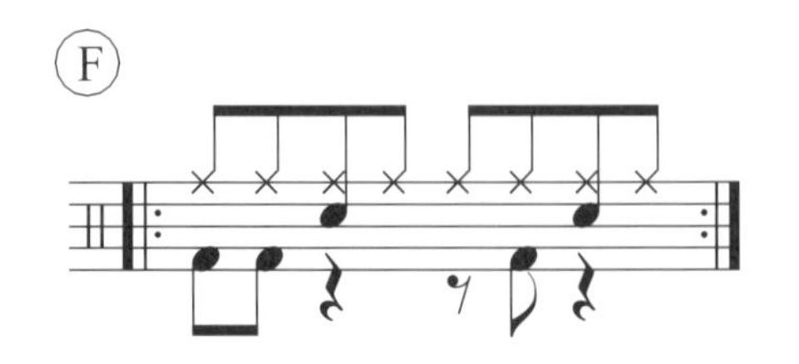

Track 18
1
L
R
2
L
R
3
L
R
4
L
R
5
L
R
f
6
R L R L R L R L

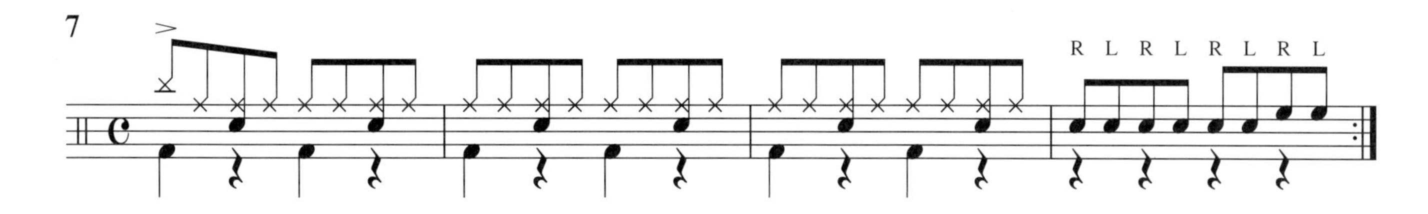
7
R L R L R L R L

Track 19

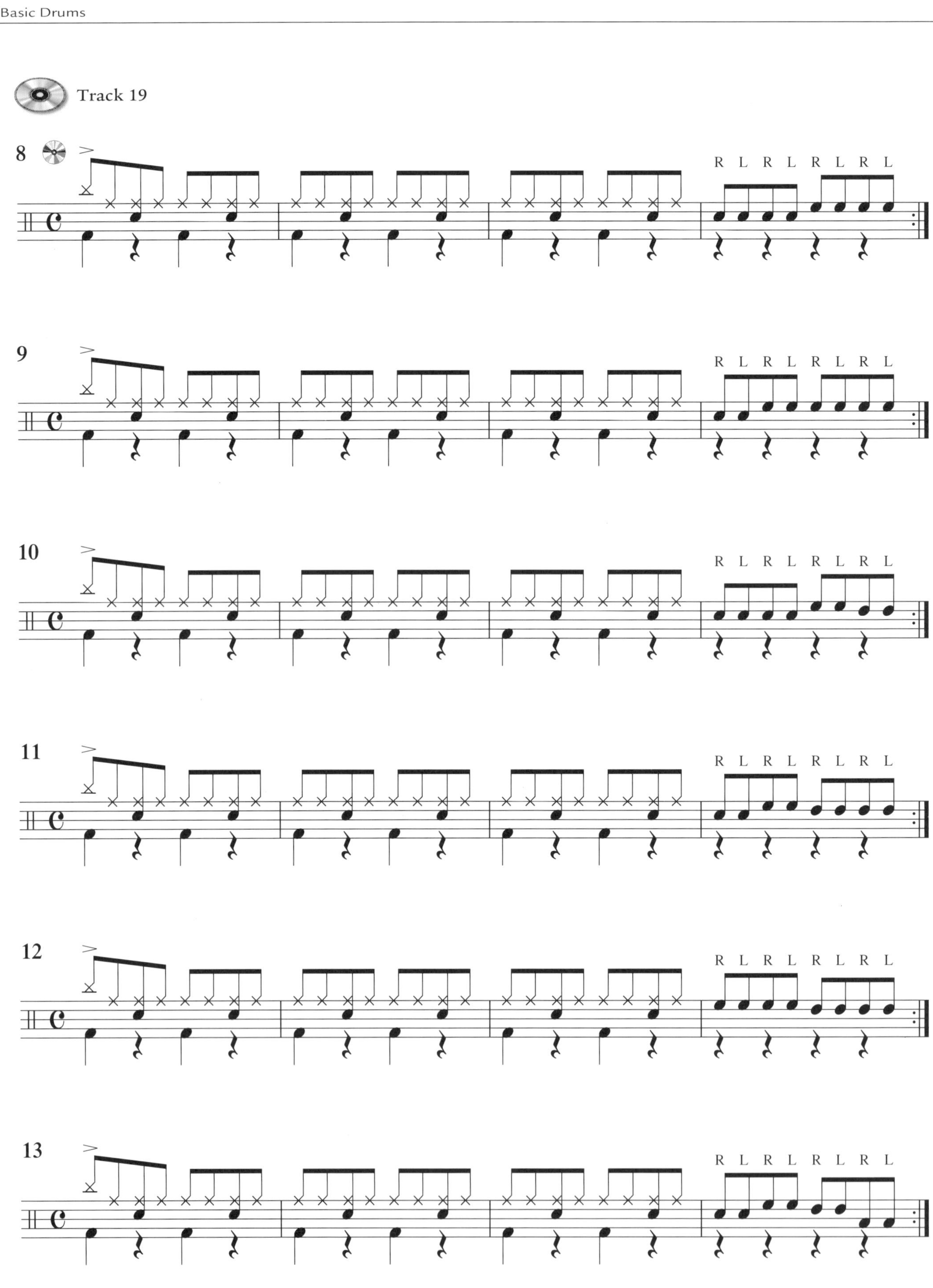
8
R L R L R L R L
9
R L R L R L R L
10
R L R L R L R L
11
R L R L R L R L
12
R L R L R L R L
13
R L R L R L R L

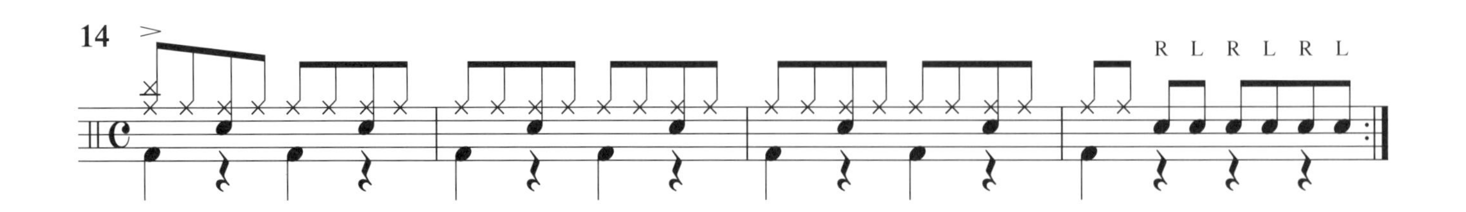
14
R L R L R L

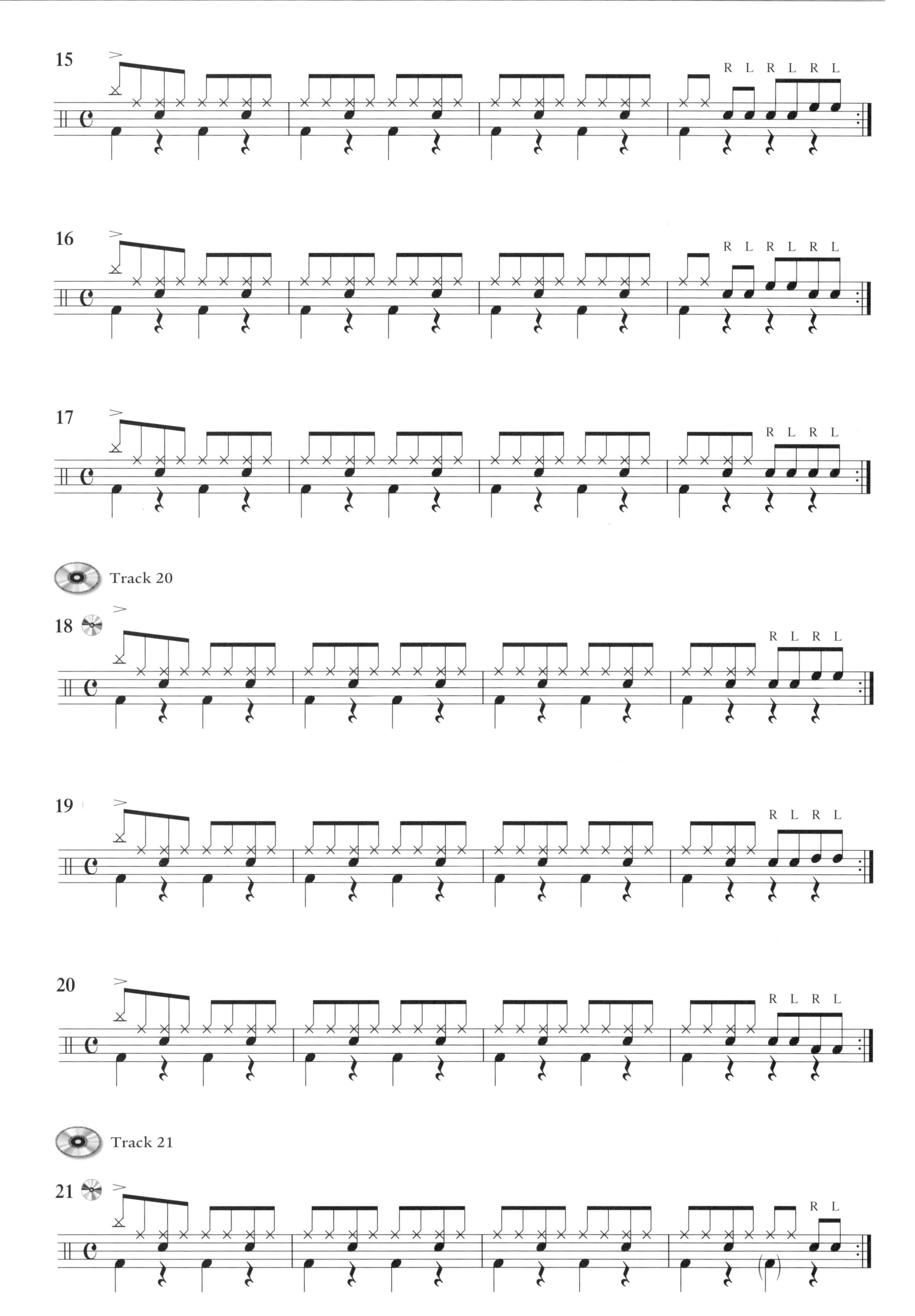
15
R L R L R L
16
R L R L R L
17
R L R L
Track 20
18
R L R L
19
R L R L
20
R L R L
Track 21
21
R L

リム・ショット(オープン・リム・ショット)

リム・ショットと呼ばれるのは、通常はオープン・リム・ショットのことです。オープン・リム・ショットは、スティックを水平にして、リムとヘッドを同時に叩く奏法です(写真A)。写真Bはドラムセットでのリム・ショットです。リム・ショットは、通常のヘッドだけを叩くよりボリュームが大きく、「カーン」という高いトーンになります。これは、バンドや大きなホールなどでの演奏にはとても有効ですが、吹奏楽や小編成のアコースティック・サウンドのバンドでリム・ショットを多用しすぎるとアンサンブルのバランスがくずれてしまうので注意しましょう。

A

リム・ショット
ドラム・ヘッドとリムを同時に叩く

B

Track 22

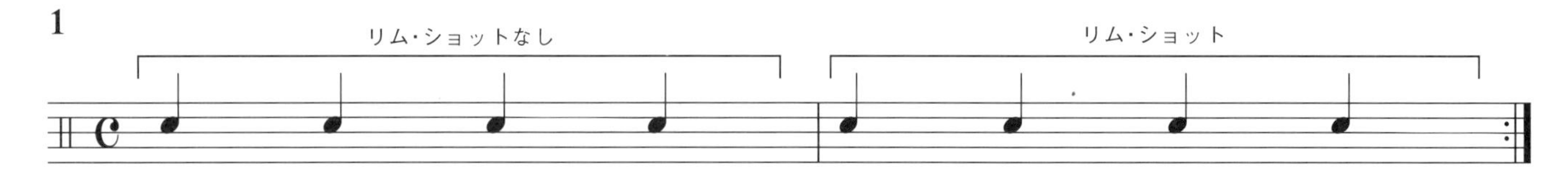

1回めはオープン・リム・ショットなしで。リピート後はリム・ショットありです。音の違いを聴きましょう。

Track 23

クロス・スティック(クローズド・リム・ショット)

クロス・スティックは、クローズド・リム・ショットとも呼ばれ、スネア・ドラムの効果的な奏法の１つです。 これは、スティックを水平にして逆さに持ち(逆さの方が音がよい)、チップ部分をヘッドに付け、ショルダー部分でスネア・ドラムのリムを叩きます(写真A)。ヘッドがミュートされているためボリュームは小さく「コッコッ」というソフトなトーンがでます。持ち替えが必要なときなどはスティックを逆さに持たなくてもかまいません。譜例4は、クロス・スティックと通常のスネア・サウンドの使い分けをする練習です。

クロス・スティック
(クローズド・リム・ショット)

 Track 24

1

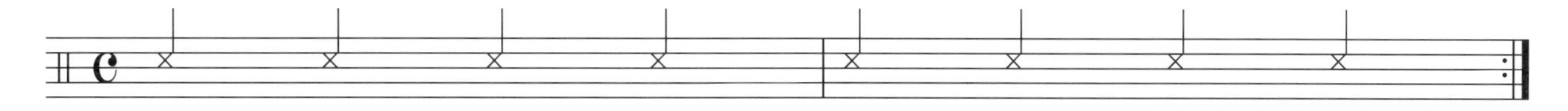

2

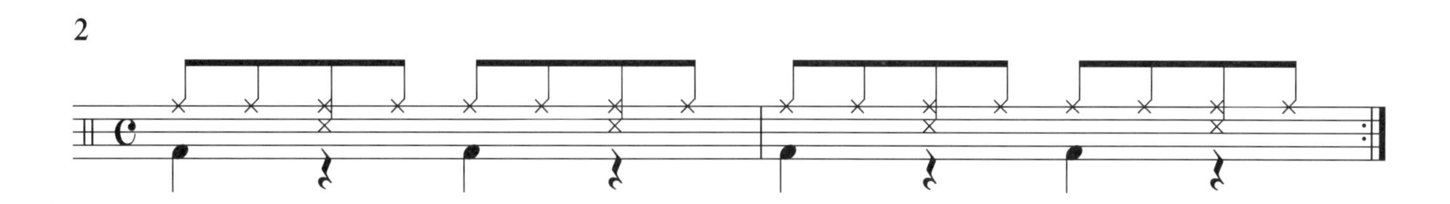

3

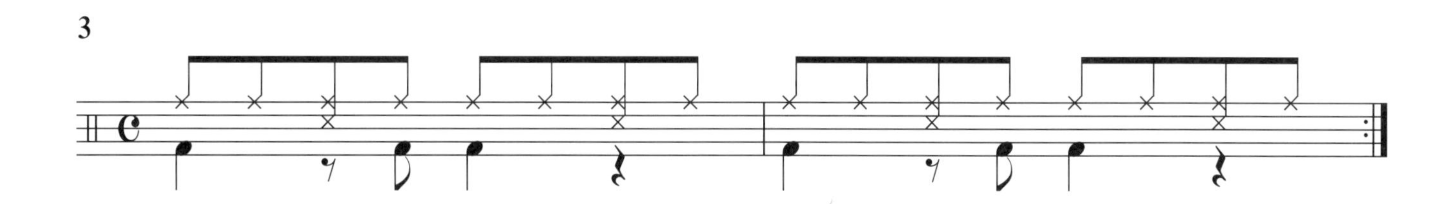

4

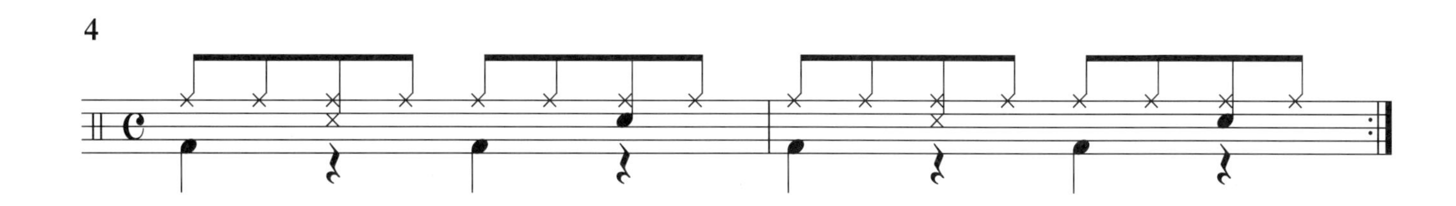

ハイハットのオープン/クローズ

右手でハイハットを叩いているときに、ハイハット・ペダルを上げてオープン・サウンドを得る練習です。

私は、クローズのときはA(写真A)、オープンのときはB(写真B)を使うことが多いですが、クローズのときにC、オープンのときにBという組み合わせを使うこともあります。Dは大きなボリュームを出したいときや盛り上がったときに使うことがあります。

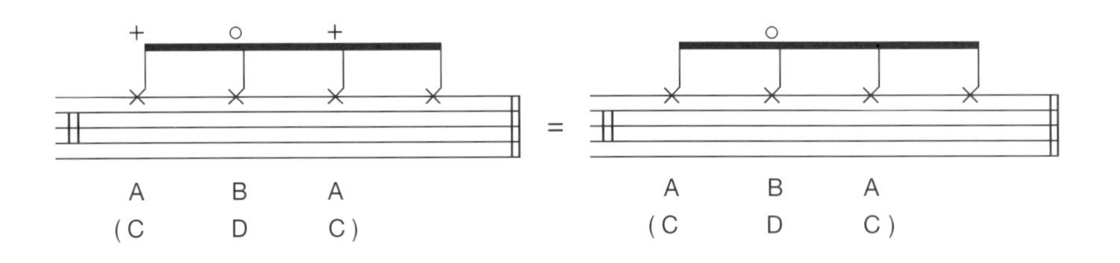

記号のプラス(+)は省略する場合が多い

写真 AとBは、かかとを付けたままハイハットをオープンにする

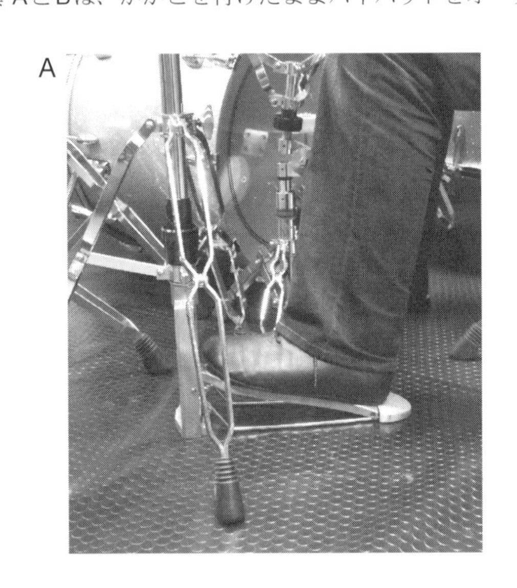

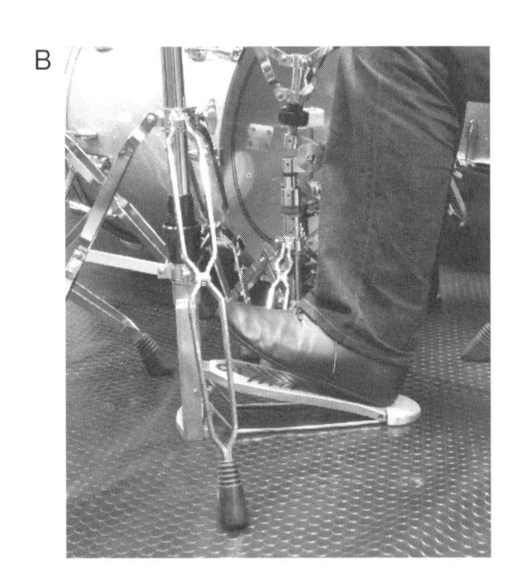

CとDは、かかとを上げたままハイハットをオープンにする
(Dの写真は撮影用に大げさにしたもので、実際にはこれほど離れない)

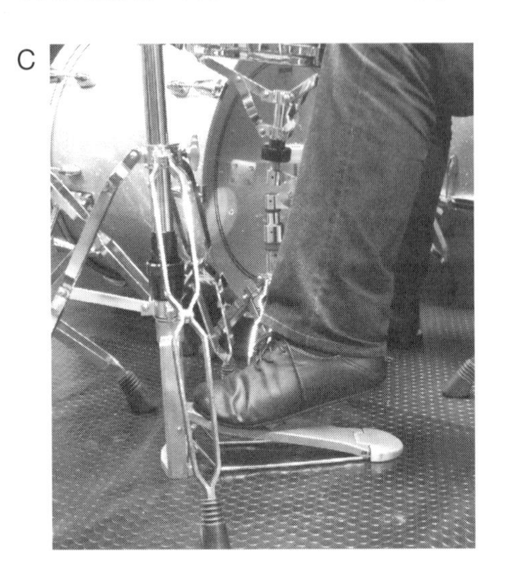

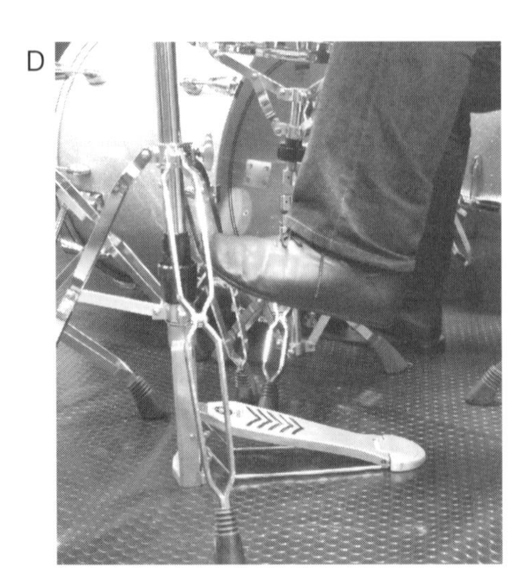

1はハイハットをクローズにしている状態です。**2**からハイハット・オープンがでてきます。リズムがおかしくなるようなら**1**に戻って８分音符の感覚を確認しましょう。**42**まで楽譜どおりに演奏できるようになってから、p.57のⒶ～Ⓗのベース・ドラムのパターンでも練習しましょう。

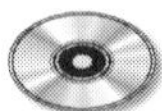

Track 25

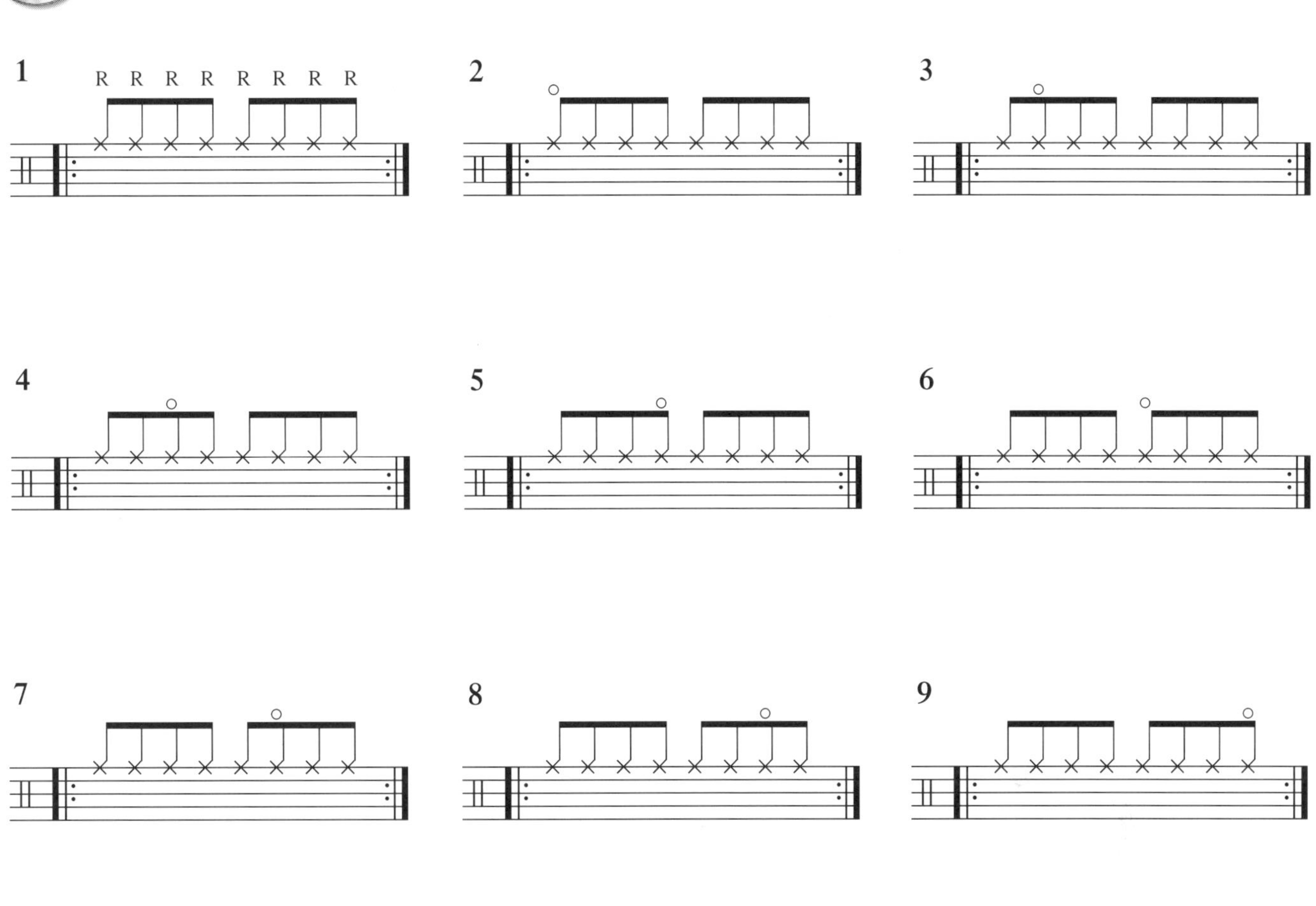

Track 26 / 10～13

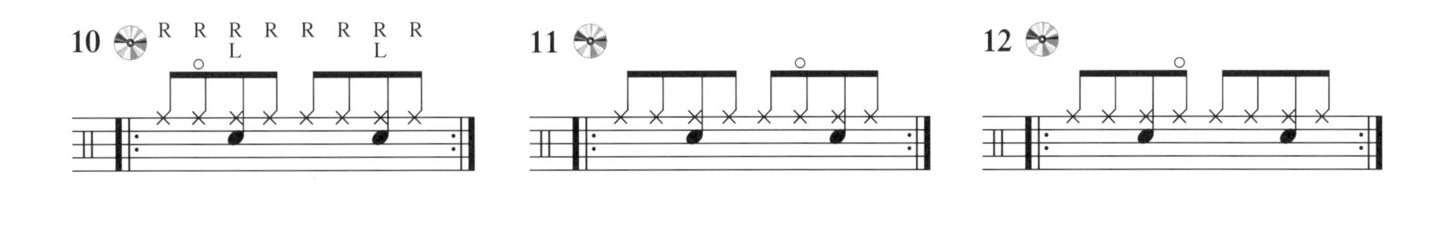

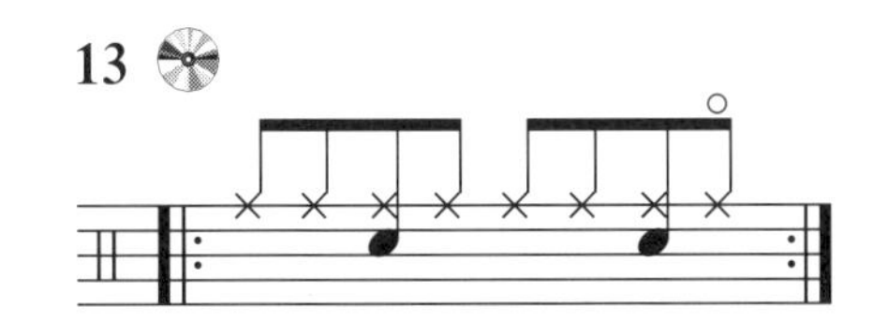

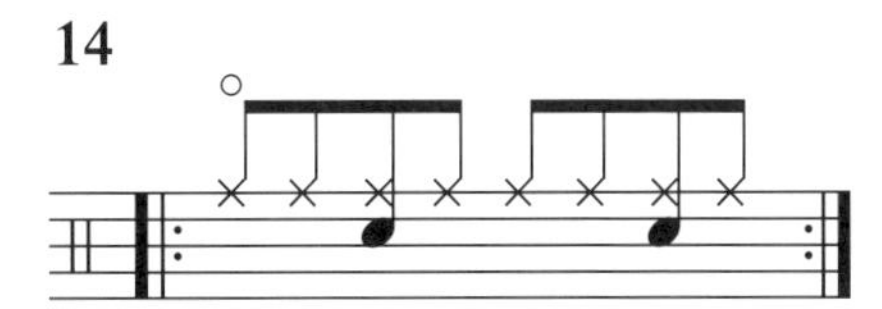

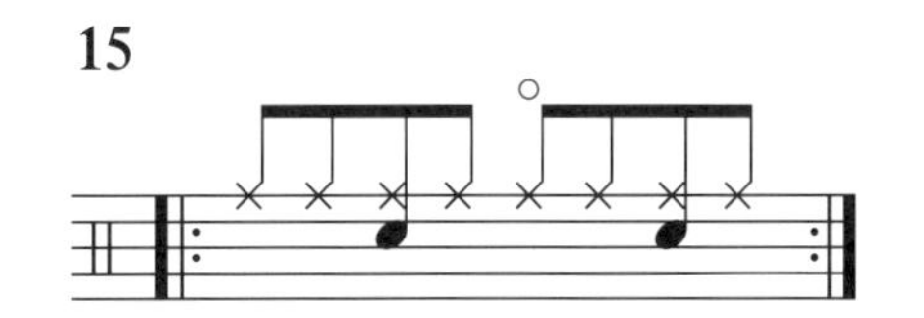

Track 27

16

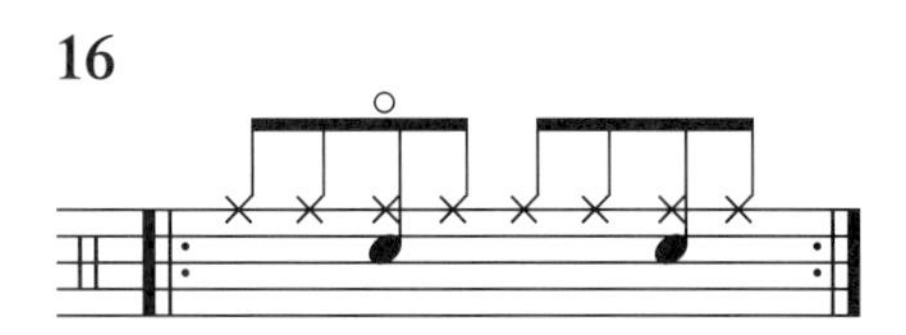

17

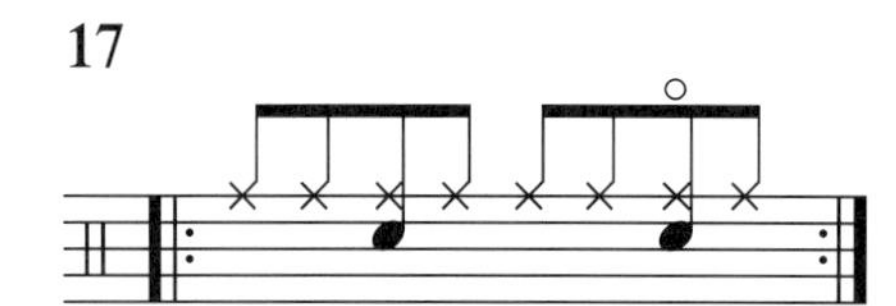

18

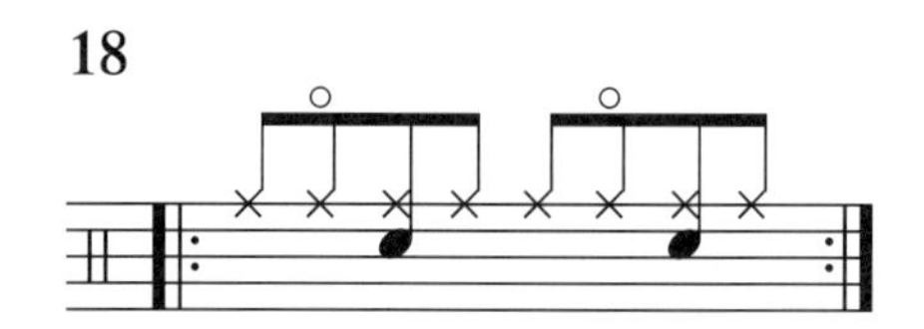

19

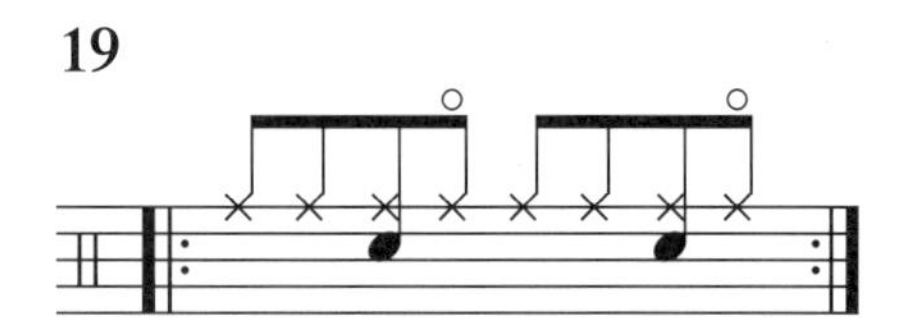

20

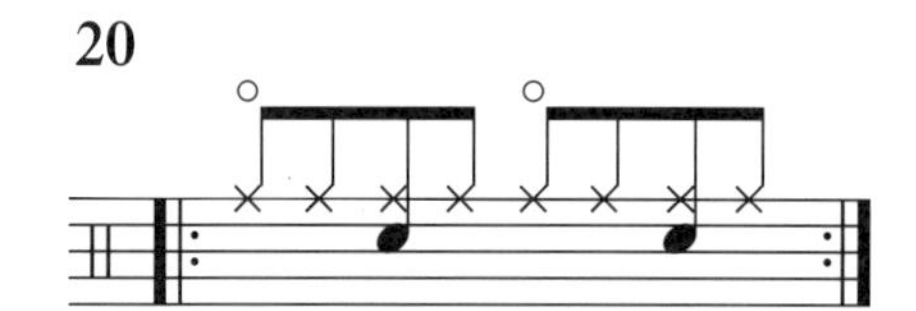

21

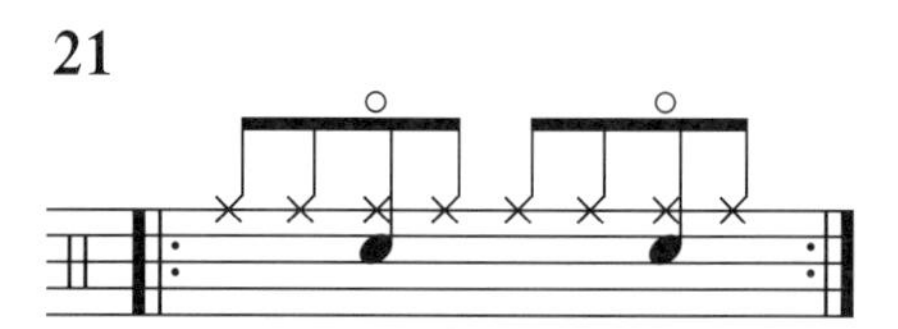

22

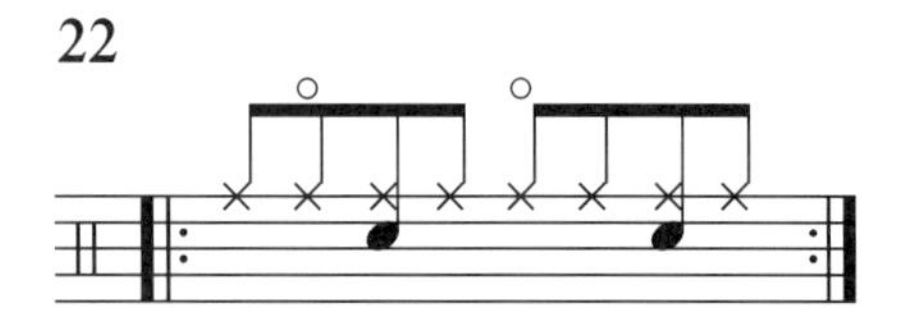

23

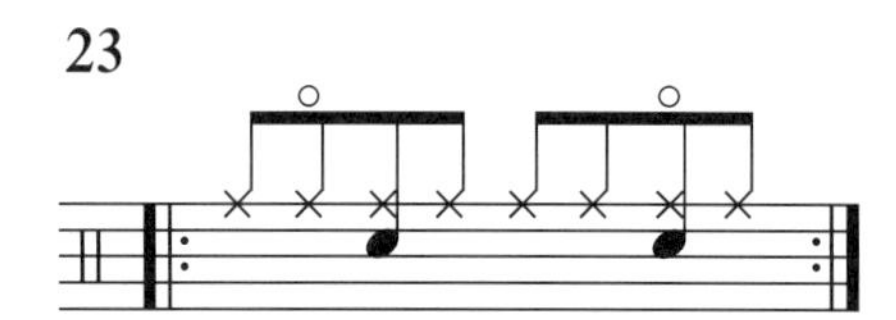

24

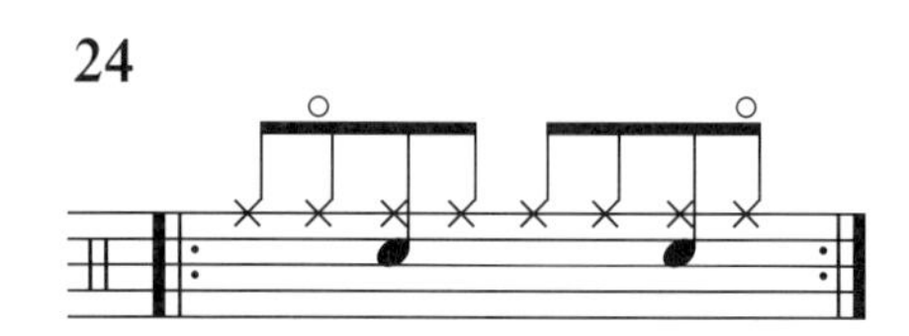

25

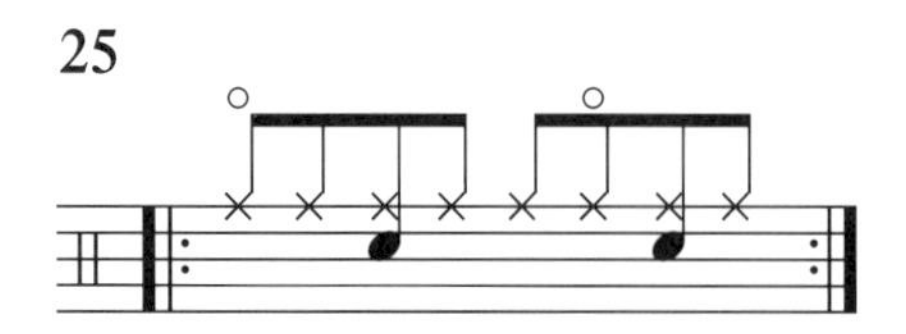

26

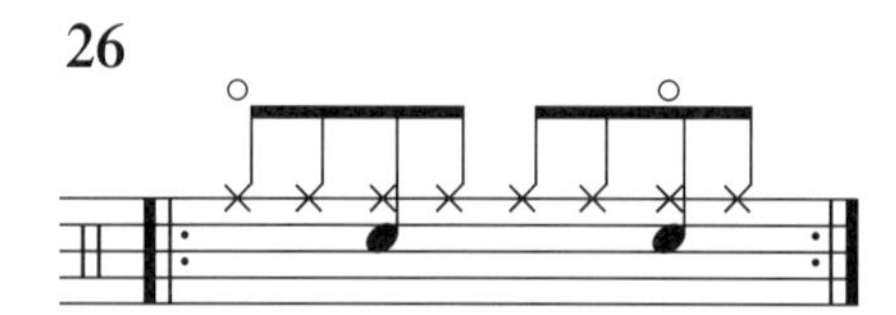

27

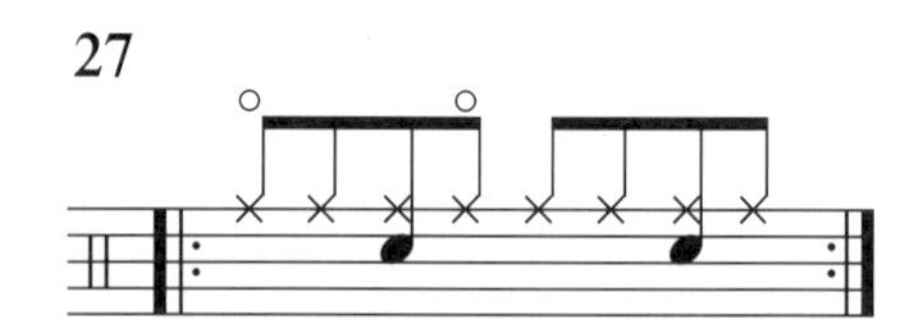

28

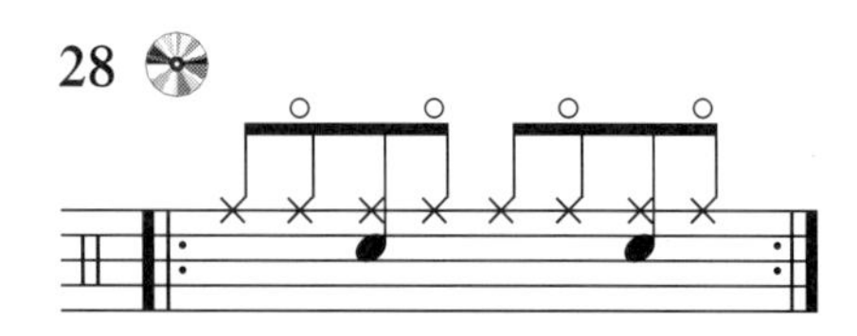

29

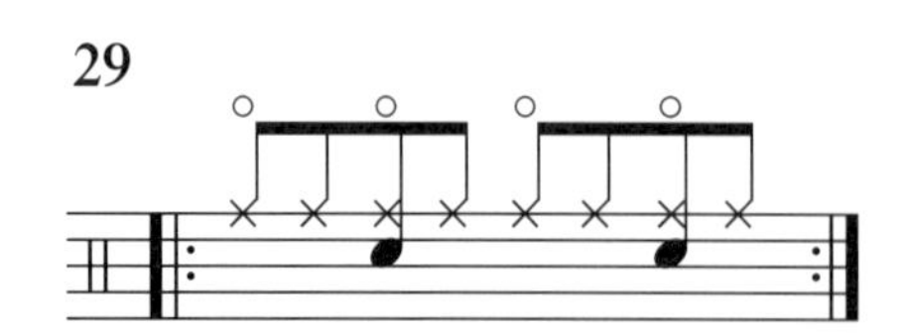

30

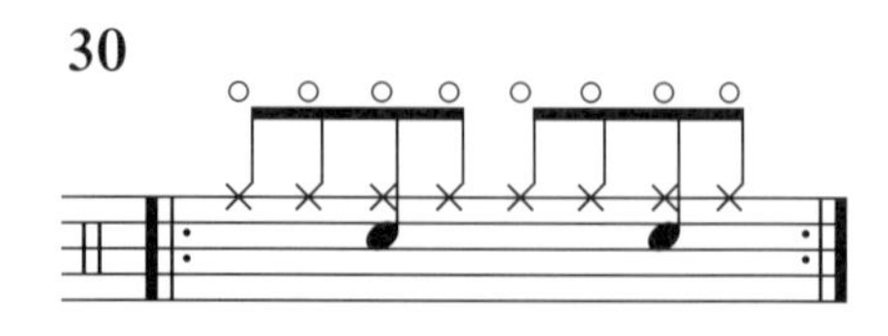

Track 28

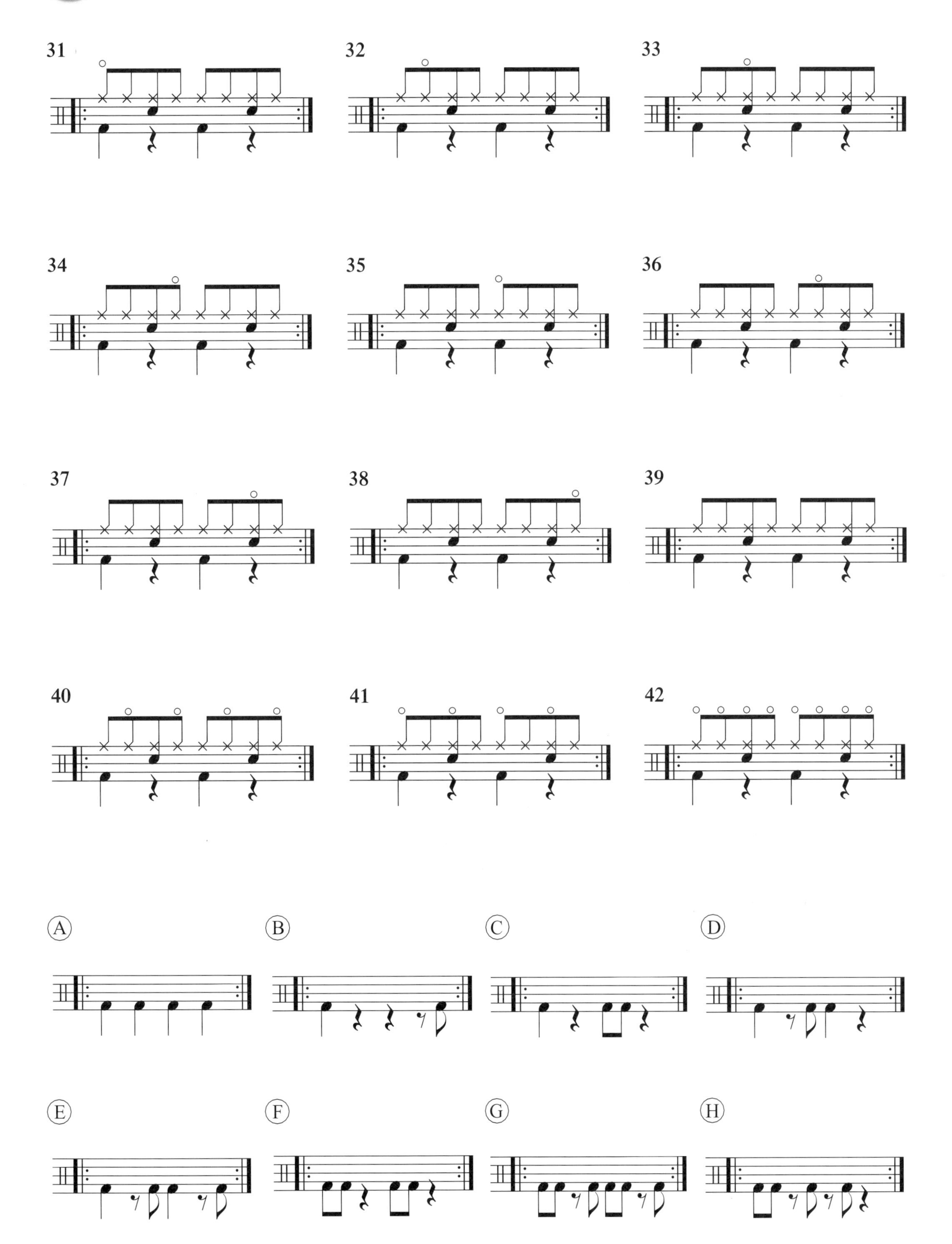

4分、8分、16分音符のリズム・トレーニング

スネア・ドラムによる4分、8分、16分音符の練習

初めての16分音符の練習です。メトロノームに合わせて、ゆっくりのテンポから練習を始め、スネア・ドラム、ハイハット、トレーニング・パッドなど、サスティーンの短い楽器で練習しましょう。CDにはハイハットで収録されています。

Track 29／1～4

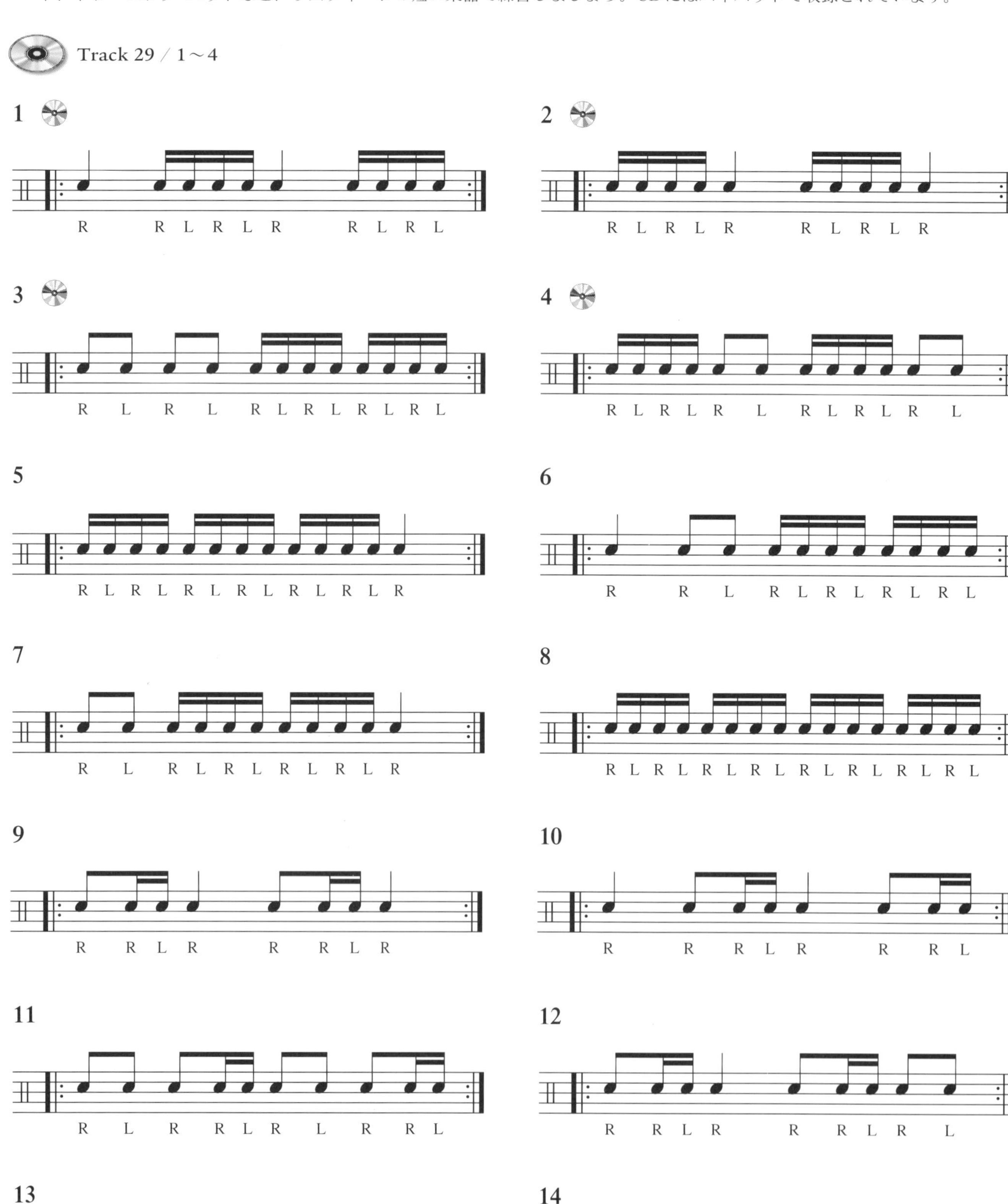

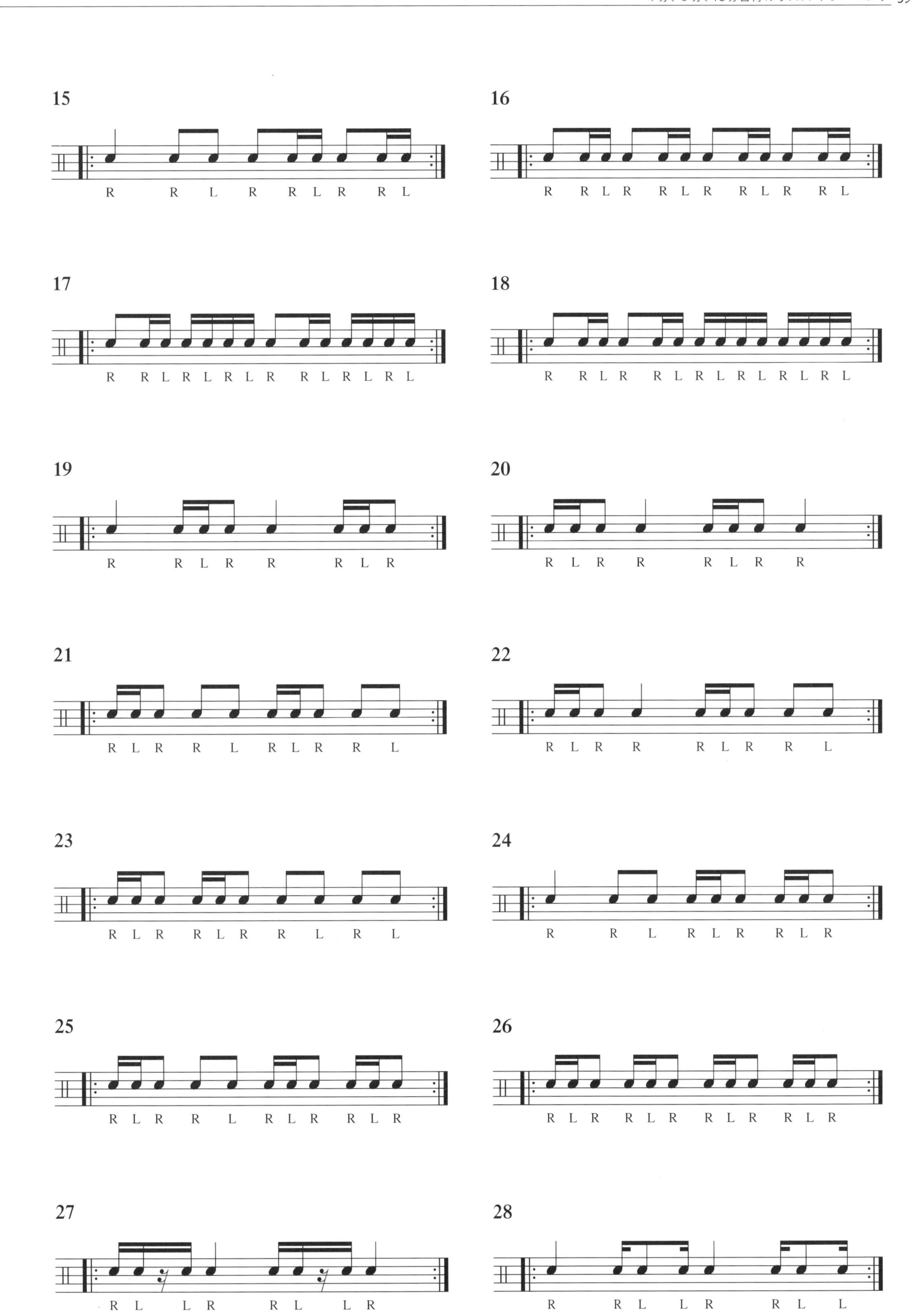
15
R R L R R L R R L
16
R R L R R L R R L R R L
17
R R L R L R L R R L R L R L
18
R R L R R L R L R L R L R L
19
R R L R R R L R
20
R L R R R L R R
21
R L R R L R L R R L
22
R L R R R L R R L
23
R L R R L R R L R L
24
R R L R L R R L R
25
R L R R L R L R R L R
26
R L R R L R R L R R L R
27
R L L R R L L R
28
R R L L R R L L

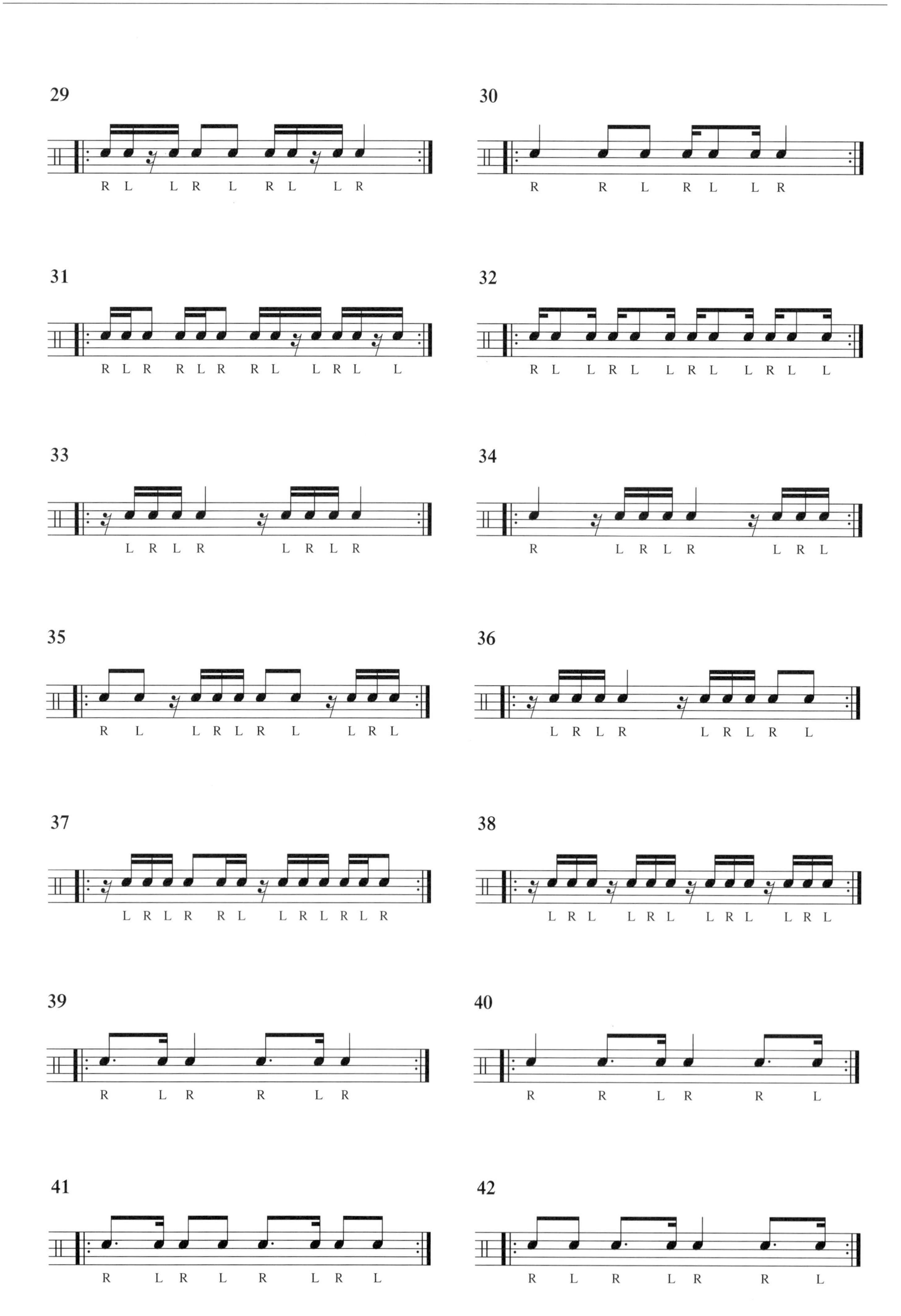
29
R L L R L R L L R
30
R R L R L L R
31
R L R R L R R L L R L L
32
R L L R L L R L L R L L
33
L R L R L R L R
34
R L R L R L R L
35
R L L R L R L L R L
36
L R L R L R L R L
37
L R L R R L L R L R L R
38
L R L L R L L R L L R L
39
R L R R L R
40
R R L R R L
41
R L R L R L R L
42
R L R L R R L

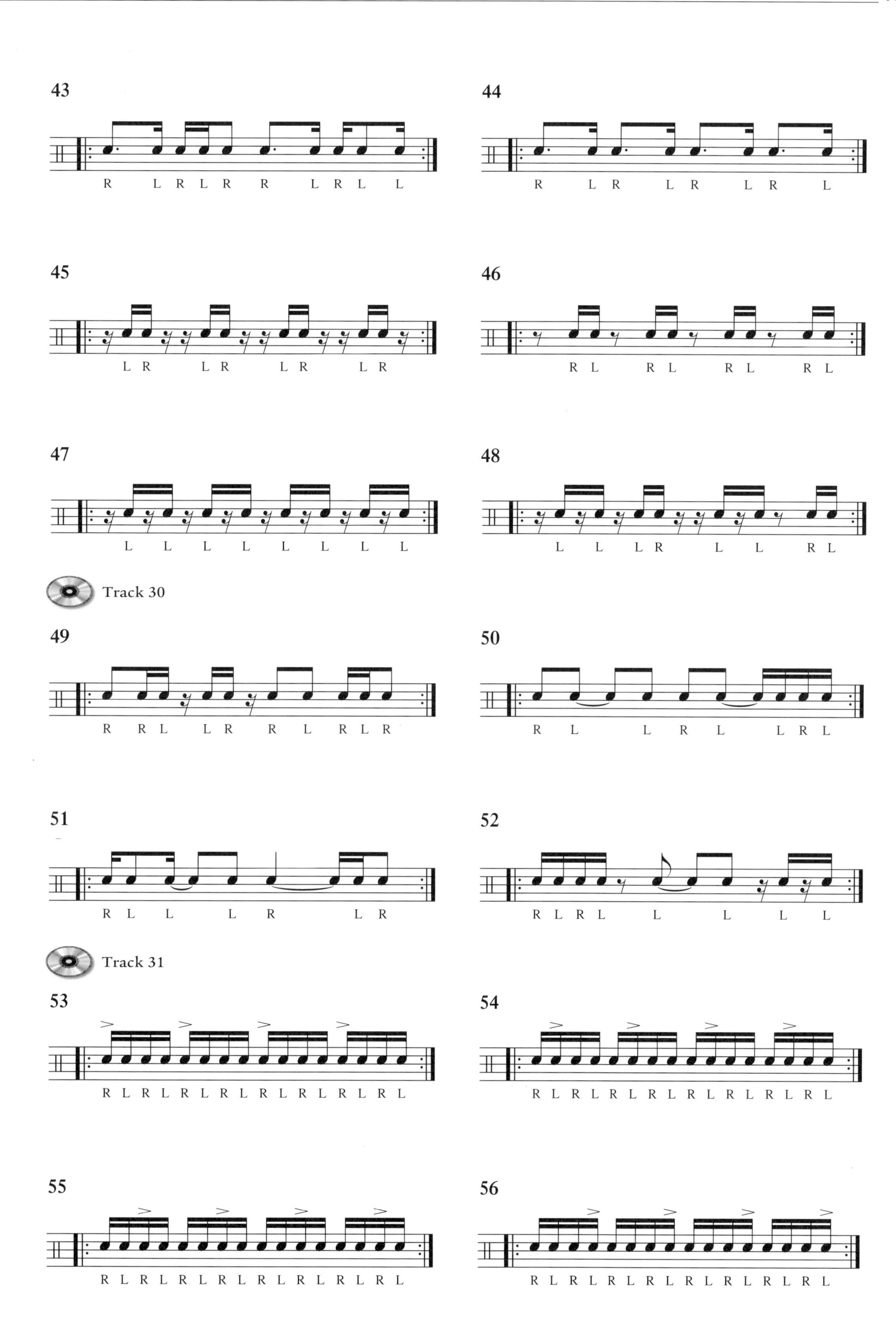
43
R L R L R R L R L L
44
R L R L R L R L
45
L R L R L R L R
46
R L R L R L R L
47
L L L L L L L L
48
L L L R L L R L
Track 30
49
R R L L R R L R L R
50
R L L R L L R L
51
R L L L R L R
52
R L R L L L L L
Track 31
53
R L R L R L R L R L R L R L R L
54
R L R L R L R L R L R L R L R L
55
R L R L R L R L R L R L R L R L
56
R L R L R L R L R L R L R L R L

16分音符のハイハットによる8thノート・ビート（R）

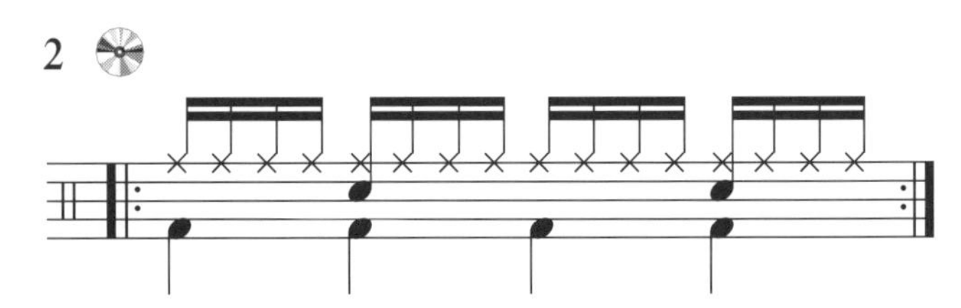

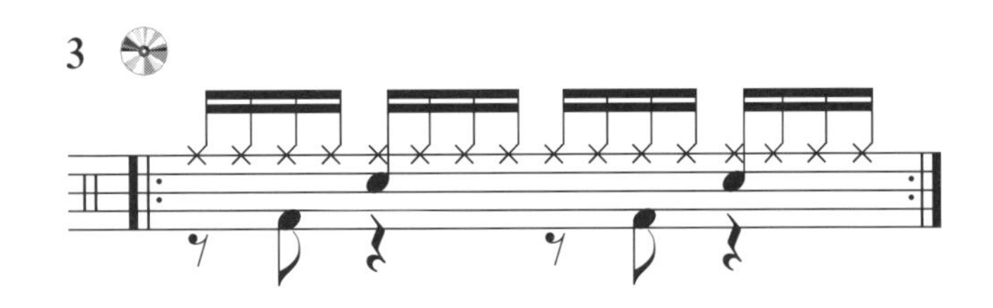

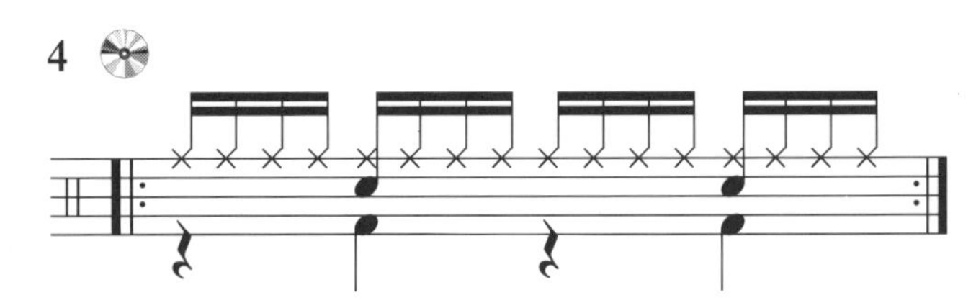

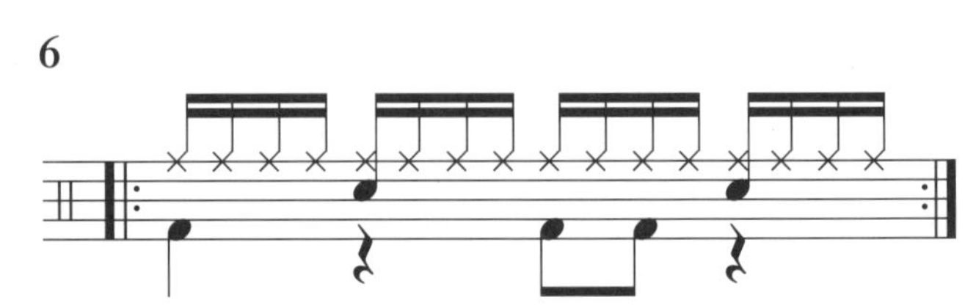

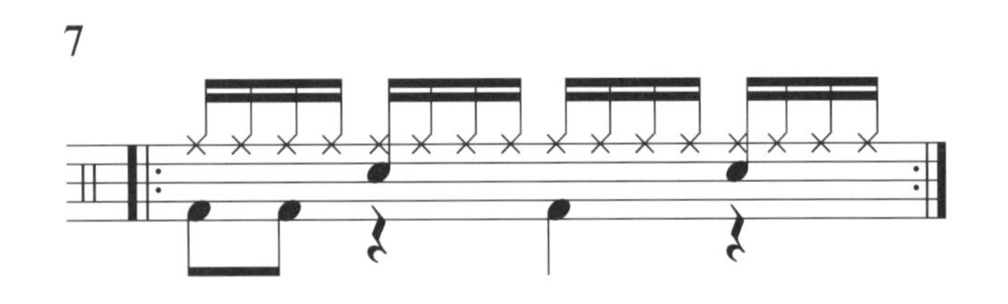

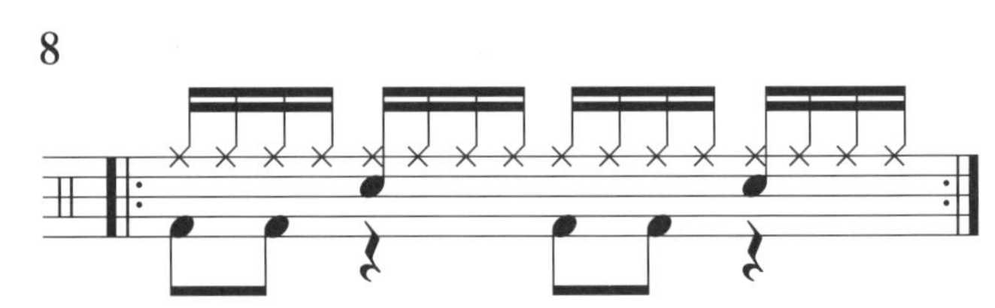

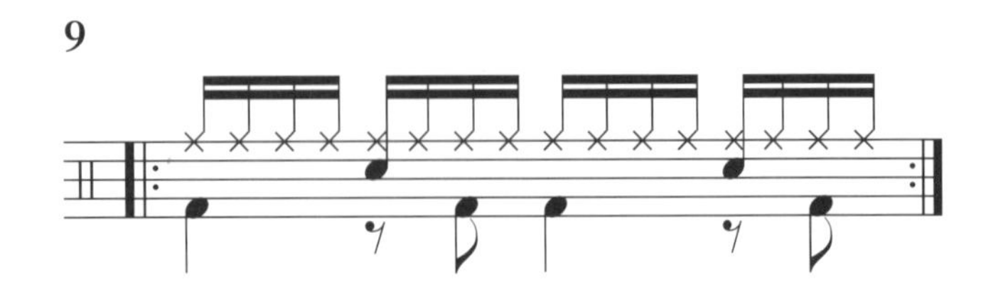

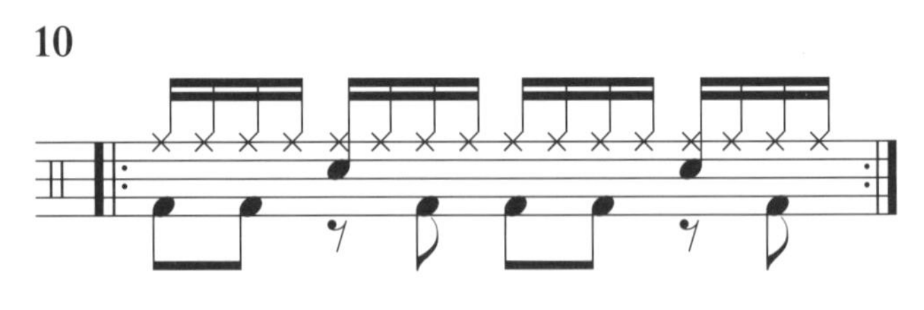

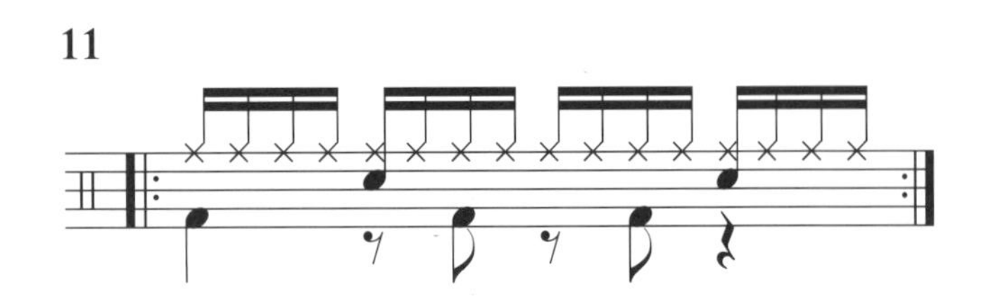

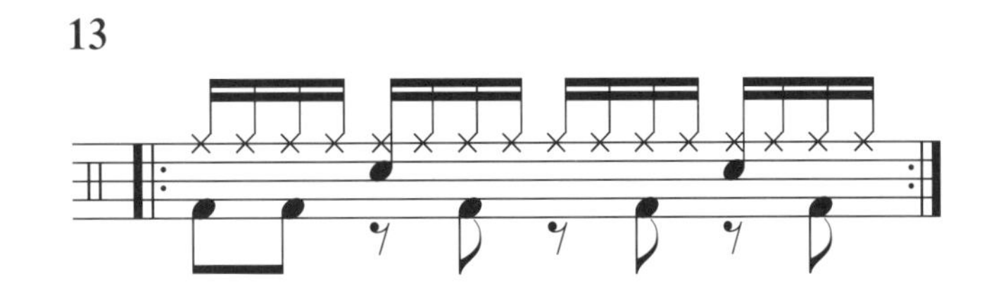

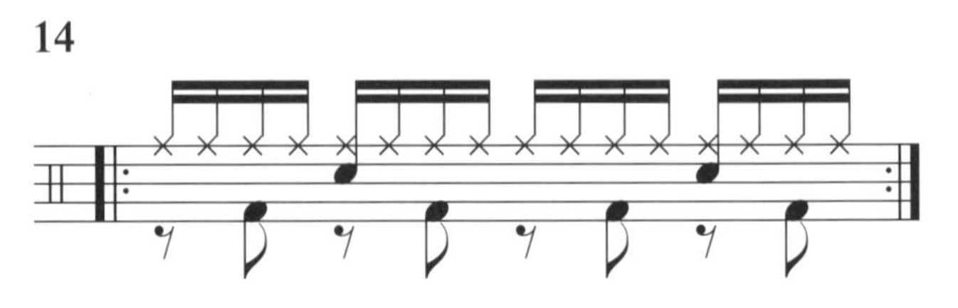

16分音符のハイハットによる8thノート・ビート（R・L）

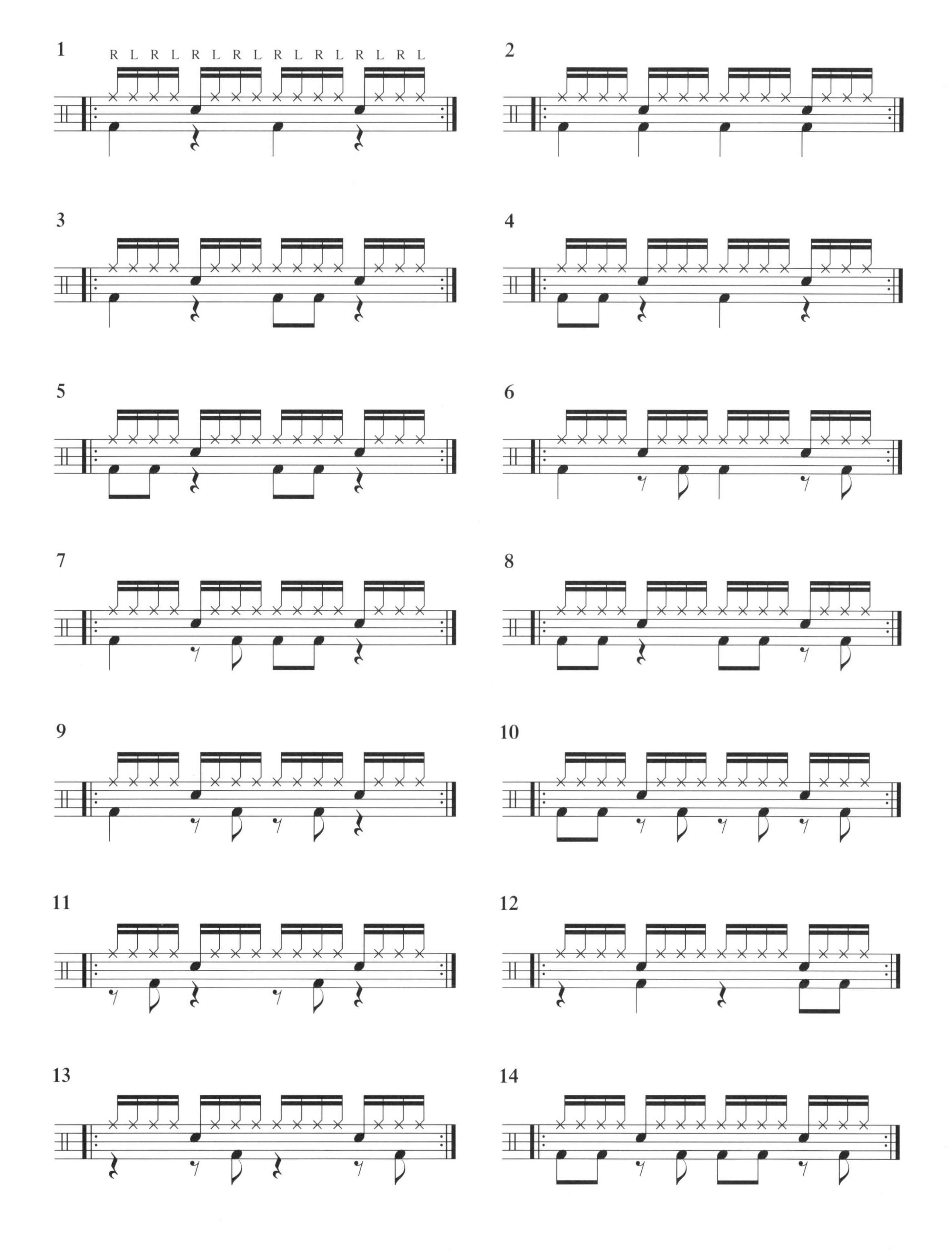

16分音符のハイハットによる8thノート・ビート(R/ハイハット・オープン)

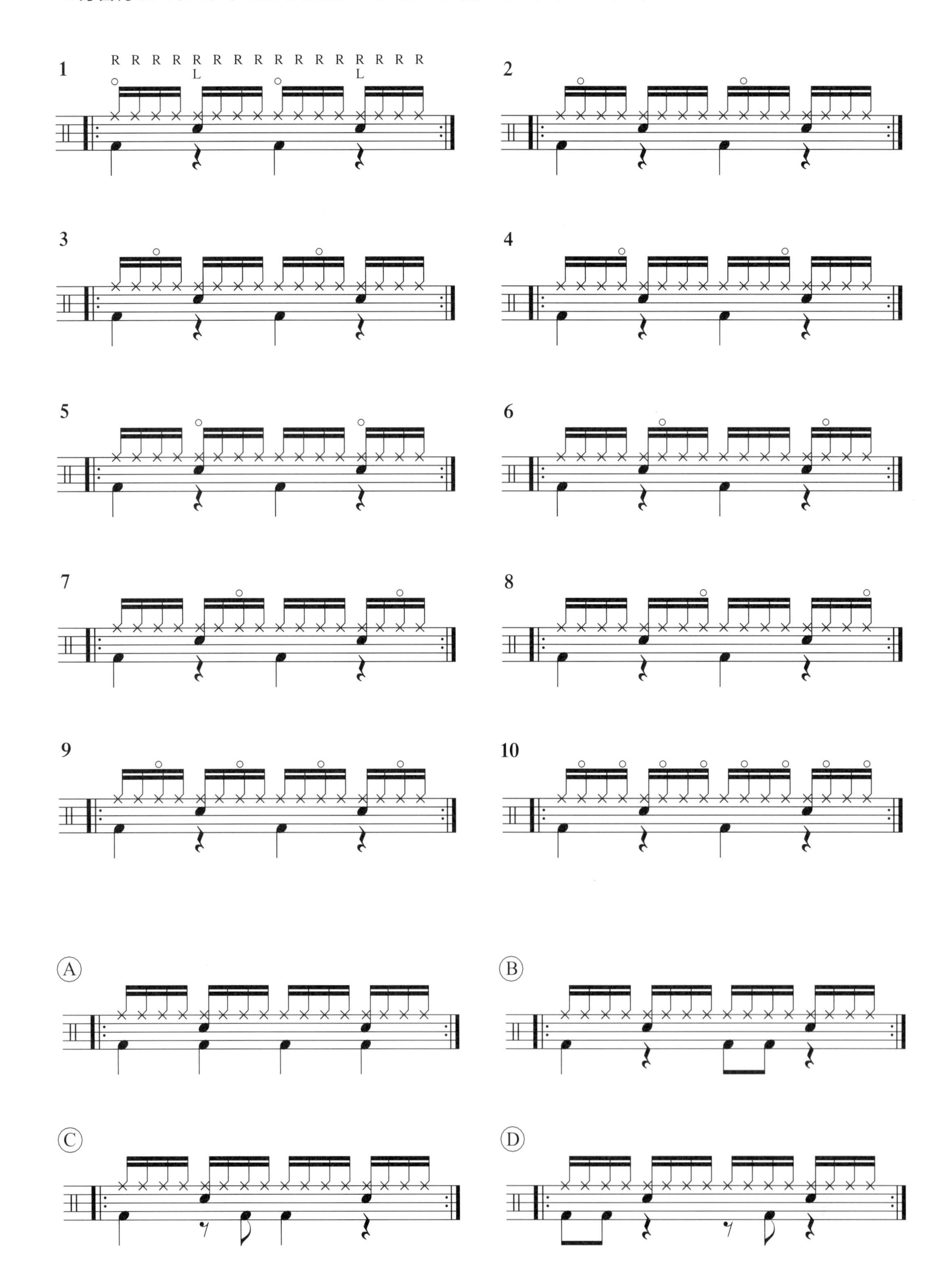

16分音符のハイハットによる8thノート・ビート(R・L/ハイハット・オープン)

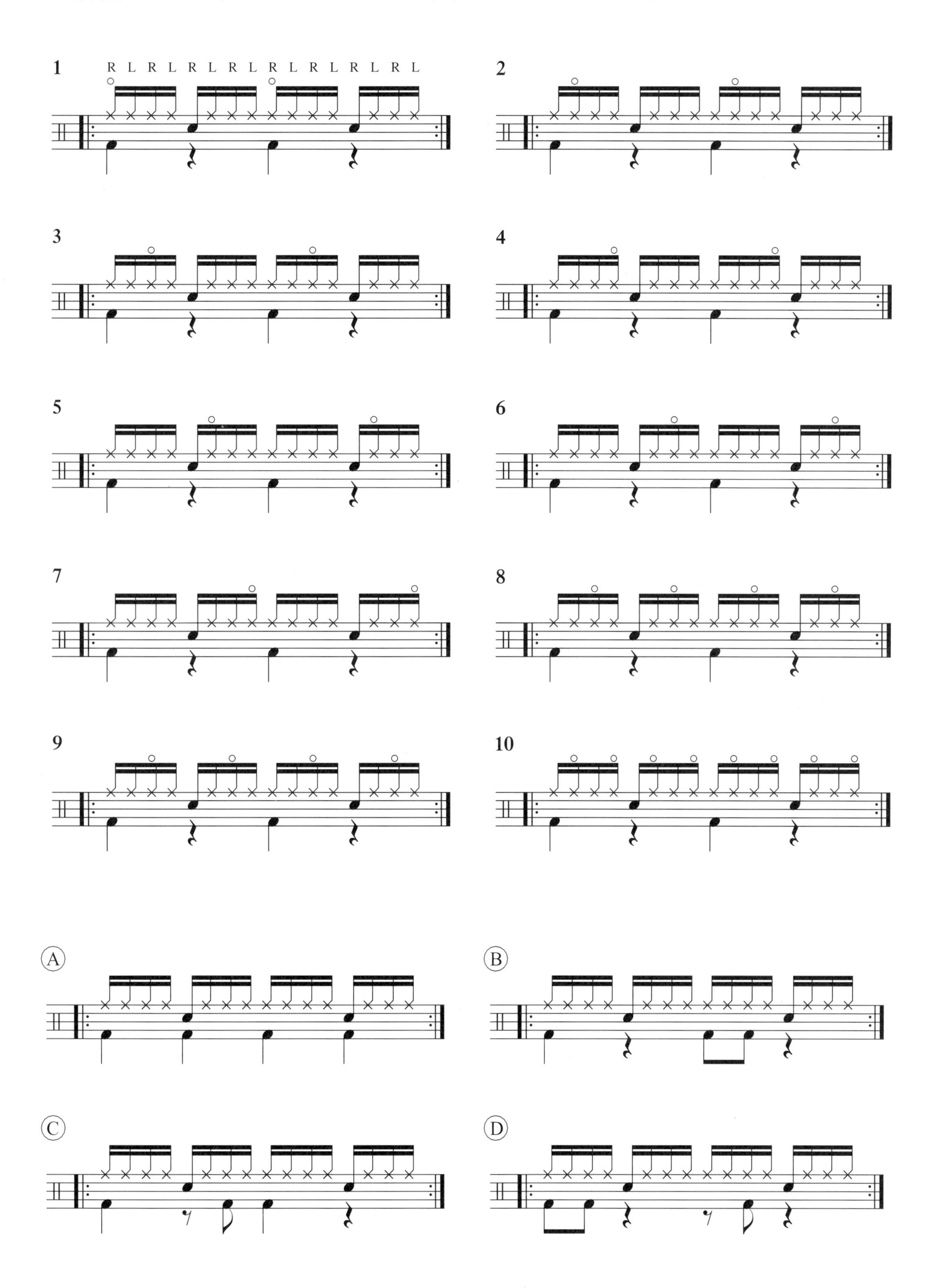

16分音符のハイハットによる16thノート・ビート（R）

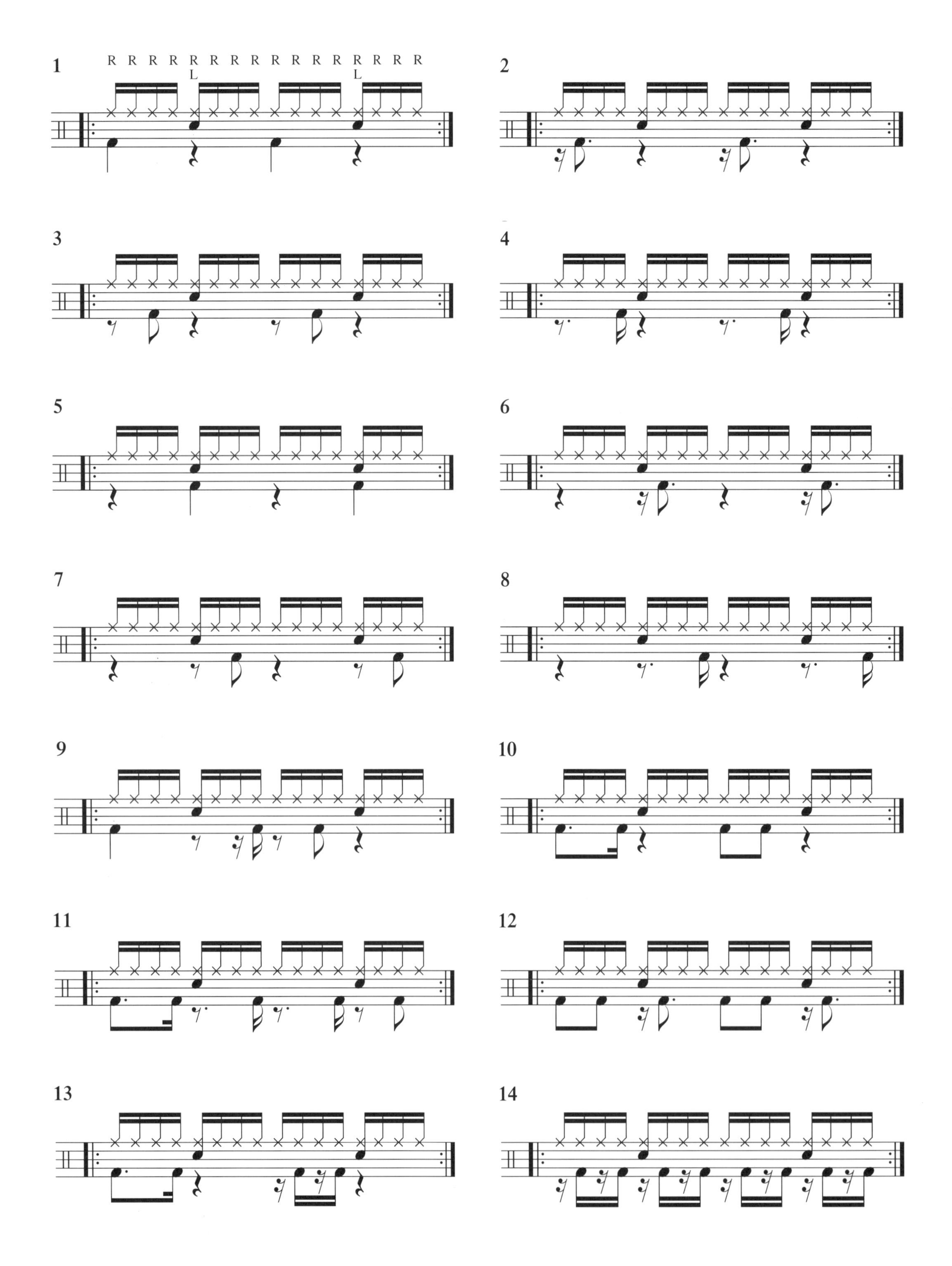

16分音符のハイハットによる16thノート・ビート(R・L)

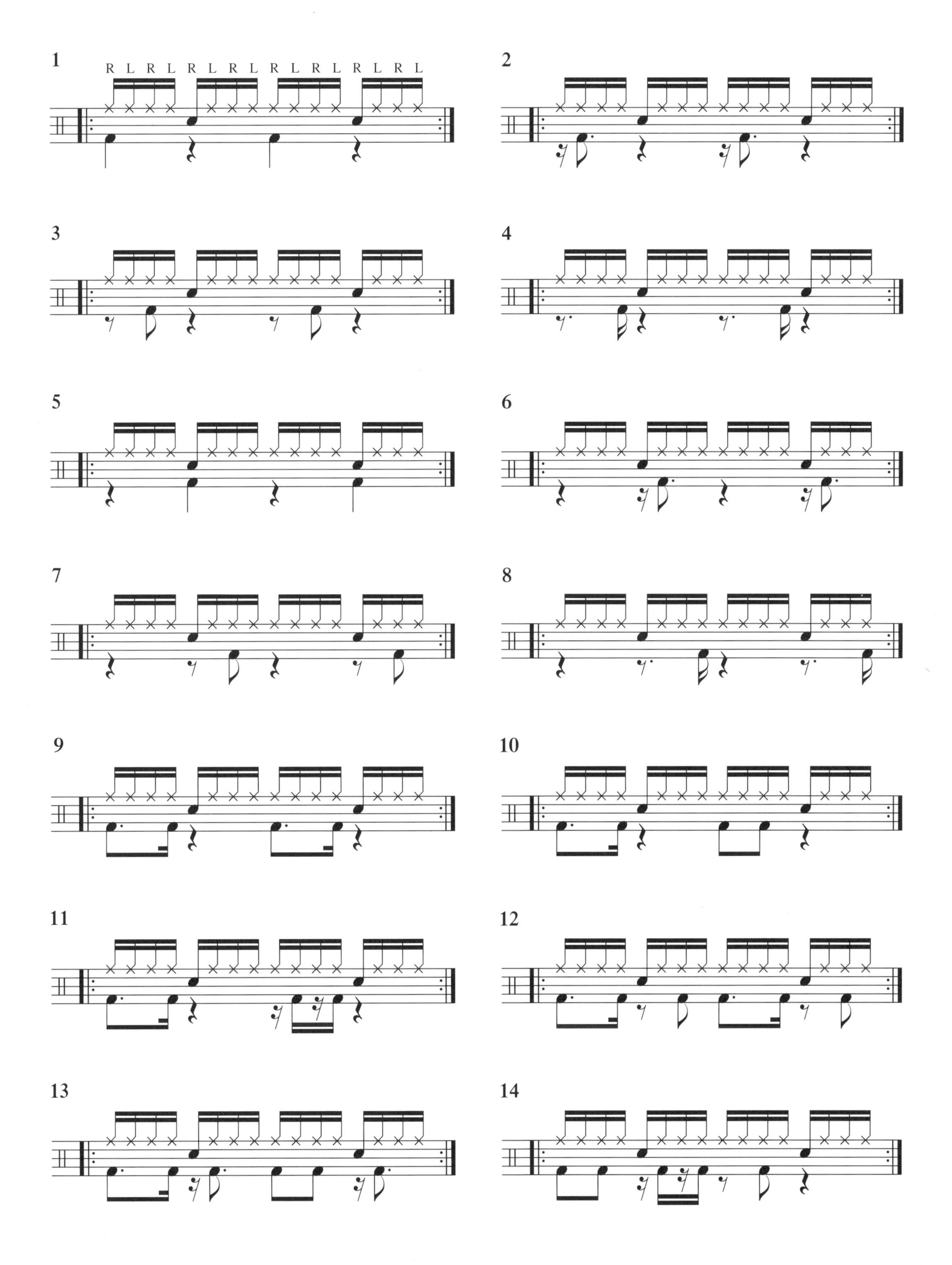

4分音符のハイハットによる8thノート·ビート

 Track 33 / 1～9

1

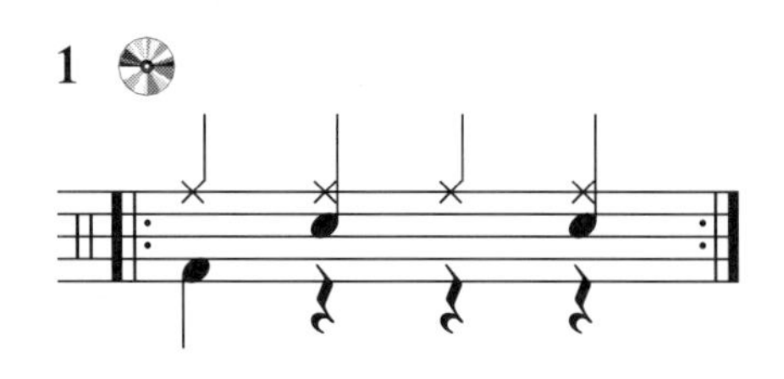

2

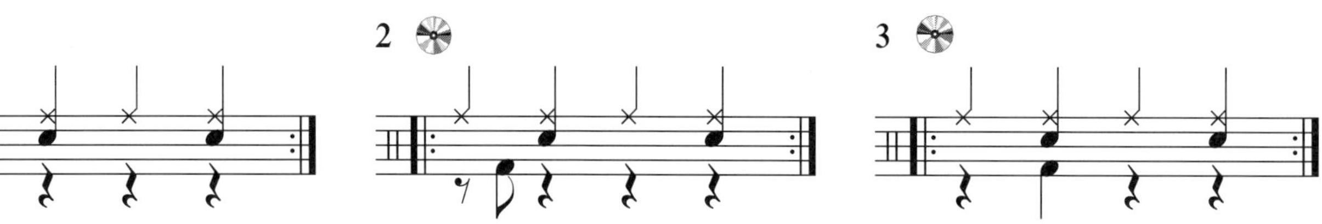

3

4

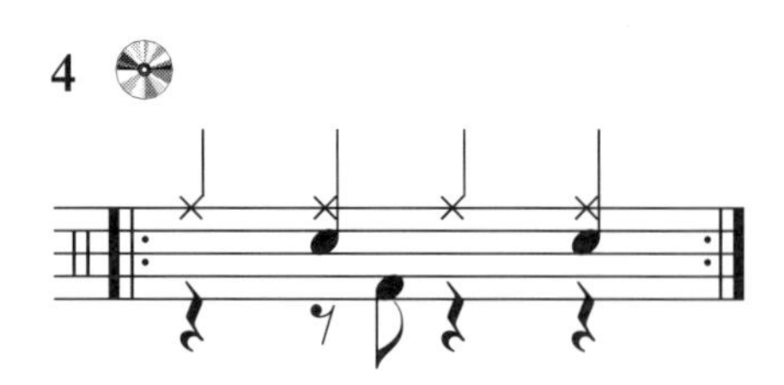

5

6

7

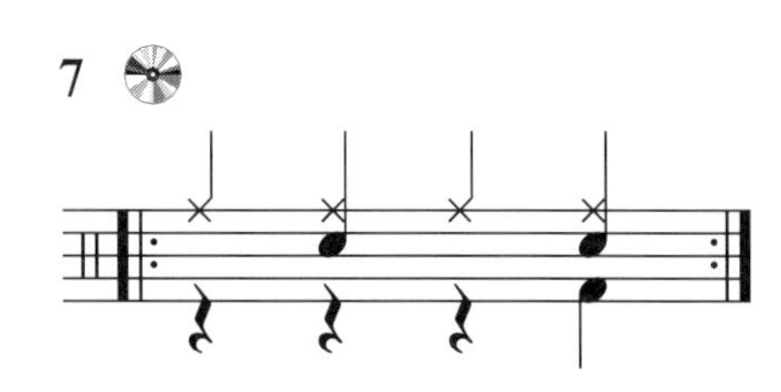

8

9

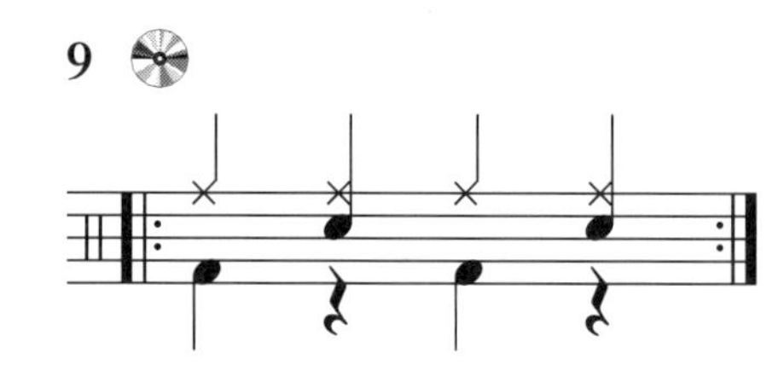

10

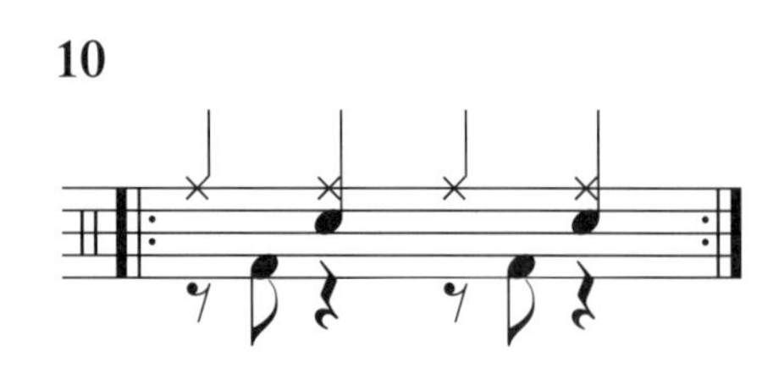

11

12

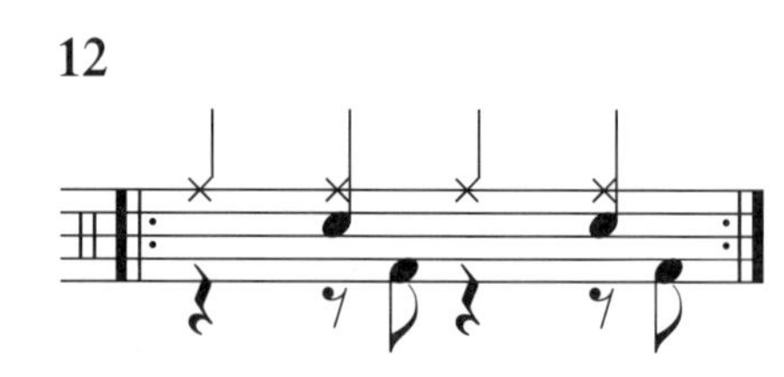

13

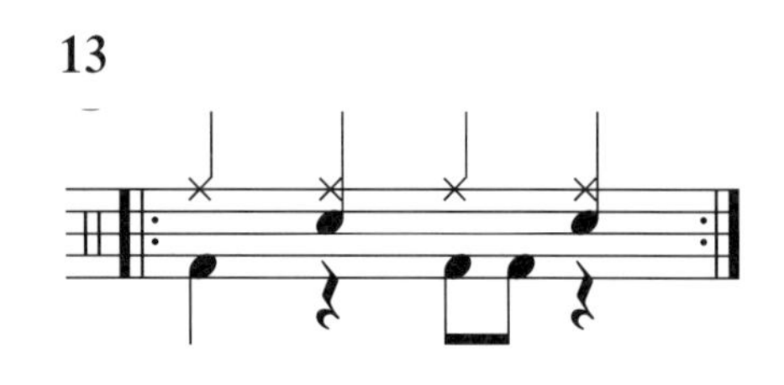

14

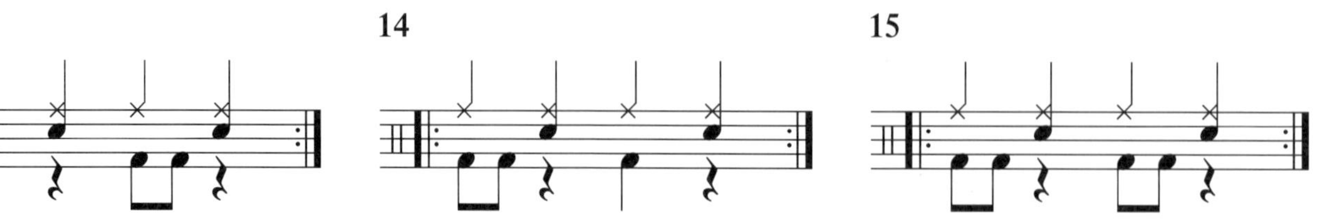

15

16

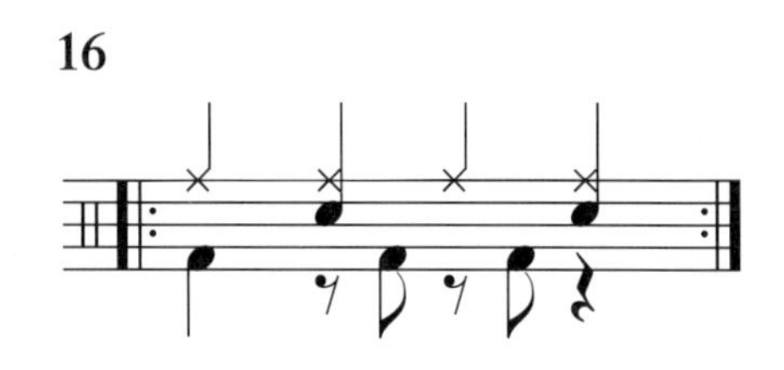

17

18

2分音符のハイハットによる8thノート・ビート

 Track 34／1～9

1

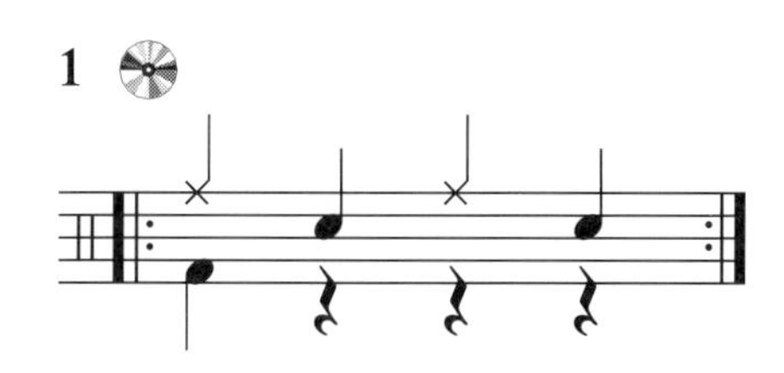

2

3

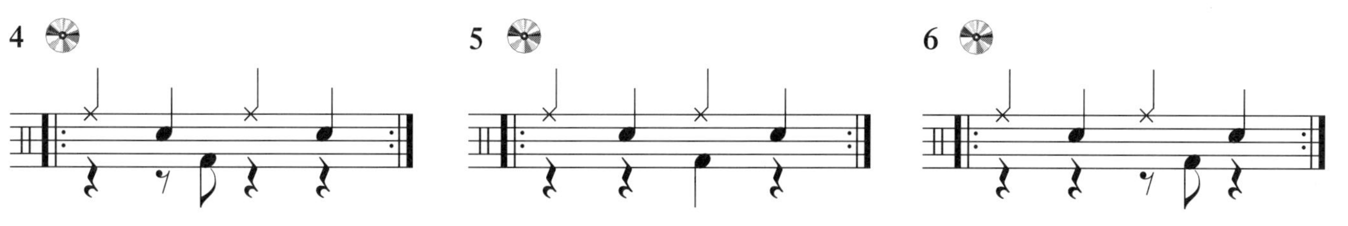

4

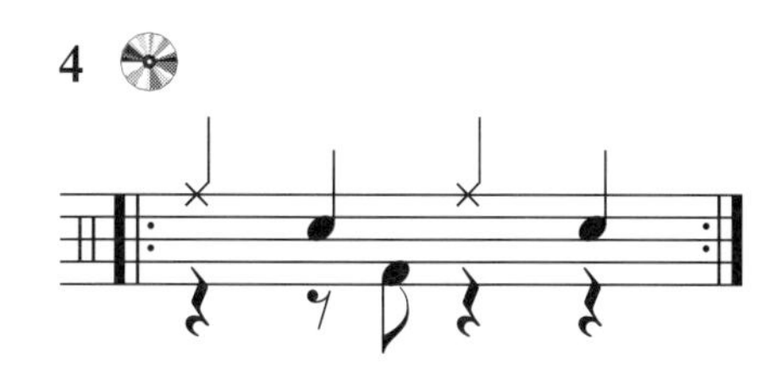

5

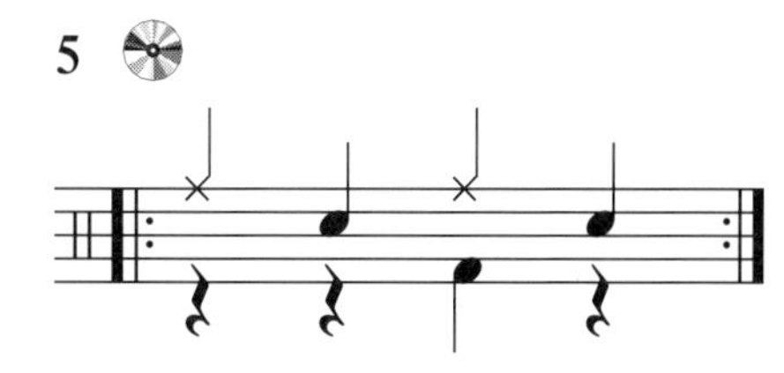

6

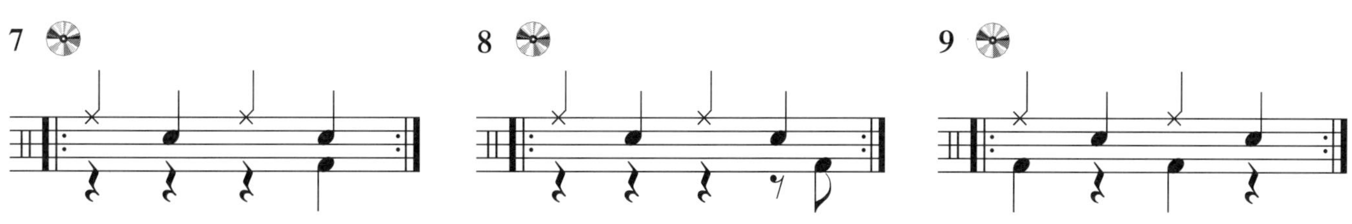

7

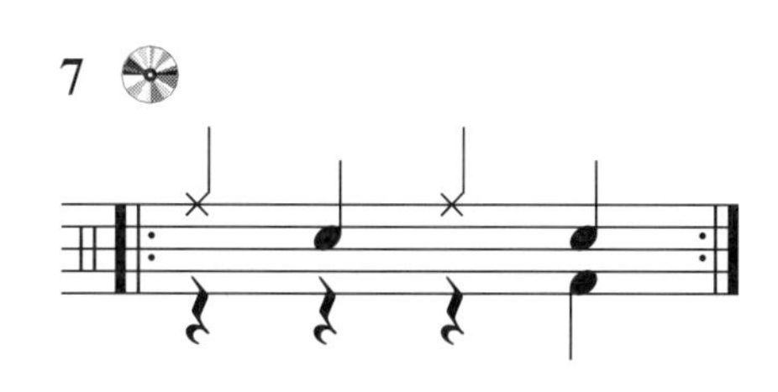

8

9

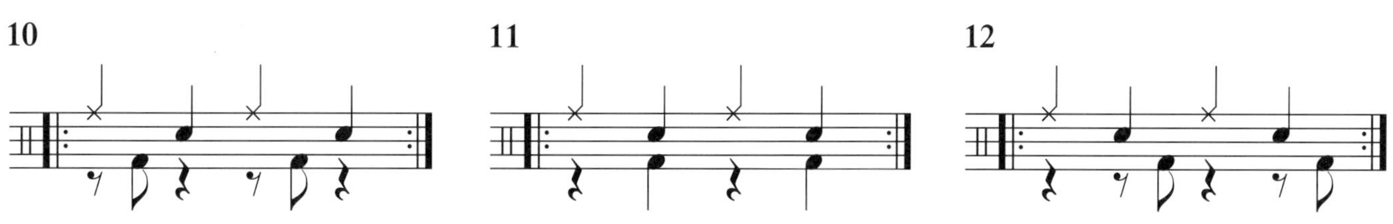

10

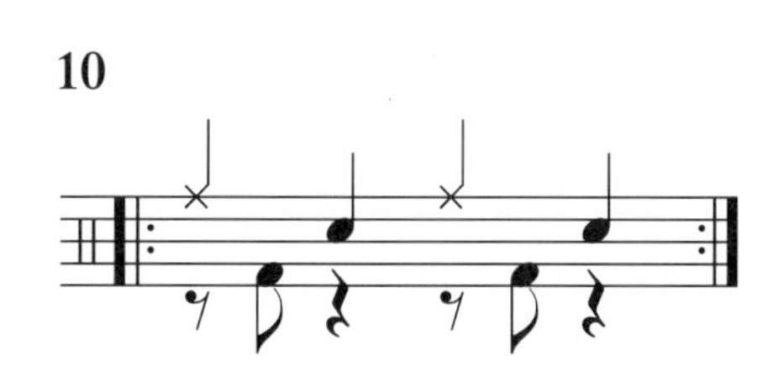

11

12

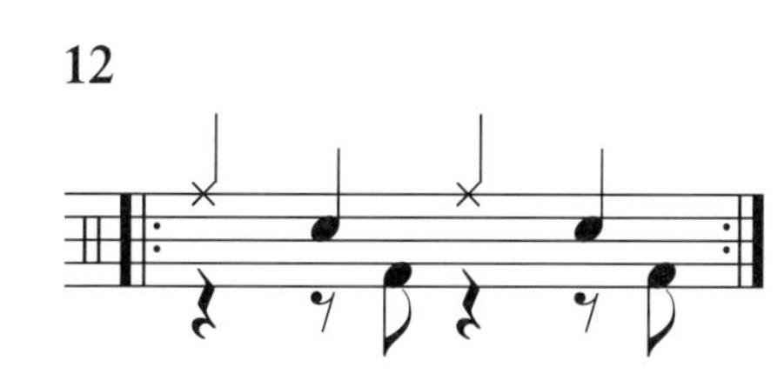

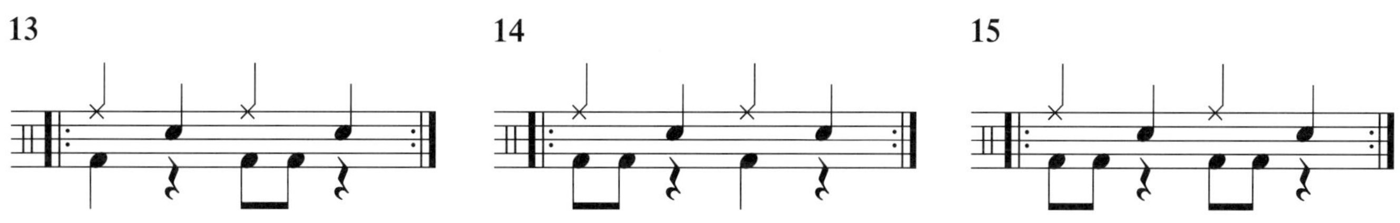

13

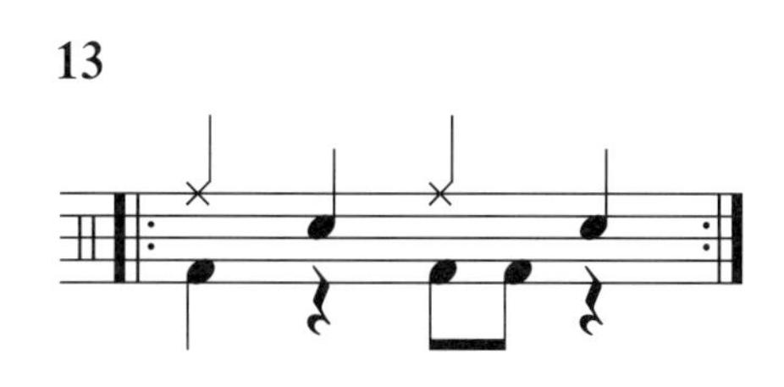

14

15

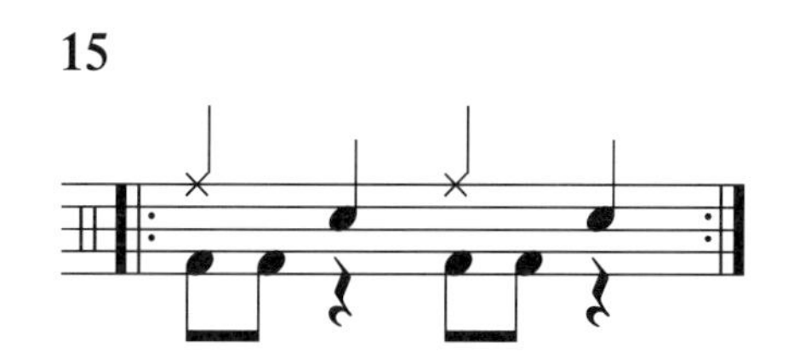

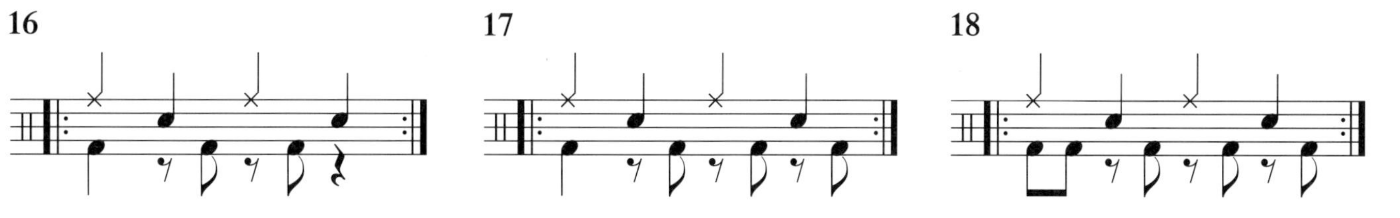

16

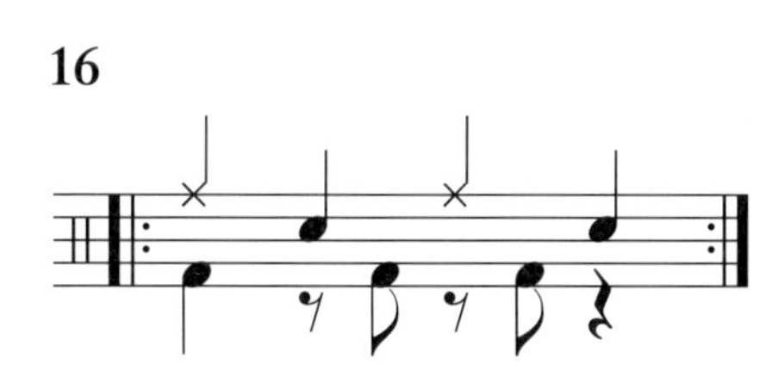

17

18

8分音符のハイハットによる16thノート・ビート

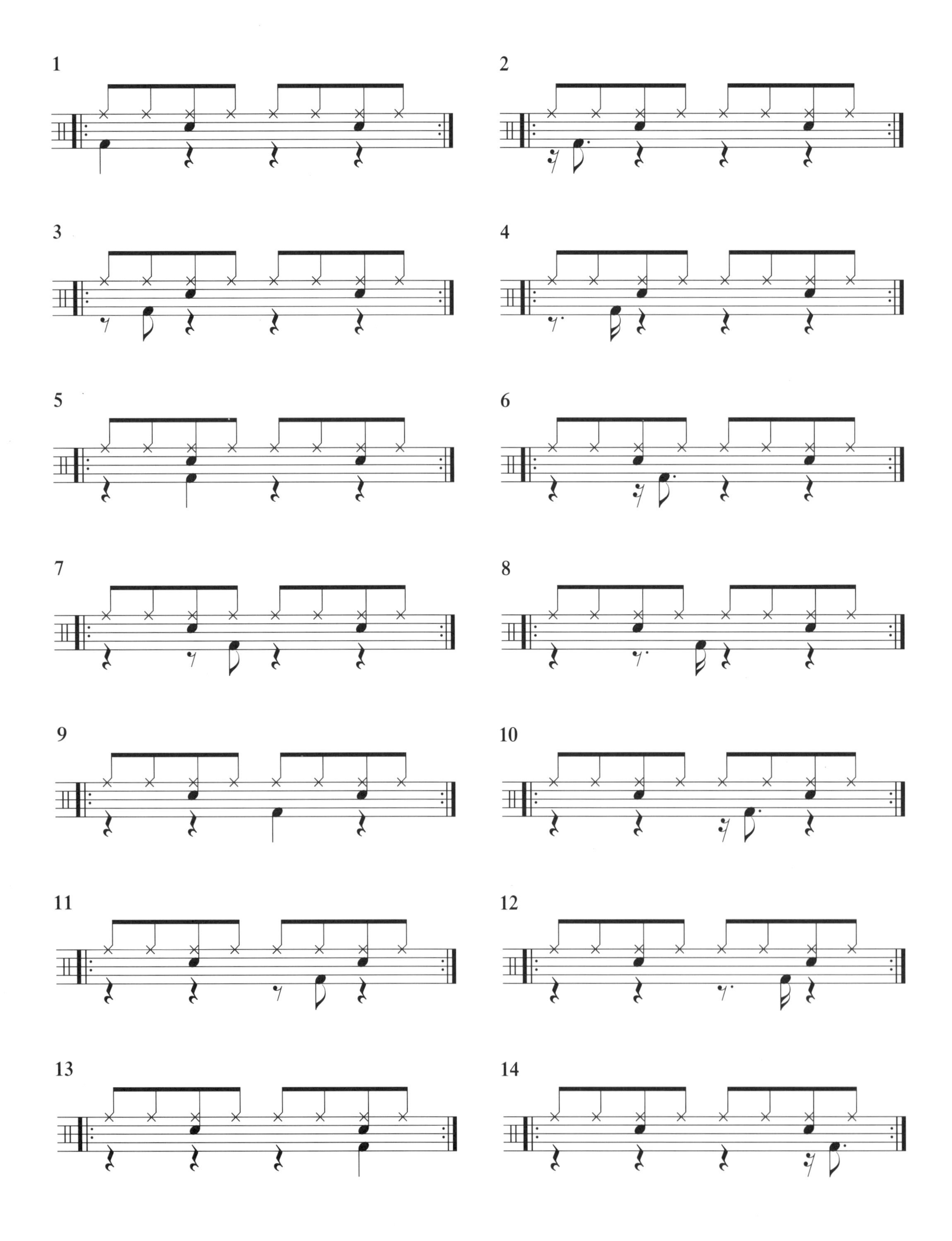

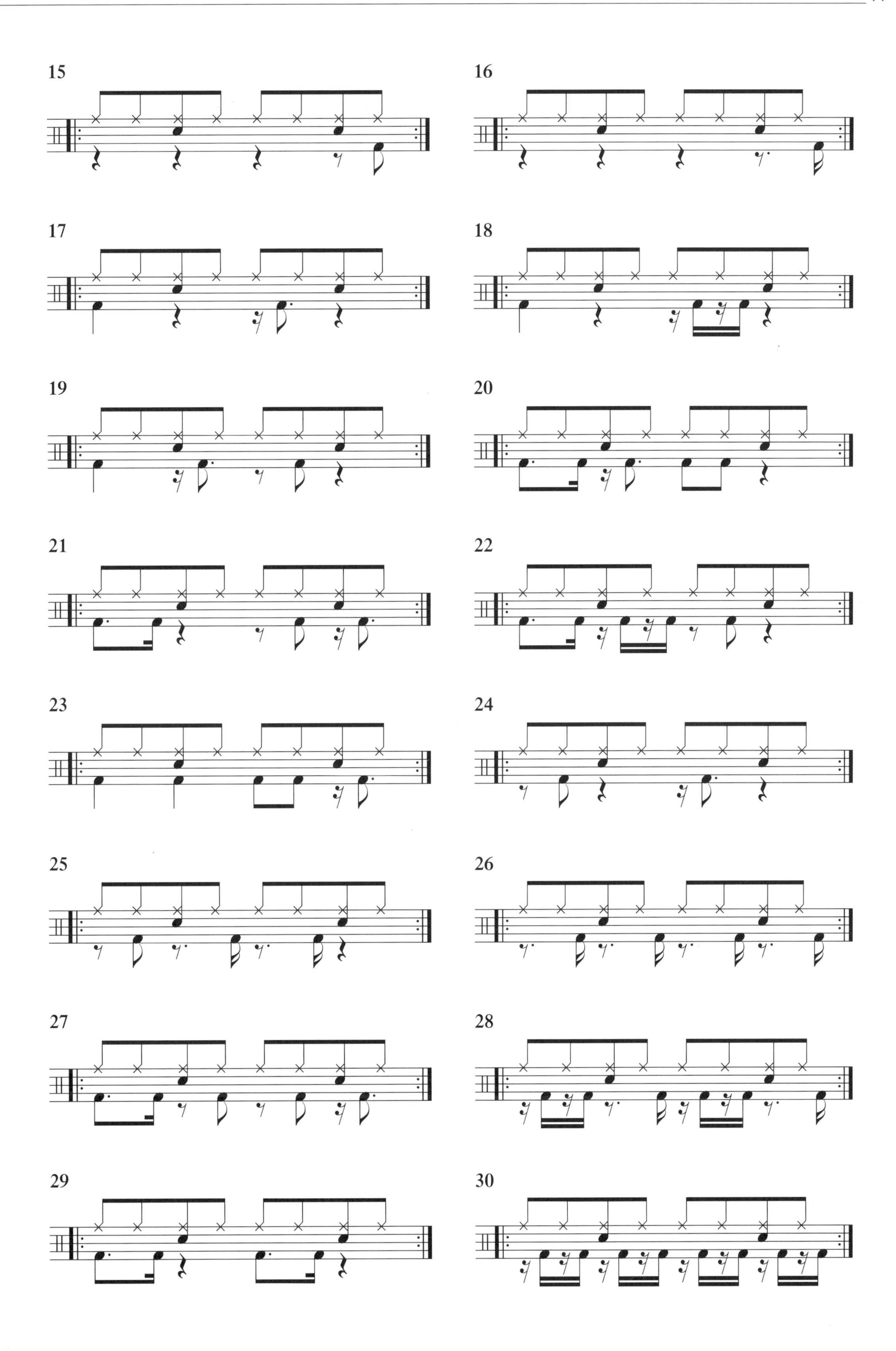
15
16
17
18
19
20
21
22
23
24
25
26
27
28
29
30

16分音符を加えたフィル・イン

1～**11**を楽譜どおりに演奏できるようになったら、次はフィルイン前の３小節を、Ⓐ～Ⓔのリズム・パターンにして練習しましょう。

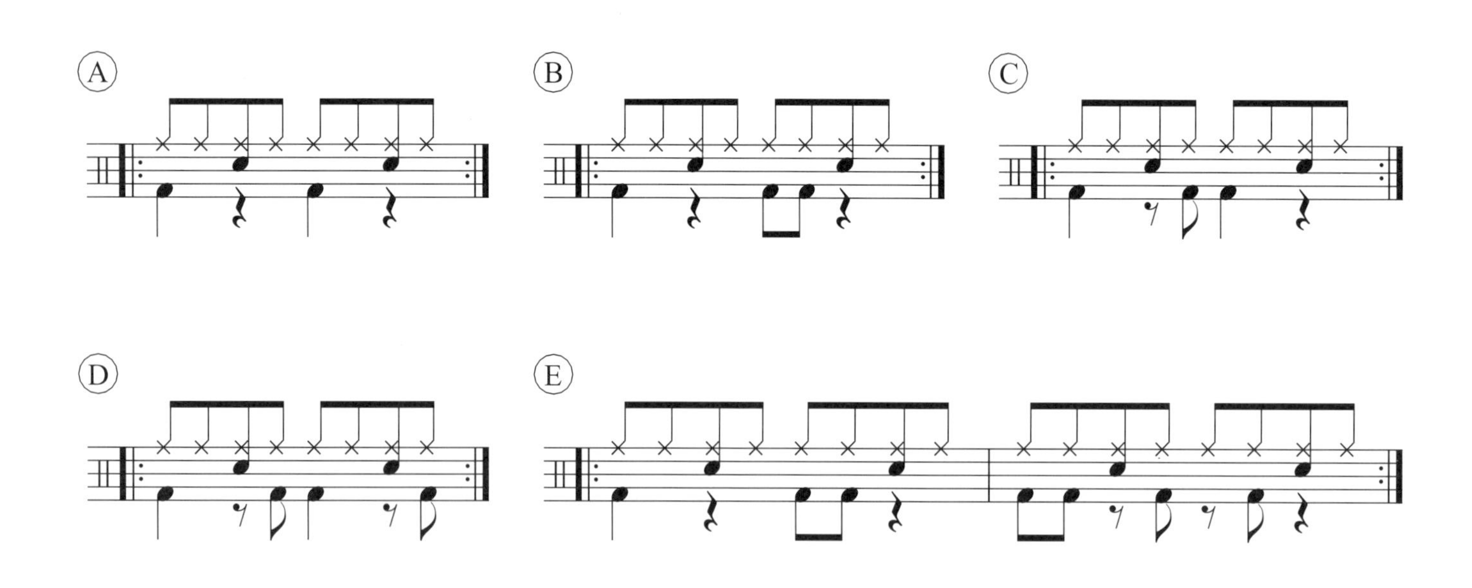

 Track 35

1

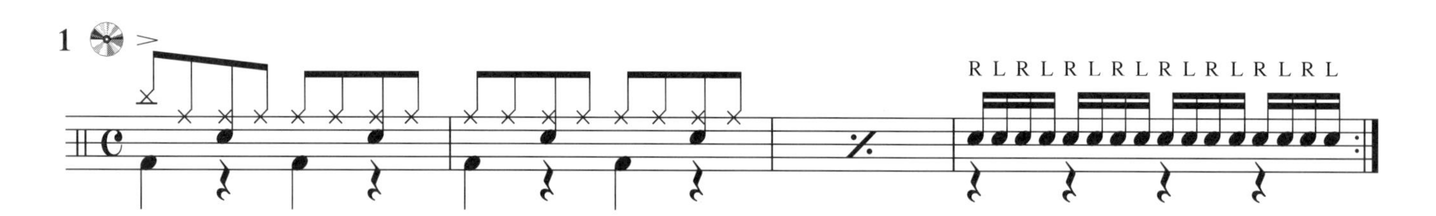

2

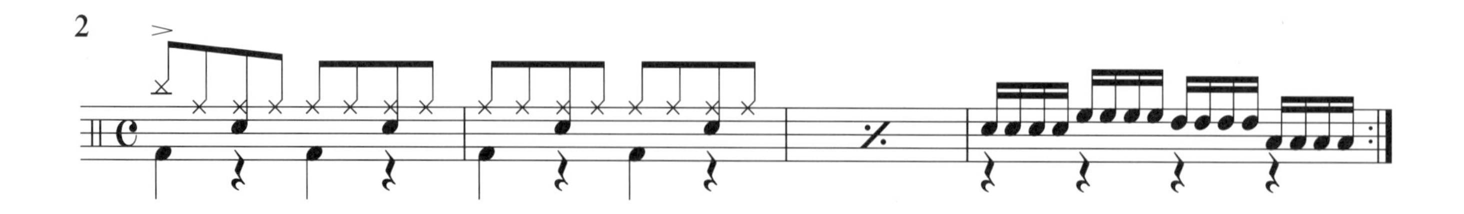

3

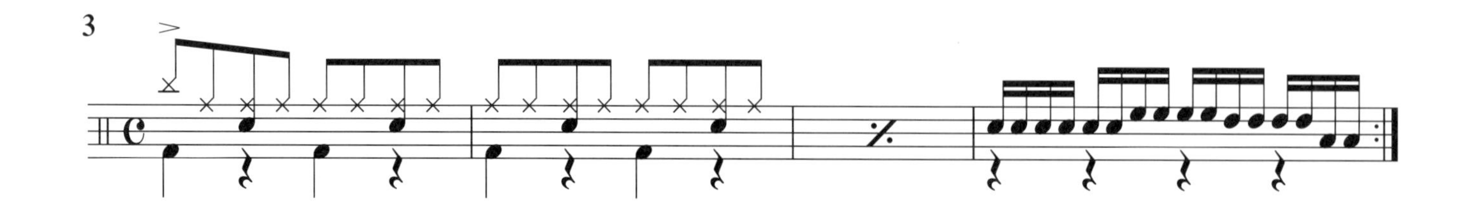

Track 36

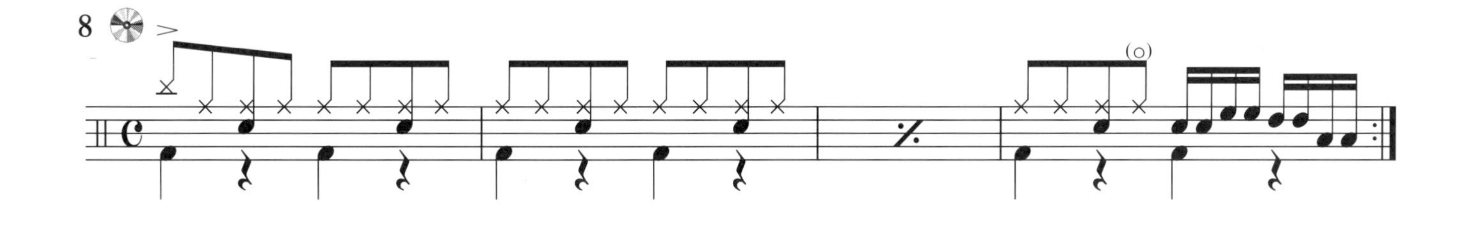

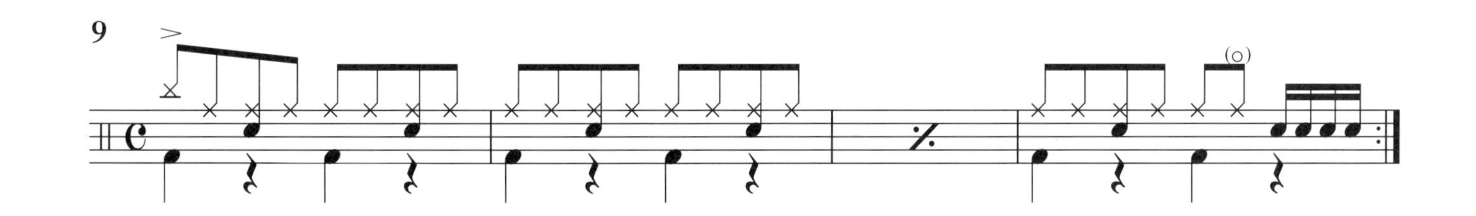

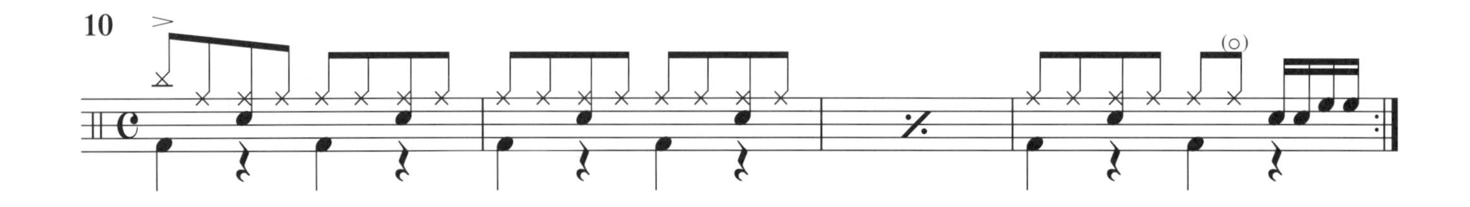

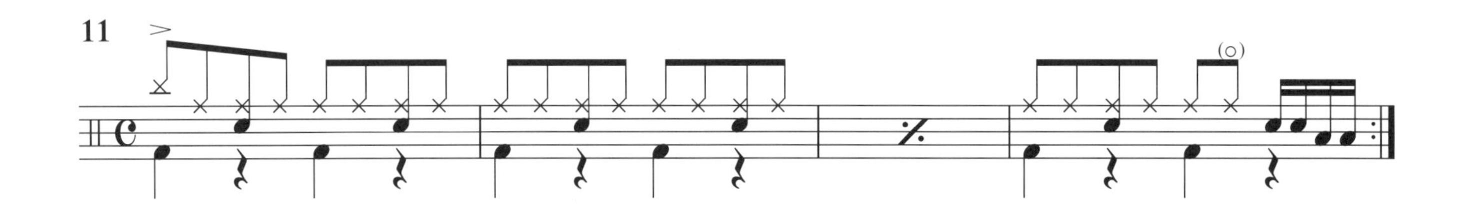

Ⓐ～Ⓕはスネアとタムによる４拍のフレーズです。まずはスネアだけで練習し、できるようになったらp.72のⒶ～Ⓔのリズムをいれて、下記のⒶ～Ⓕのフレーズを当てはめてみましょう。

Ⓐ

Ⓑ

Ⓒ

Ⓓ

Ⓔ

Ⓕ

フィル・インのヴァリエーション

18
R L R R R L R R R L R L

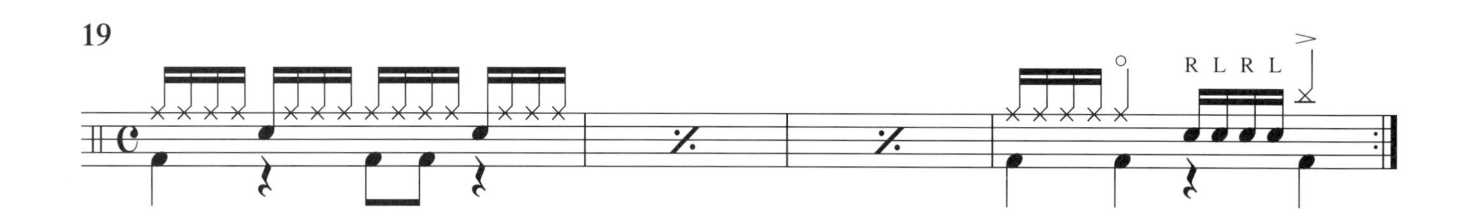
19
R L R L

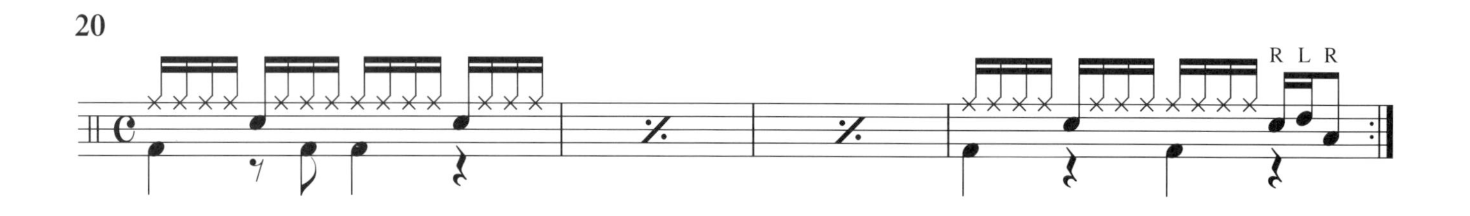
20
R L R

21
R L R L R L

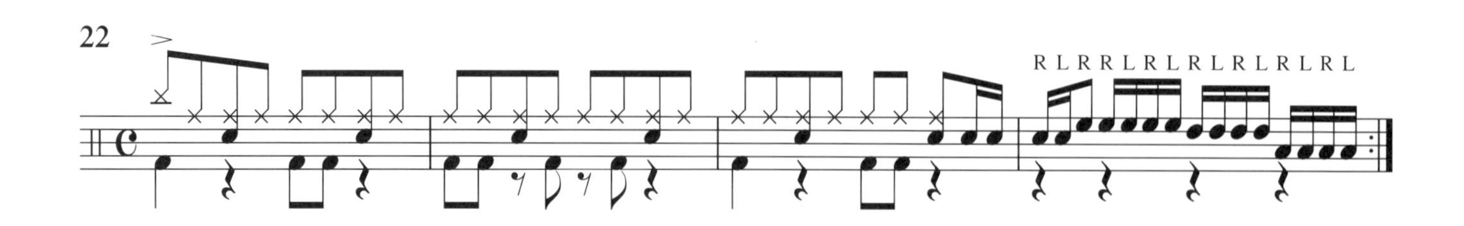
22
R L R R L R L R L R L R L R L

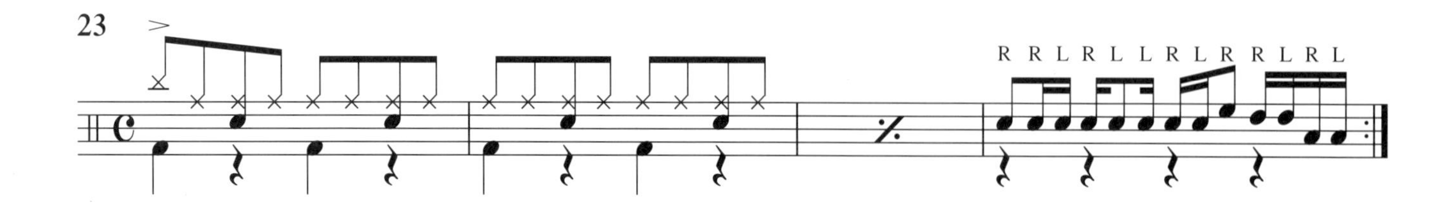
23
R R L R L L R L R R L R L

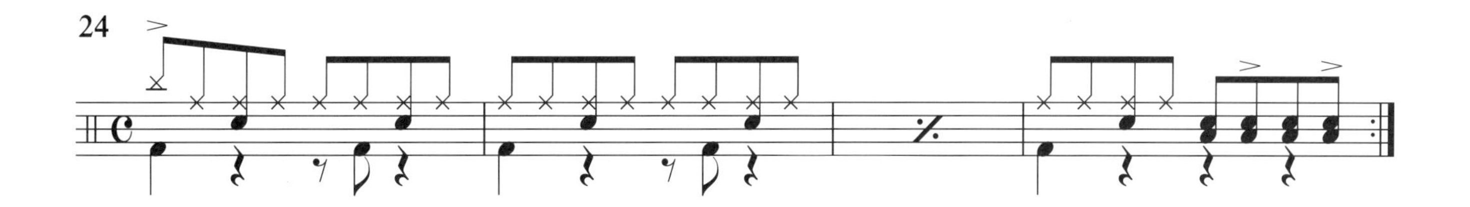
24

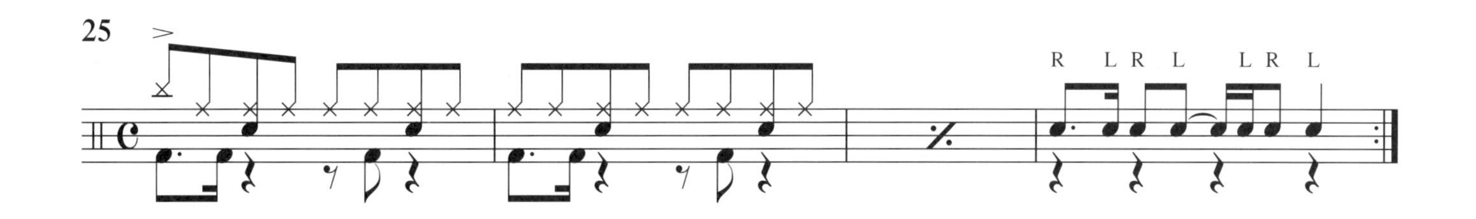
25
R L R L L R L

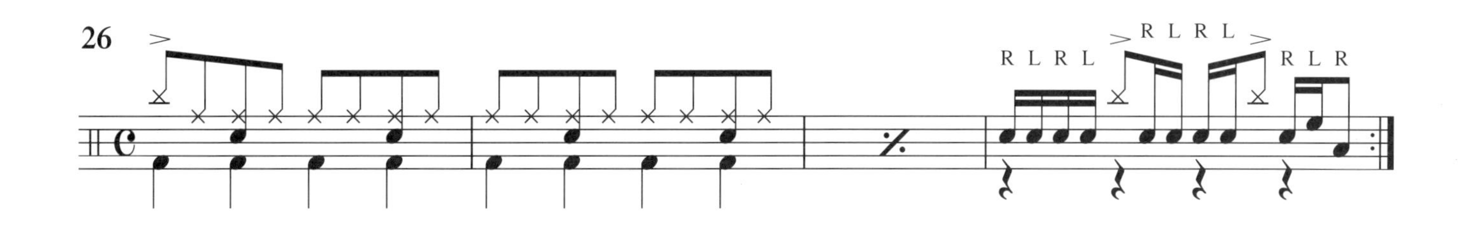
26
R L R L R L R L R L R

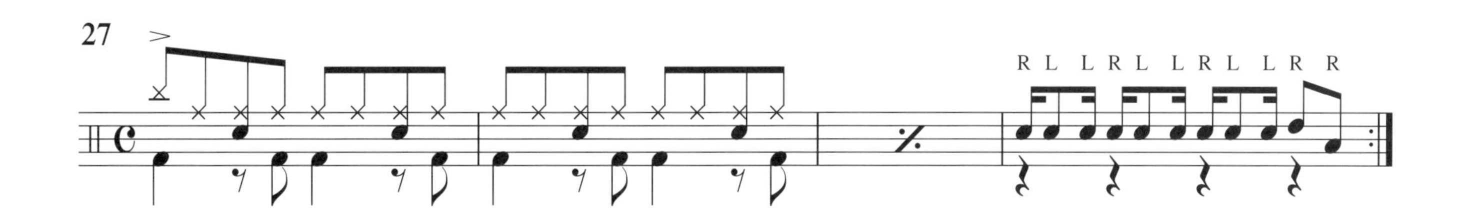
27
R L L R L L R L L R R

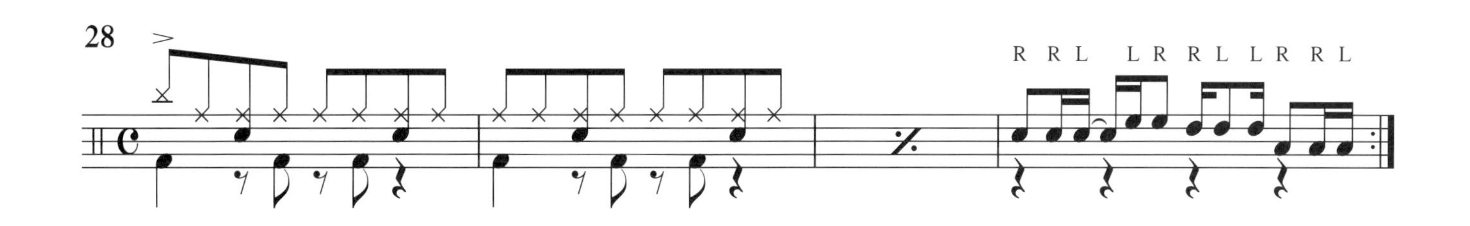
28
R R L L R R L L R R L

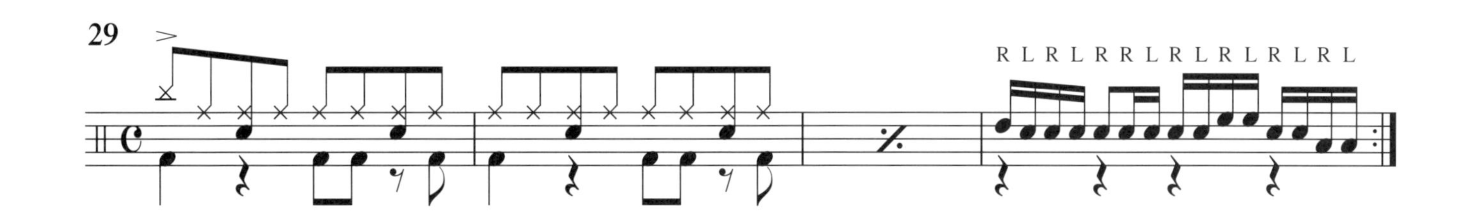
29
R L R L R R L R L R L R L R L

3連符のリズム・トレーニング

右手でハイハットの3連符を叩く練習

３連符(トリプレット)は、本来２等分される音符を３等分した音符のことです。例えば、８分音符３つをつなげて、４分音符１拍と同じ音価にすると、８分音符３連符になります。また、４分音符３つをつなげ、２分音符と同じ音価にすると、２拍３連になります。まずは３つの音符が均等になるように演奏しましょう。

Track 37

1

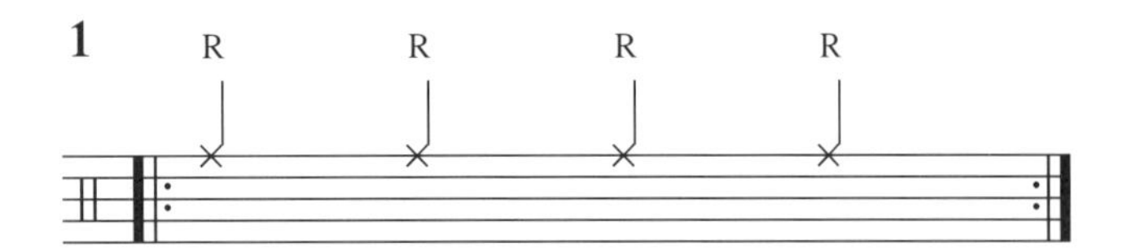

2

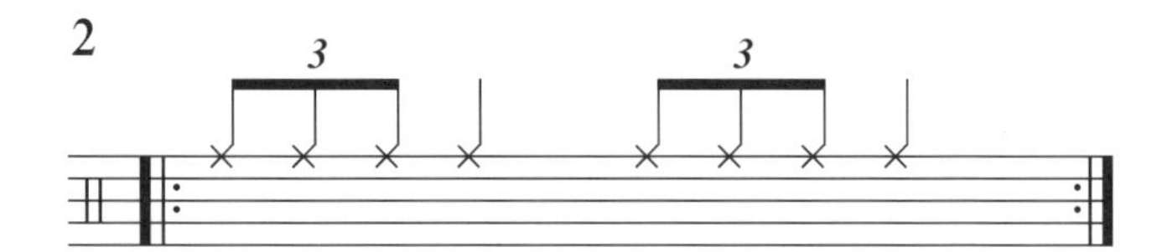

3

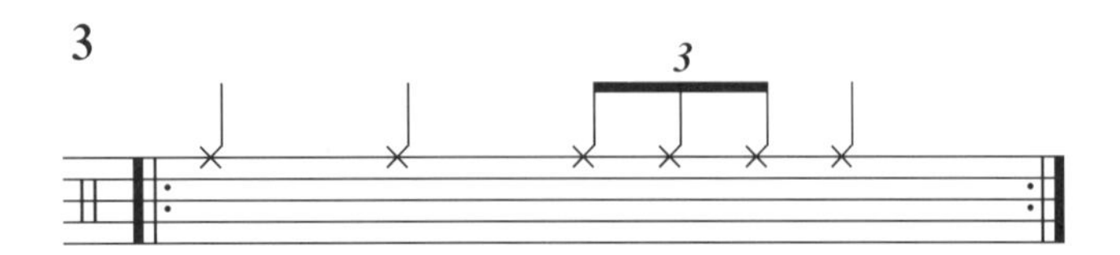

4

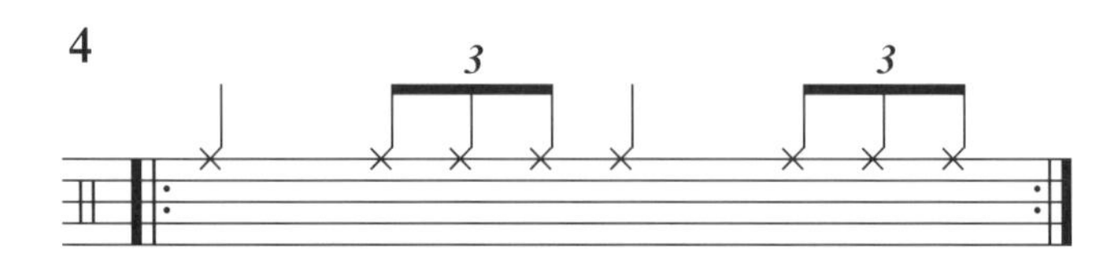

5

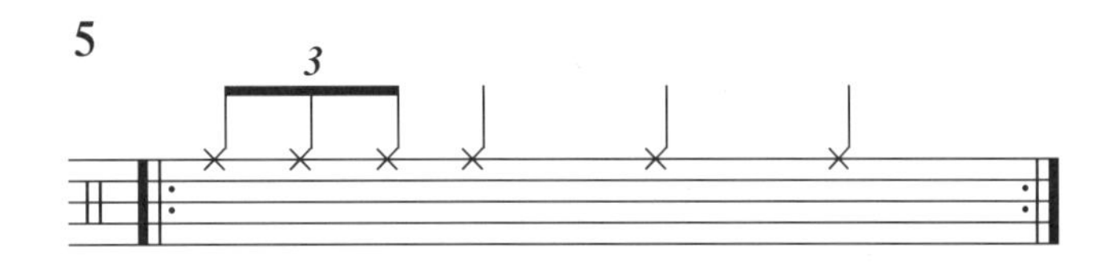

6

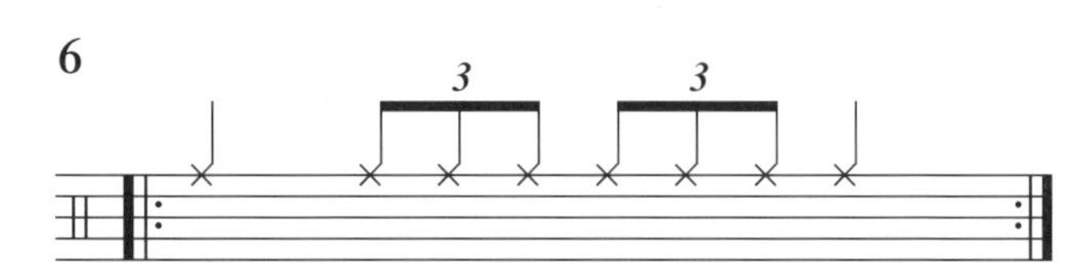

7

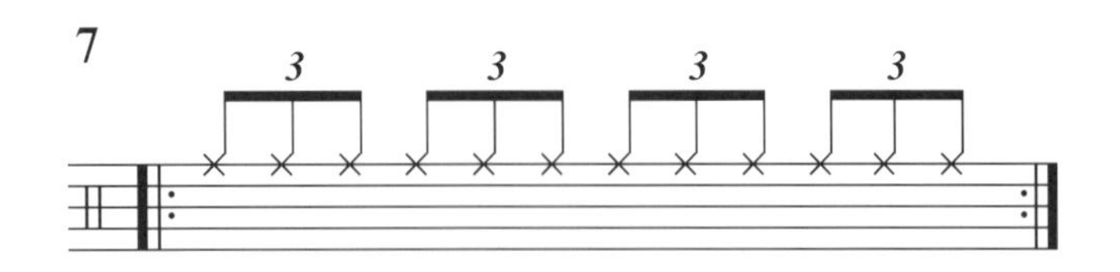

8

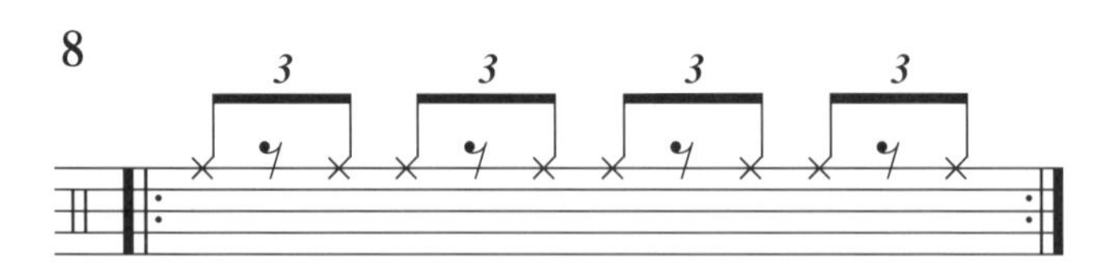

9

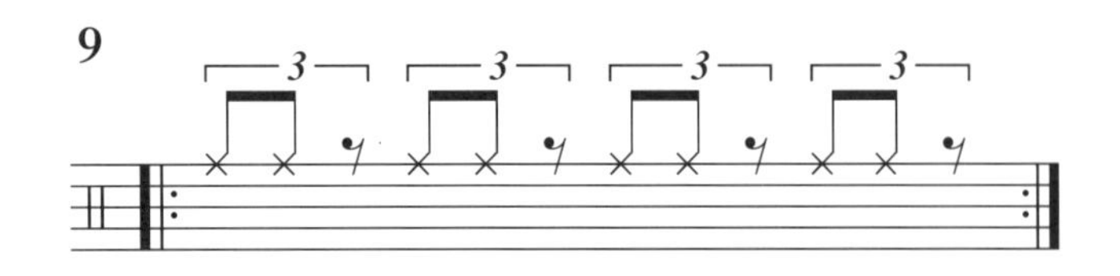

10

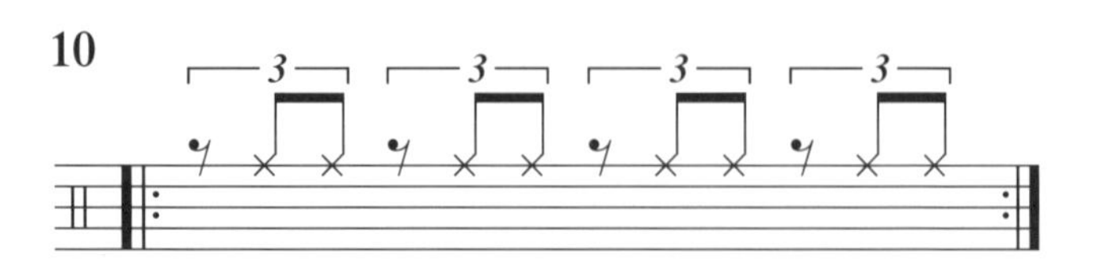

11

12

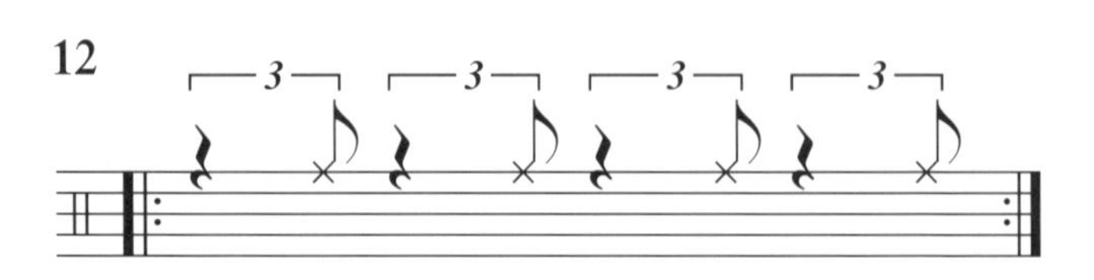

ハイハットとスネア・ドラムによるトリプレット・リズム

1

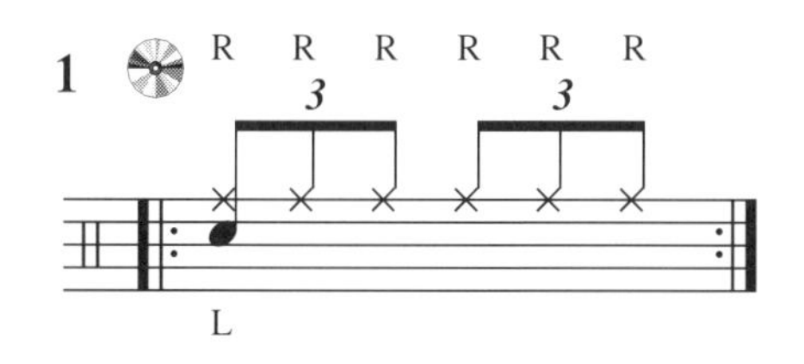

2

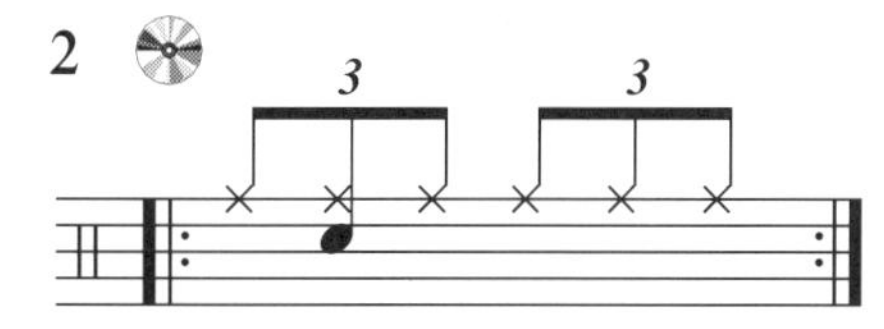

3

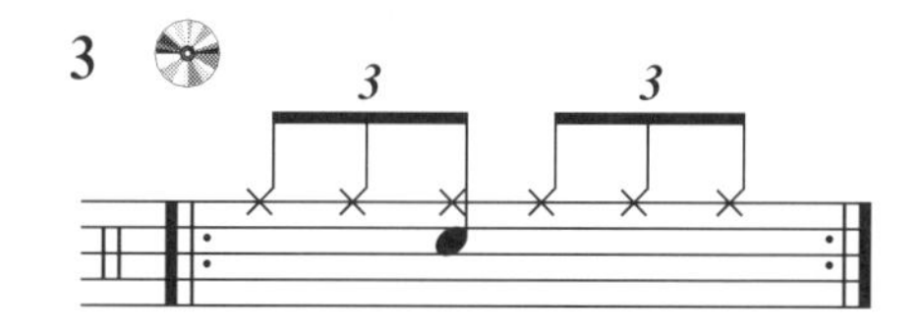

4

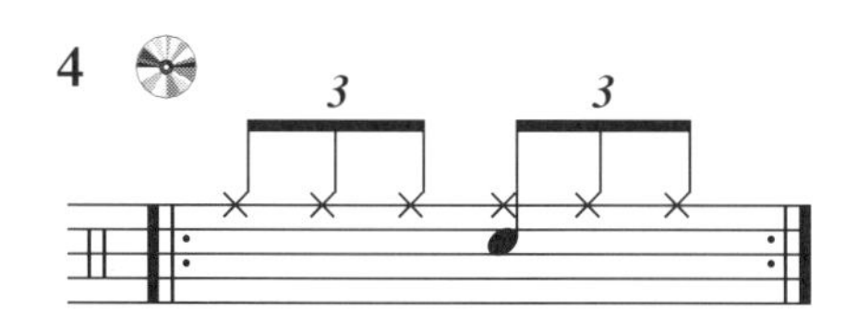

5

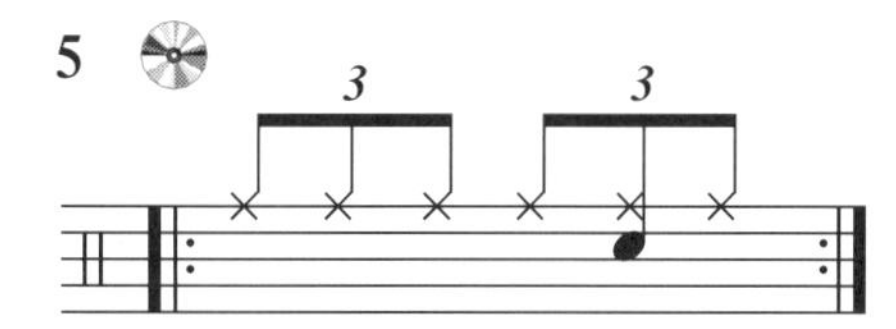

6

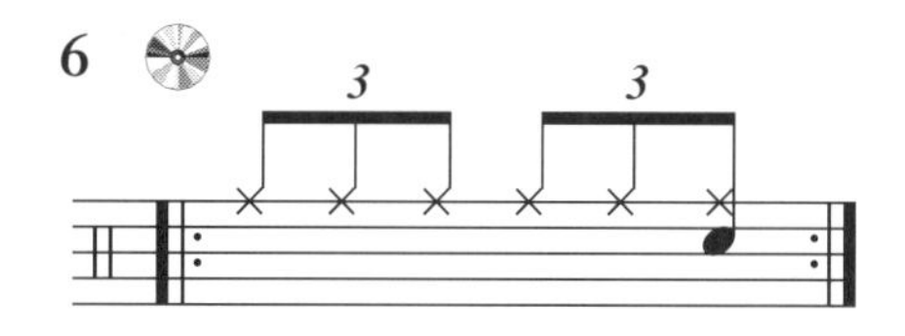

7

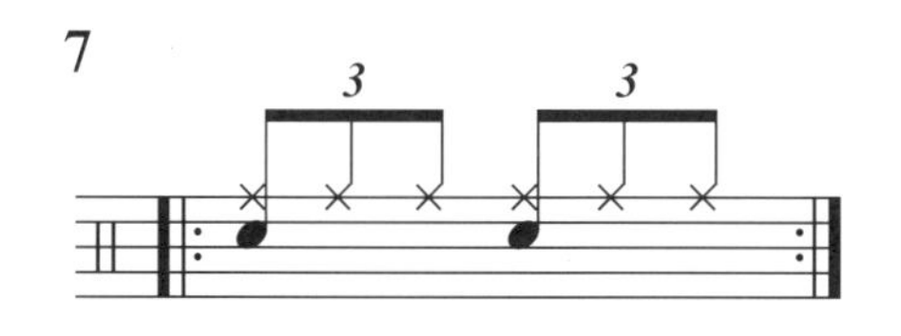

8

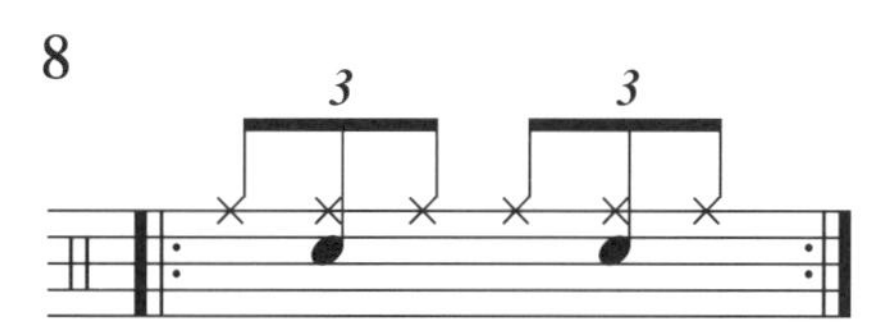

9

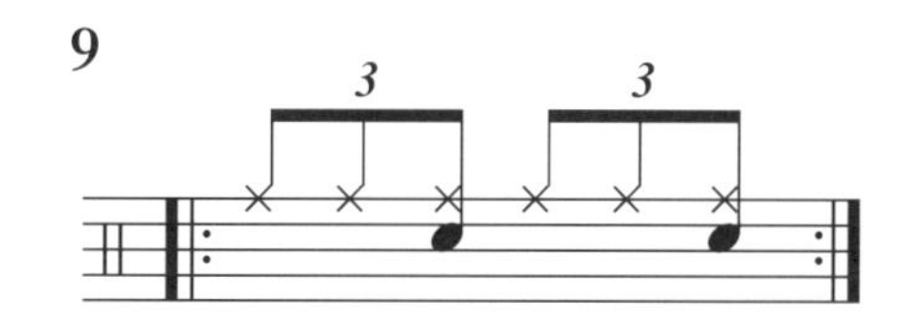

10

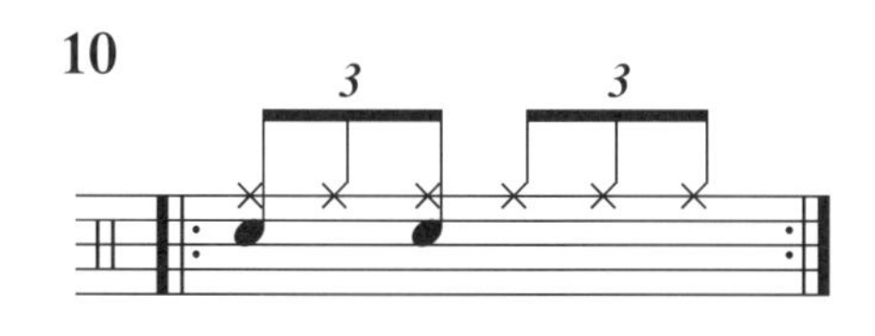

11

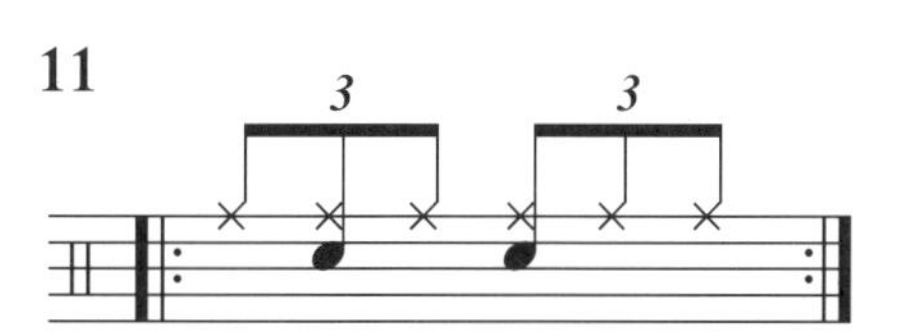

12

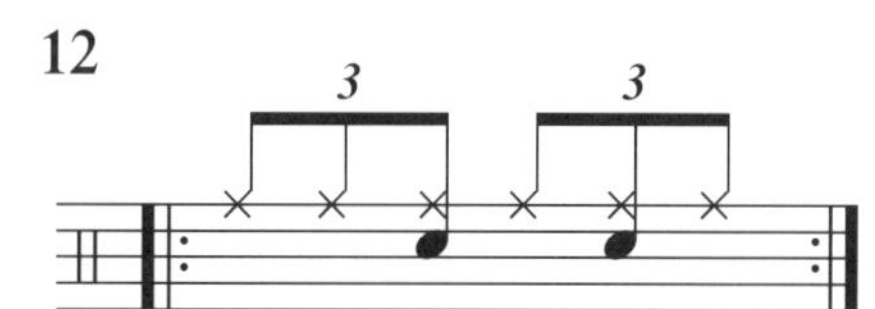

13

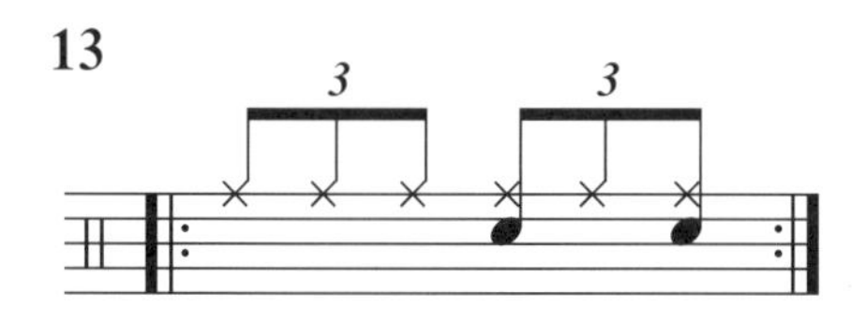

14

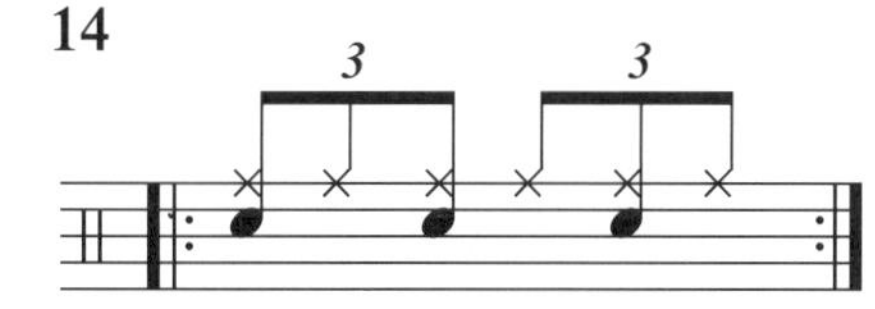

15

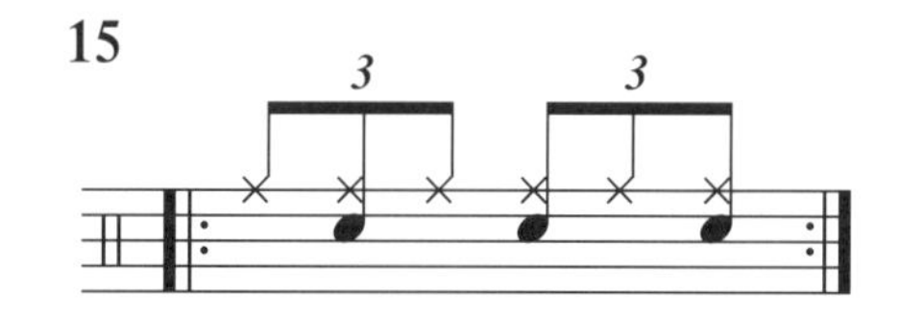

16

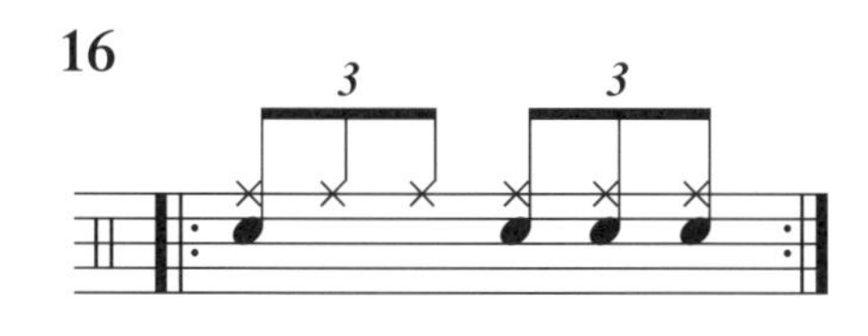

17

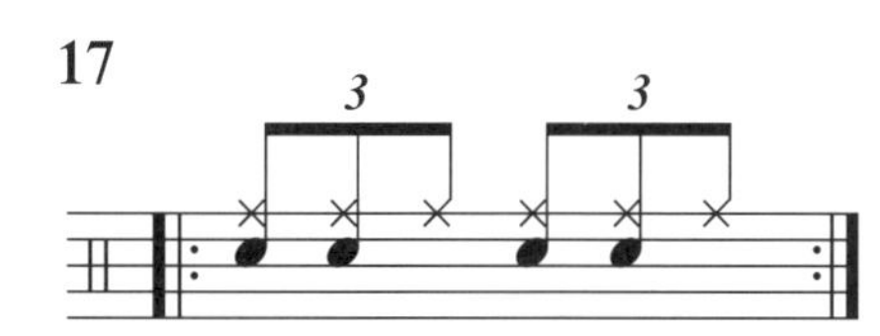

18

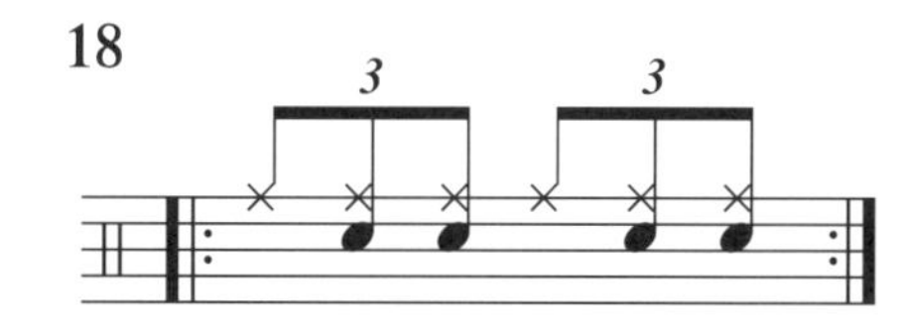

ハイハット、スネア、ベース・ドラムによるトリプレット・リズム

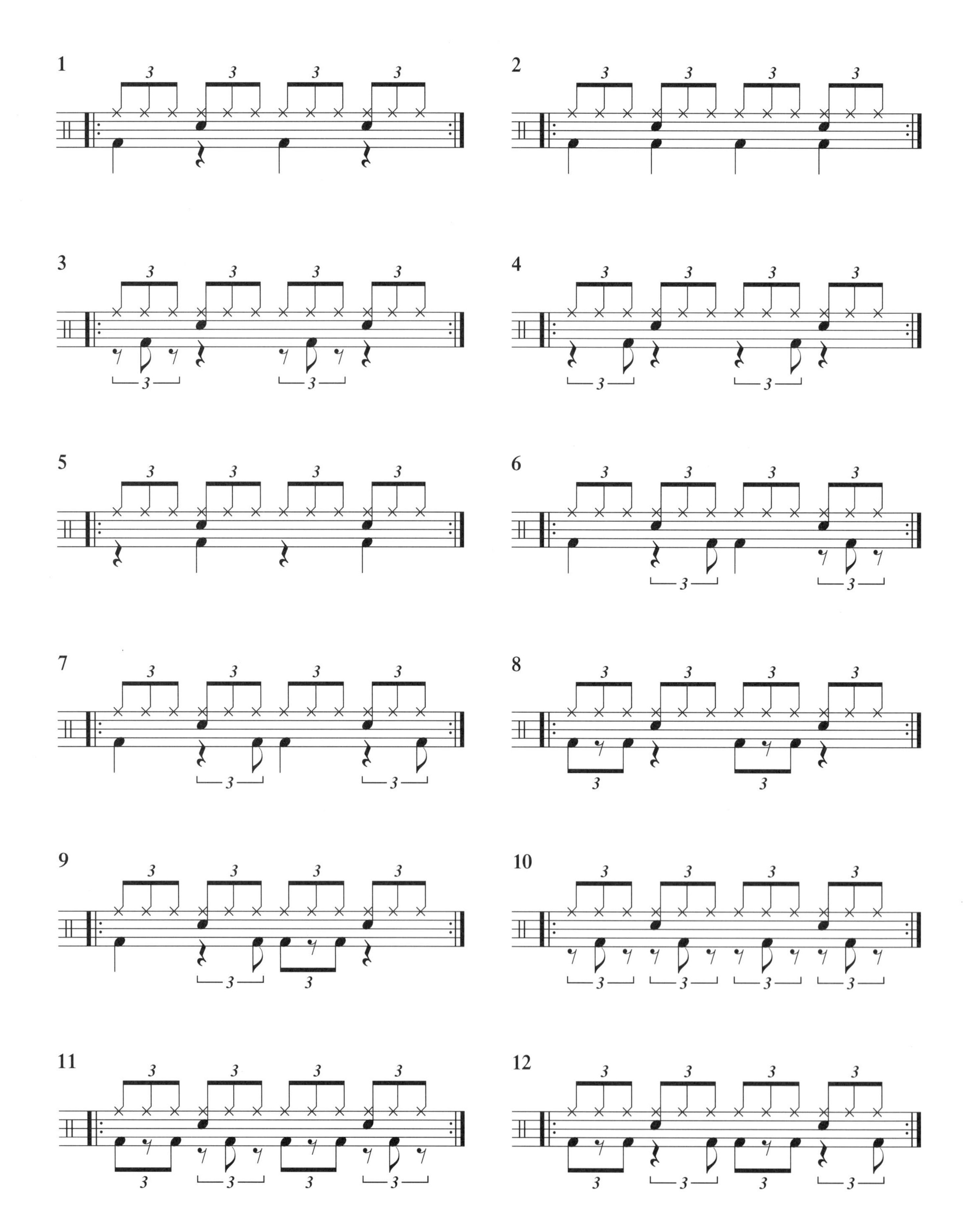

クラッシュ･シンバルを加えたトリプレット･リズム

Ⓐ～Ⓓの練習は初めにベース･ドラムなしでハイハットとスネアで叩き、これができるようになったらベース･ドラムを入れましょう。Ⓐ～Ⓓにベース･ドラムを入れ、クラッシュ･シンバルも入れて演奏ができるようになったら、リズム･パターン**1**～**6**にクラッシュ･シンバルを加えて演奏しましょう。

Track 39／Ⓐ, Ⓑ

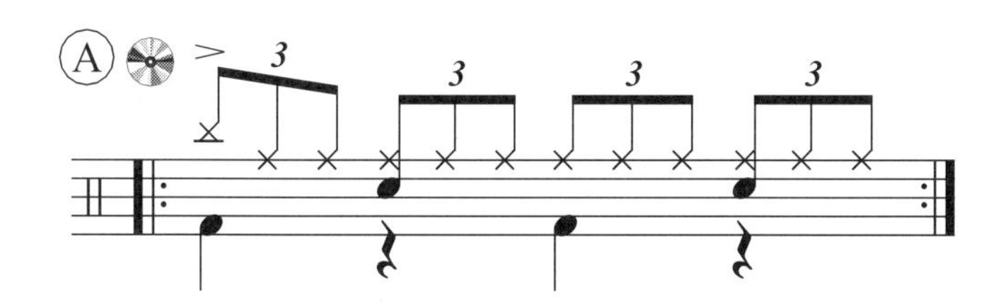

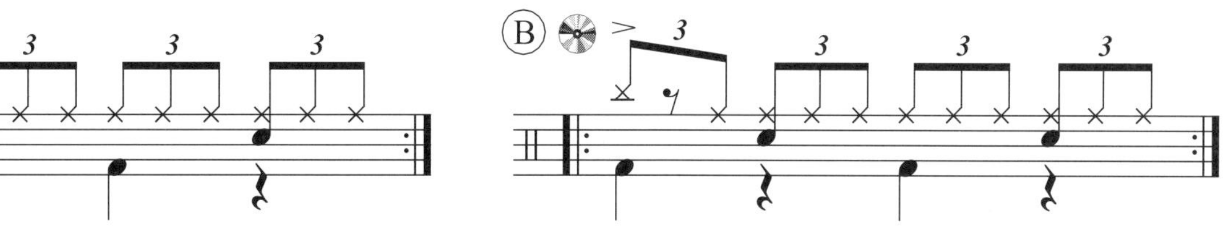

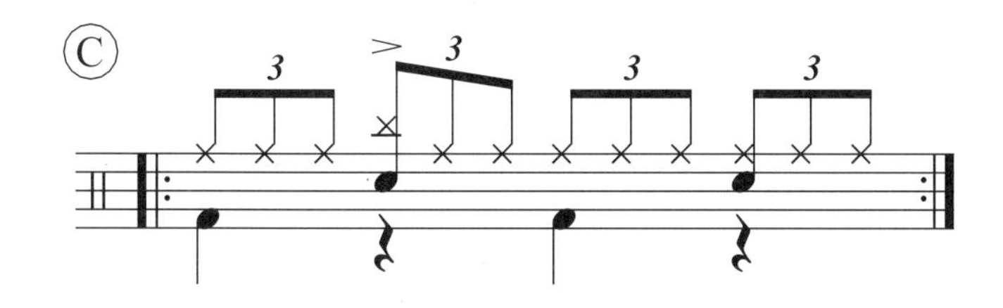

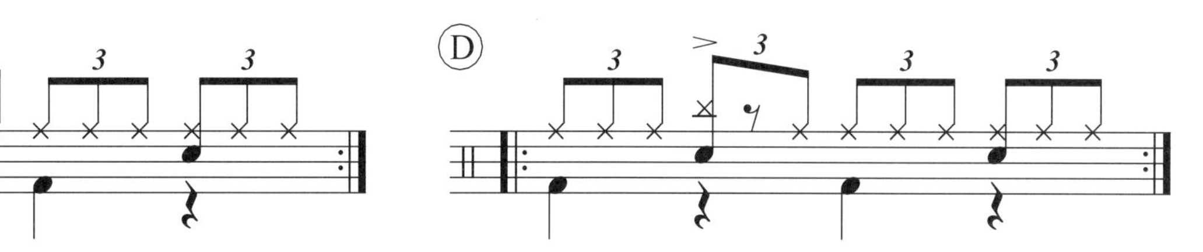

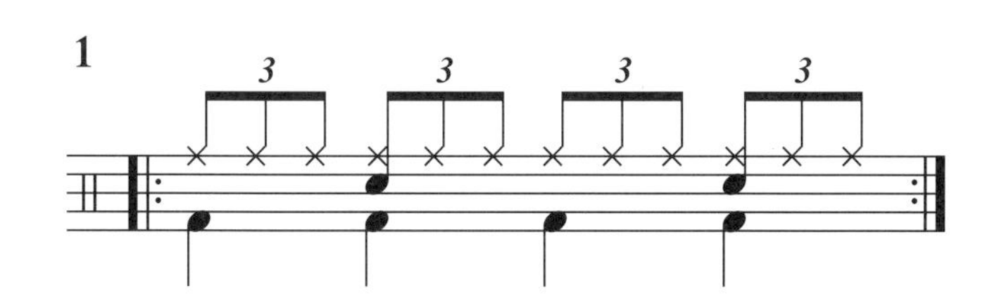

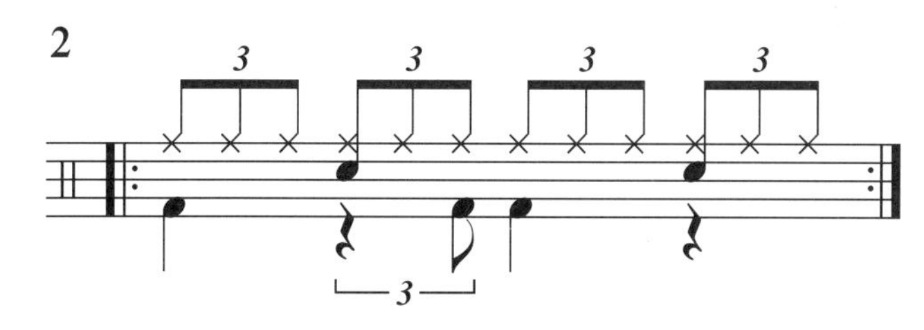

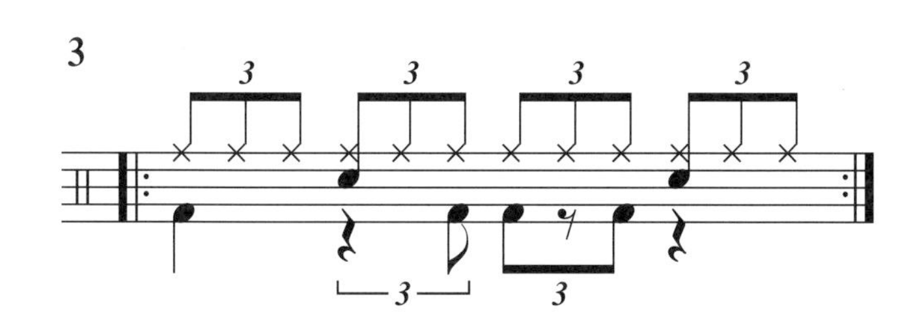

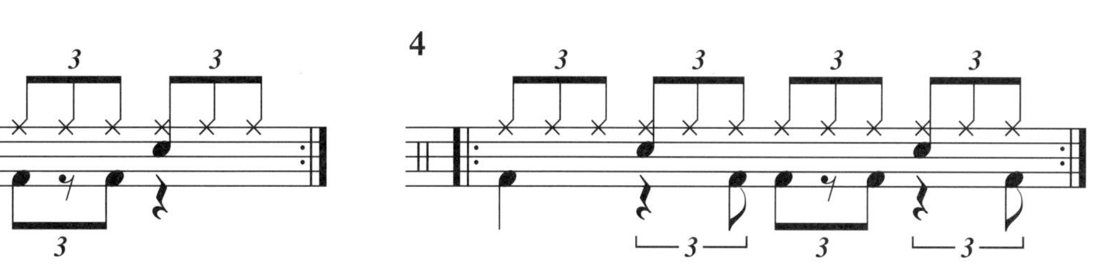

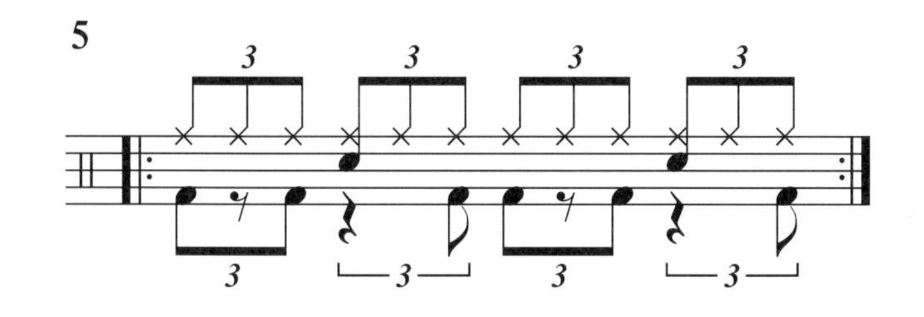

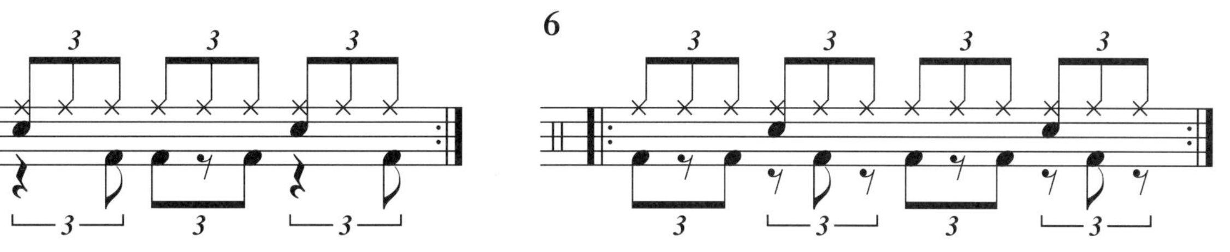

3連符と6連符のリズム・トレーニング

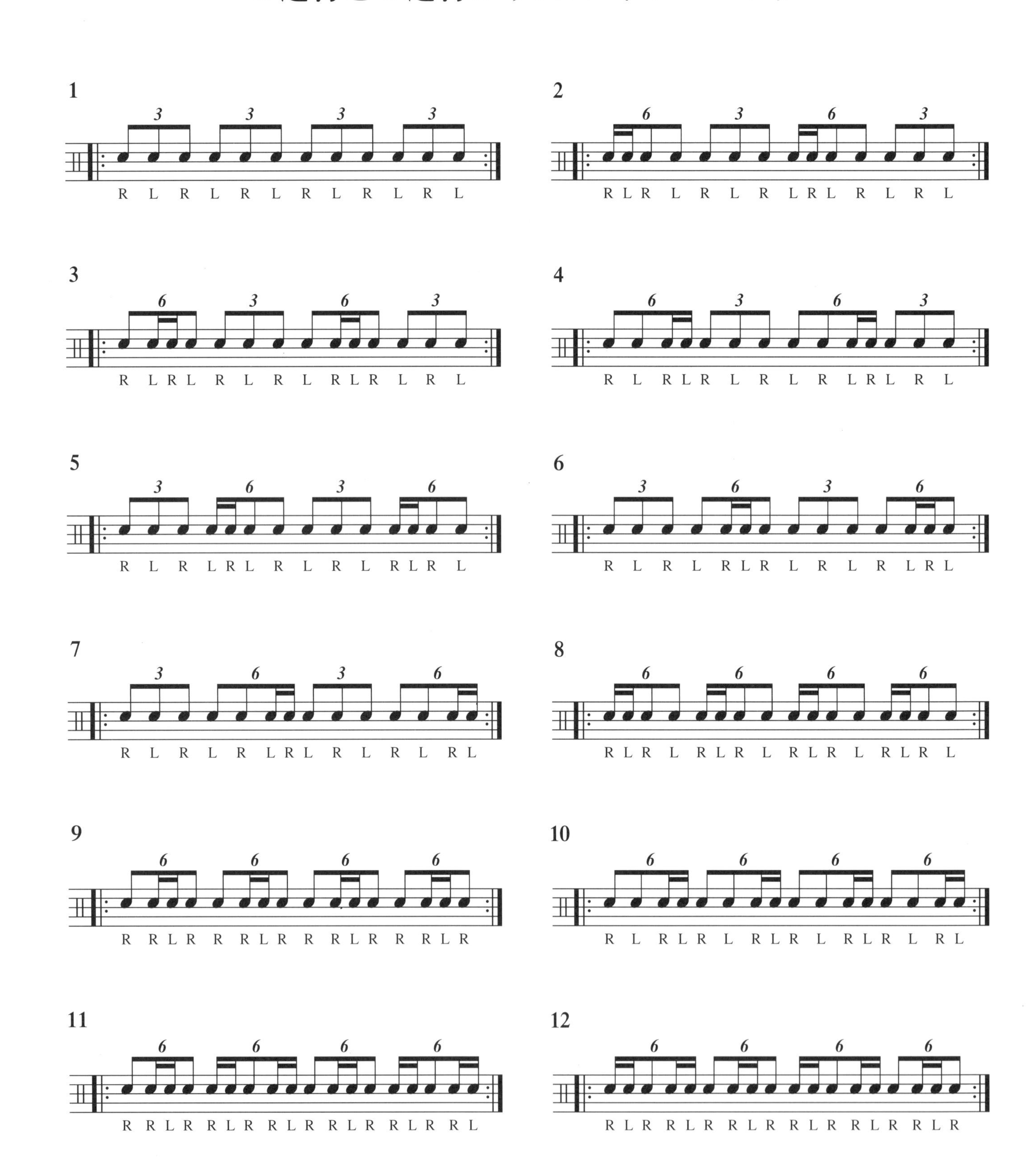

16～28は、3連符のいろいろな位置にアクセントをつけた練習です。アクセントをつけたときも、均等な音価で叩くように注意しましょう。

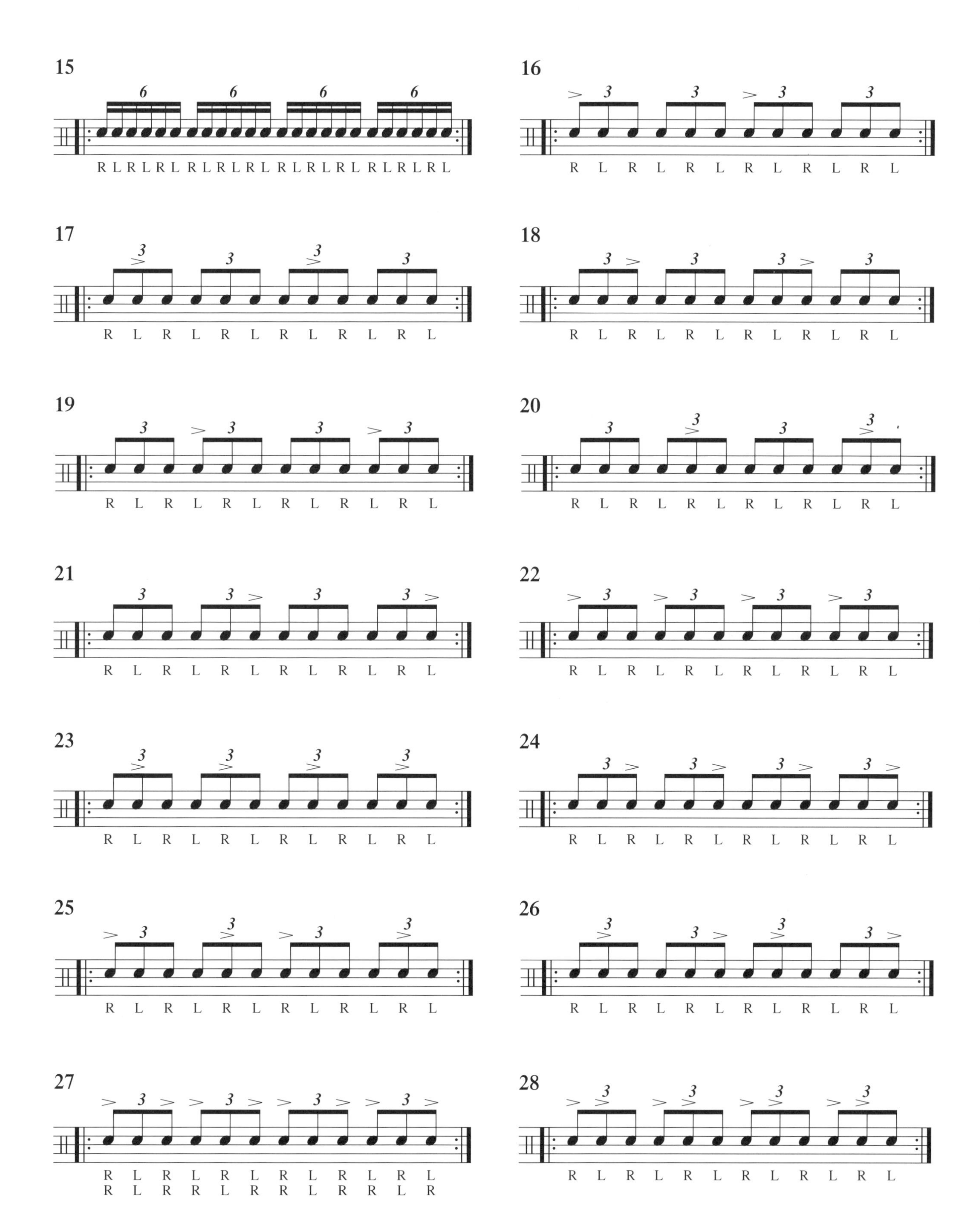

3連符と6連符のフィル·イン

Ⓐ～Ⓓが楽譜どおりに演奏できるようになったら、1～16のフレーズをⒶ～Ⓓの４小節めに当てはめて練習しましょう。

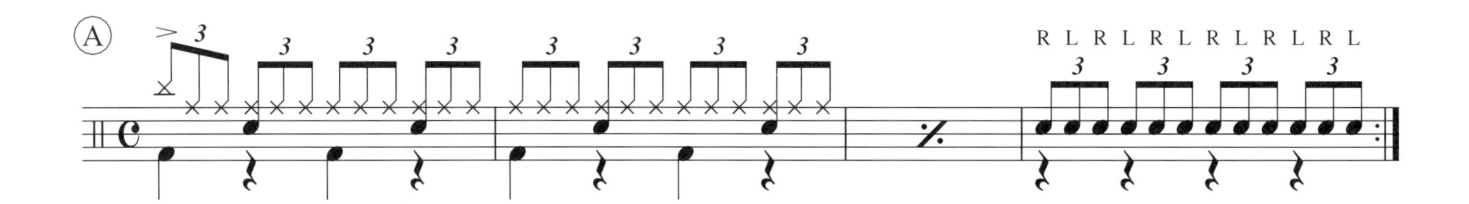

1

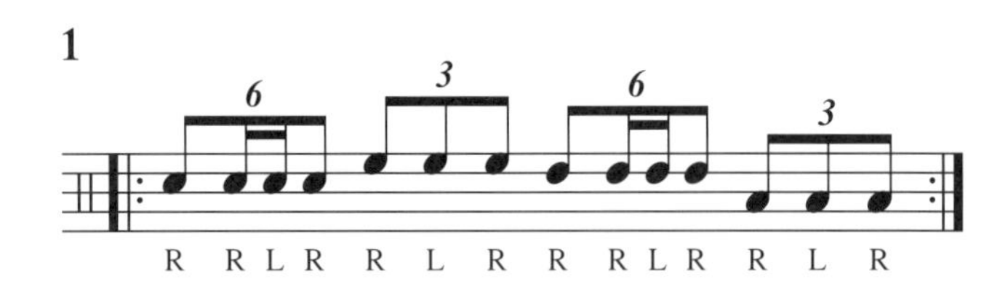

2

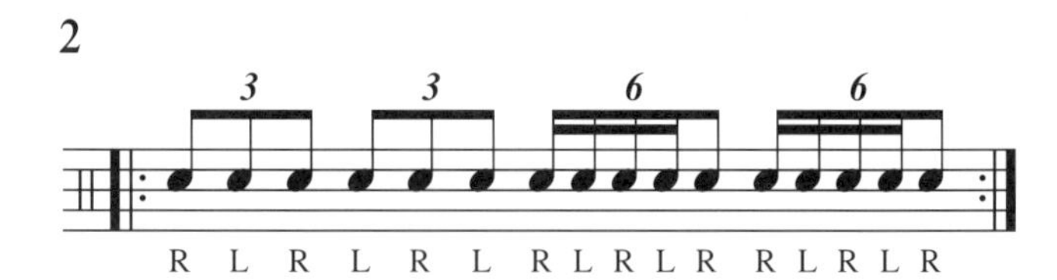

3

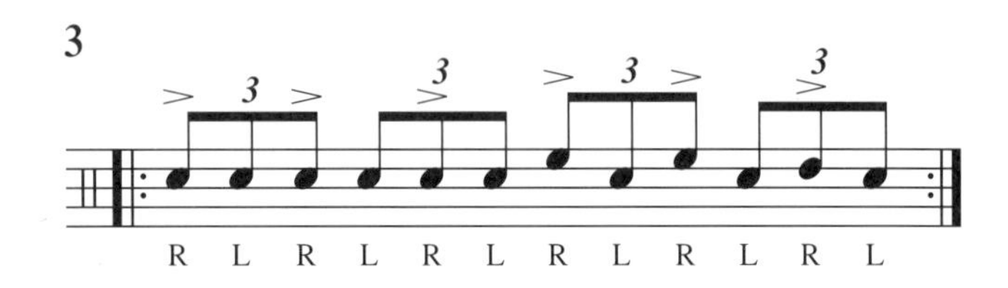

4

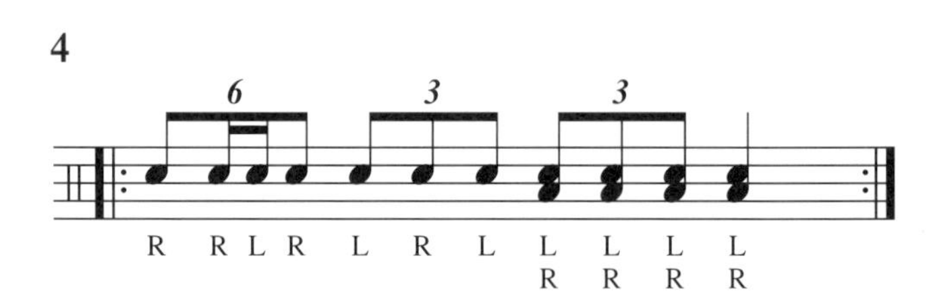

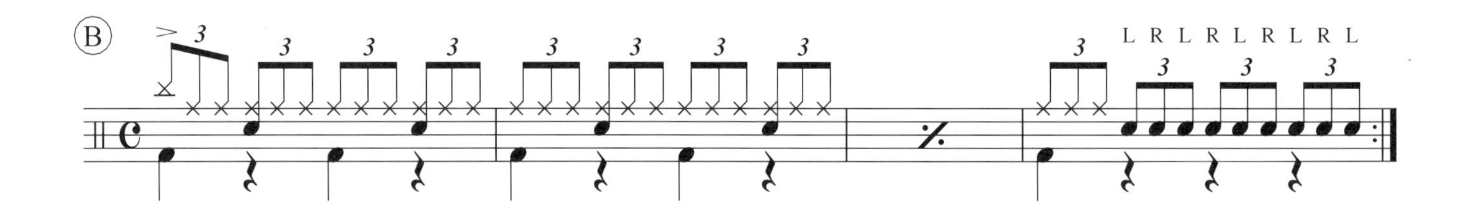

5

6

7

8

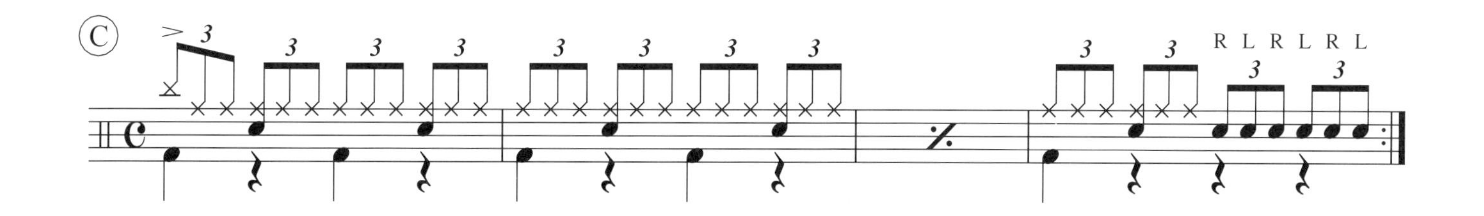
C
R L R L R L

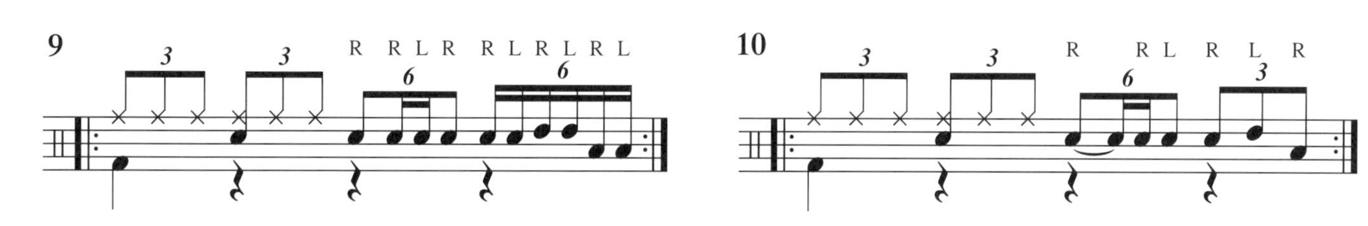
9
R R L R R L R L R L

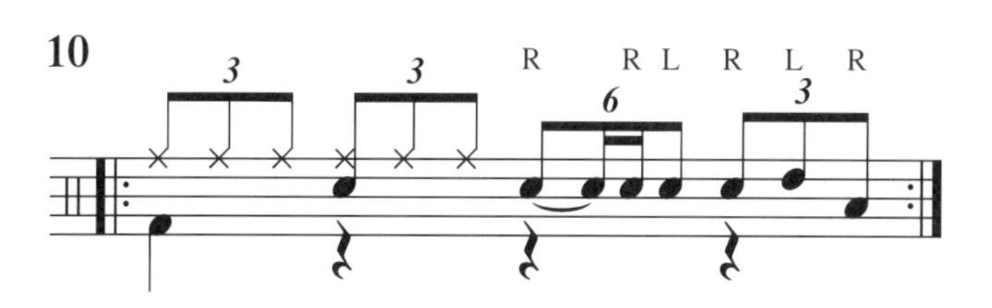
10
R R L R L R

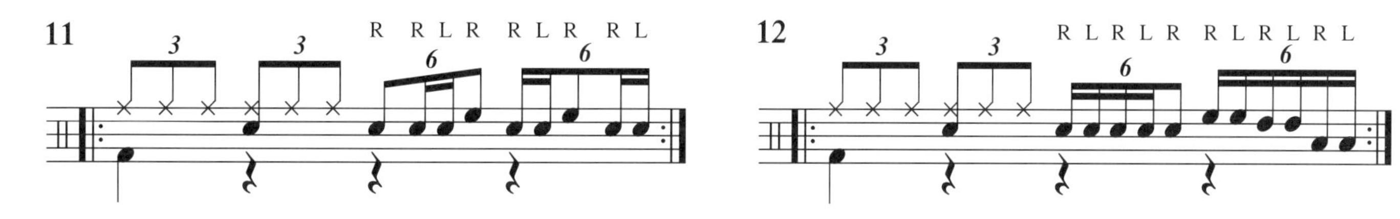
11
R R L R R L R R L

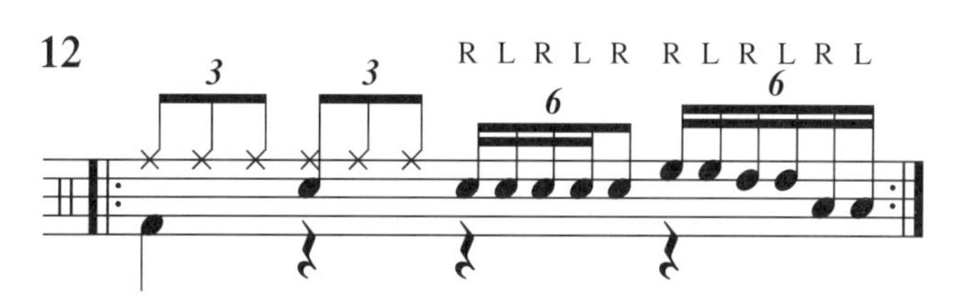
12
R L R L R R L R L R L

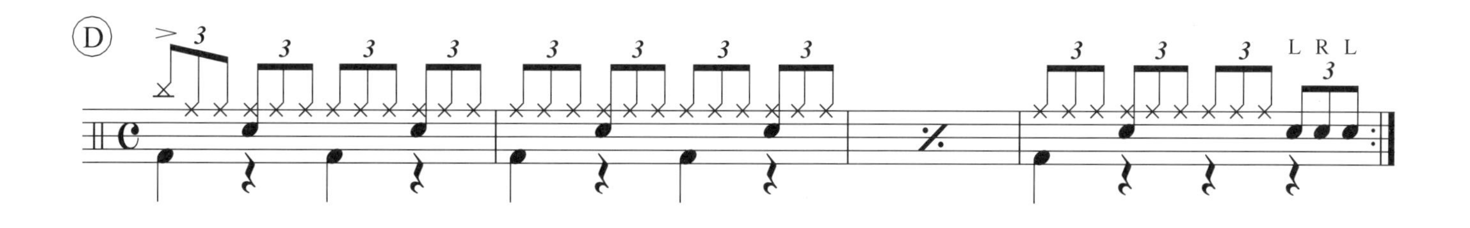
D
L R L

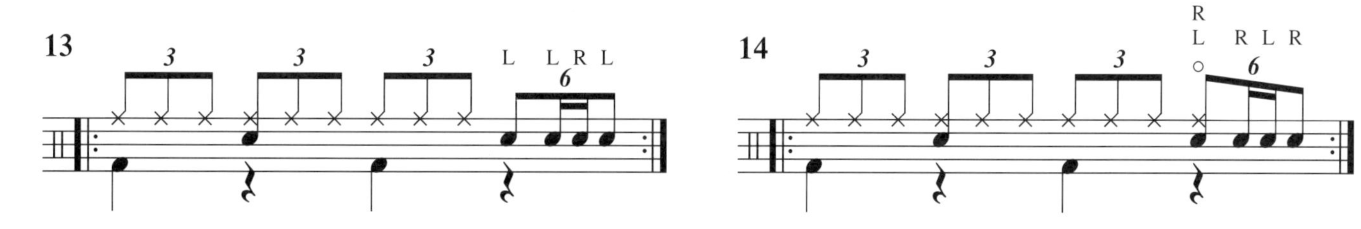
13
L L R L

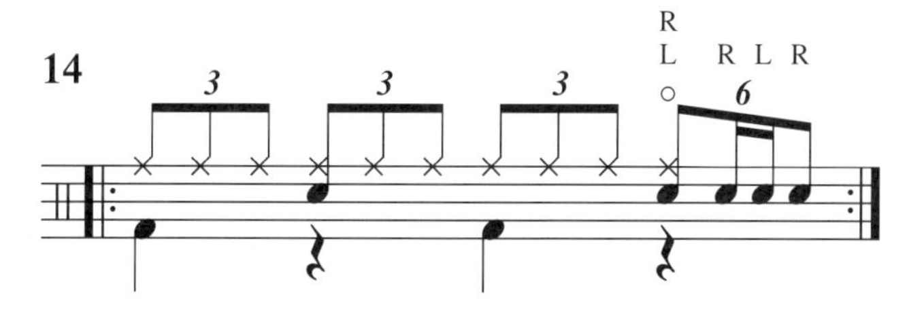
14
R
L R L R

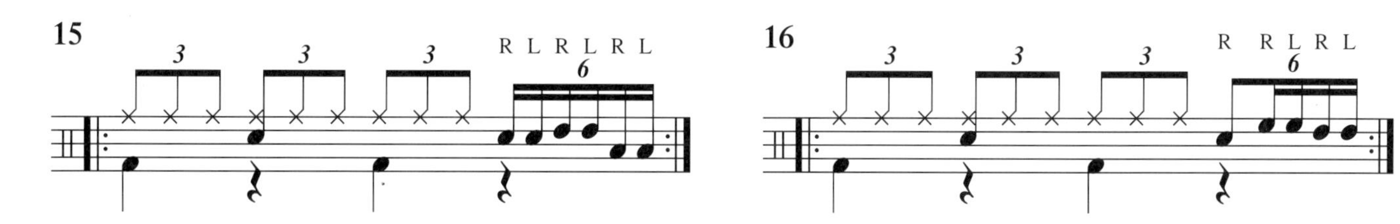
15
R L R L R L

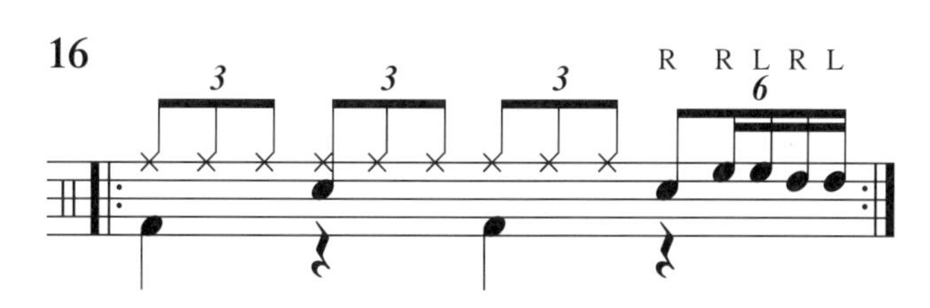
16
R R L R L

両手を同時に使った3連符のフィル・イン

Ⓐ～Ⓓが楽譜どおりに演奏できるようになったら、**1～16**のフレーズをⒶ～Ⓓの４小節めに当てはめて練習しましょう。

Ⓐ

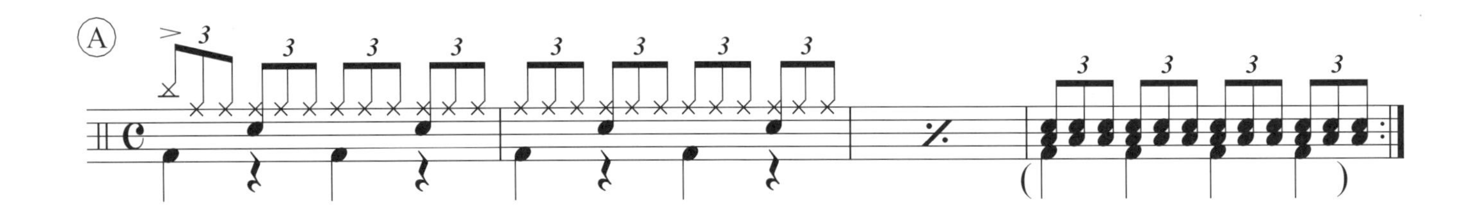

1

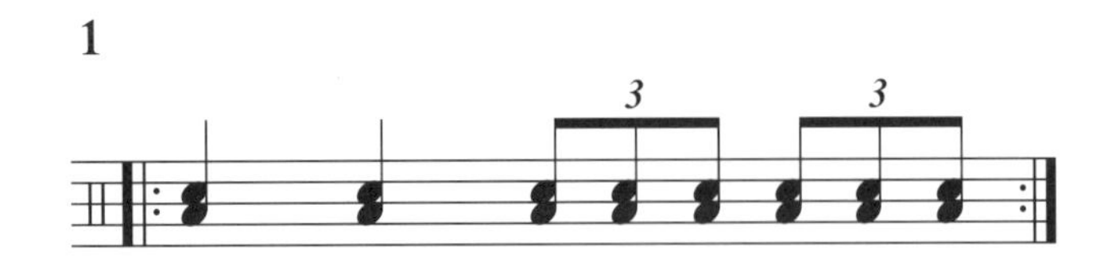

2

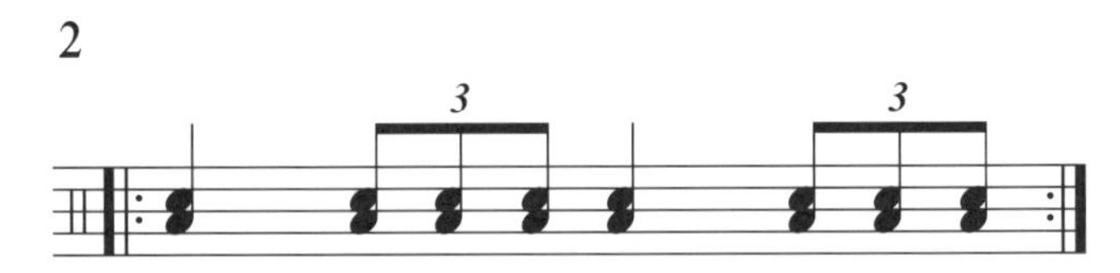

3

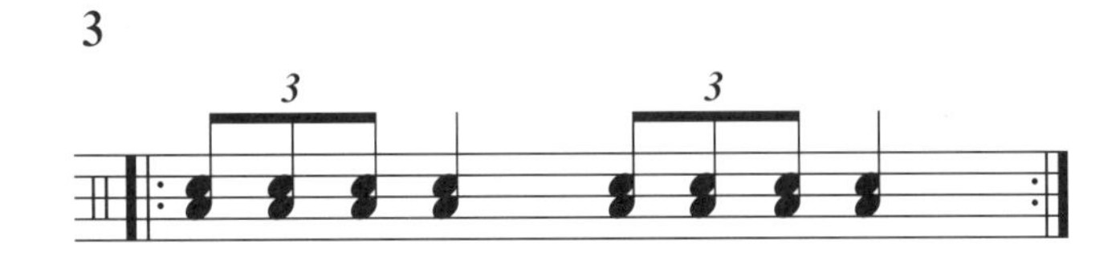

4

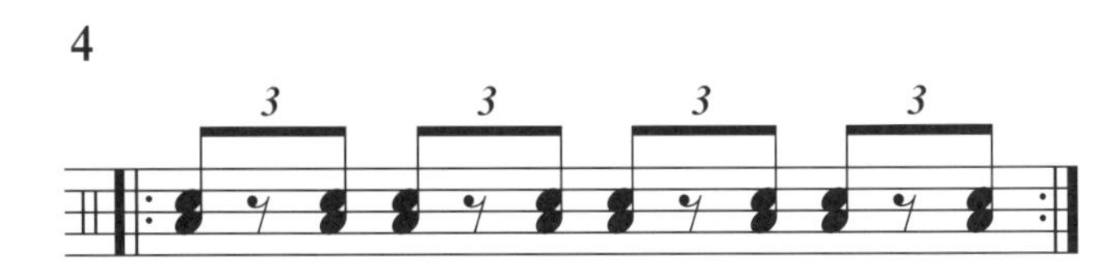

5

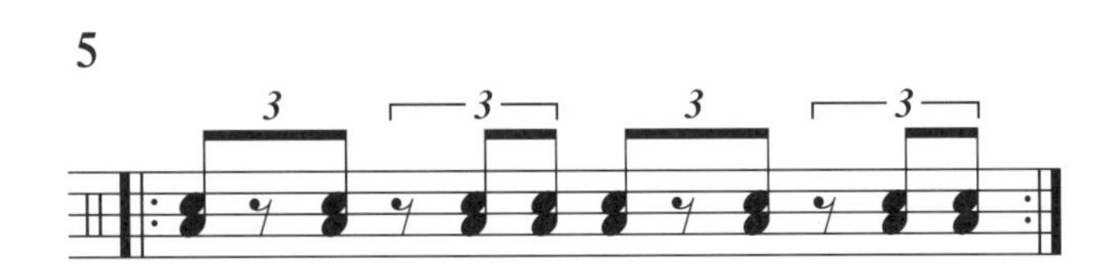

6

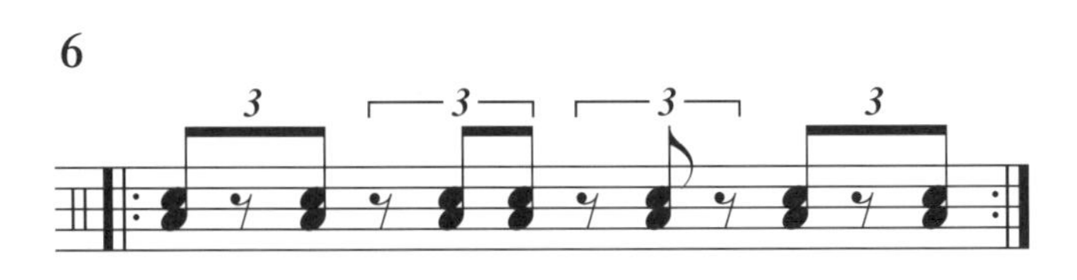

Ⓑ

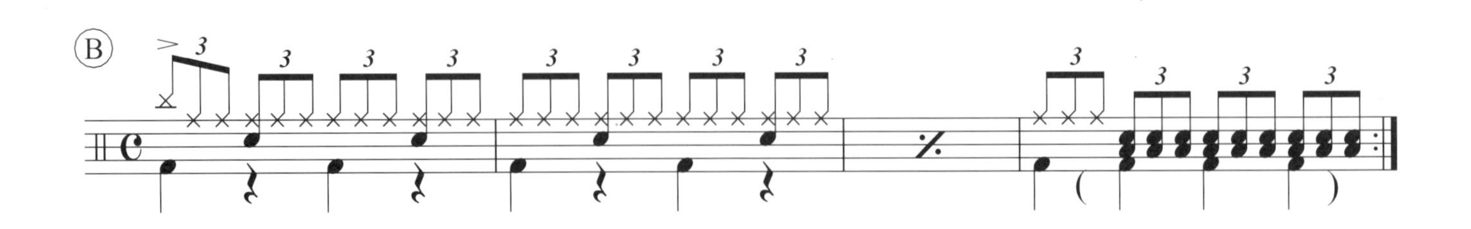

7

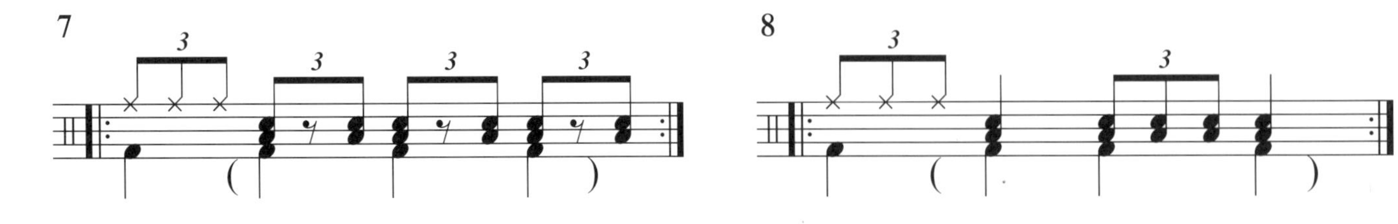

8

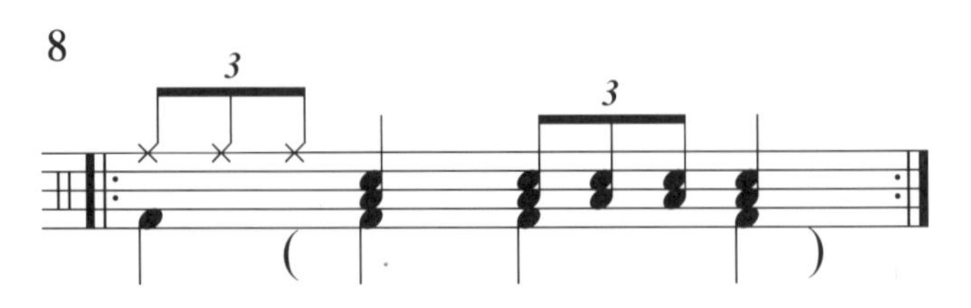

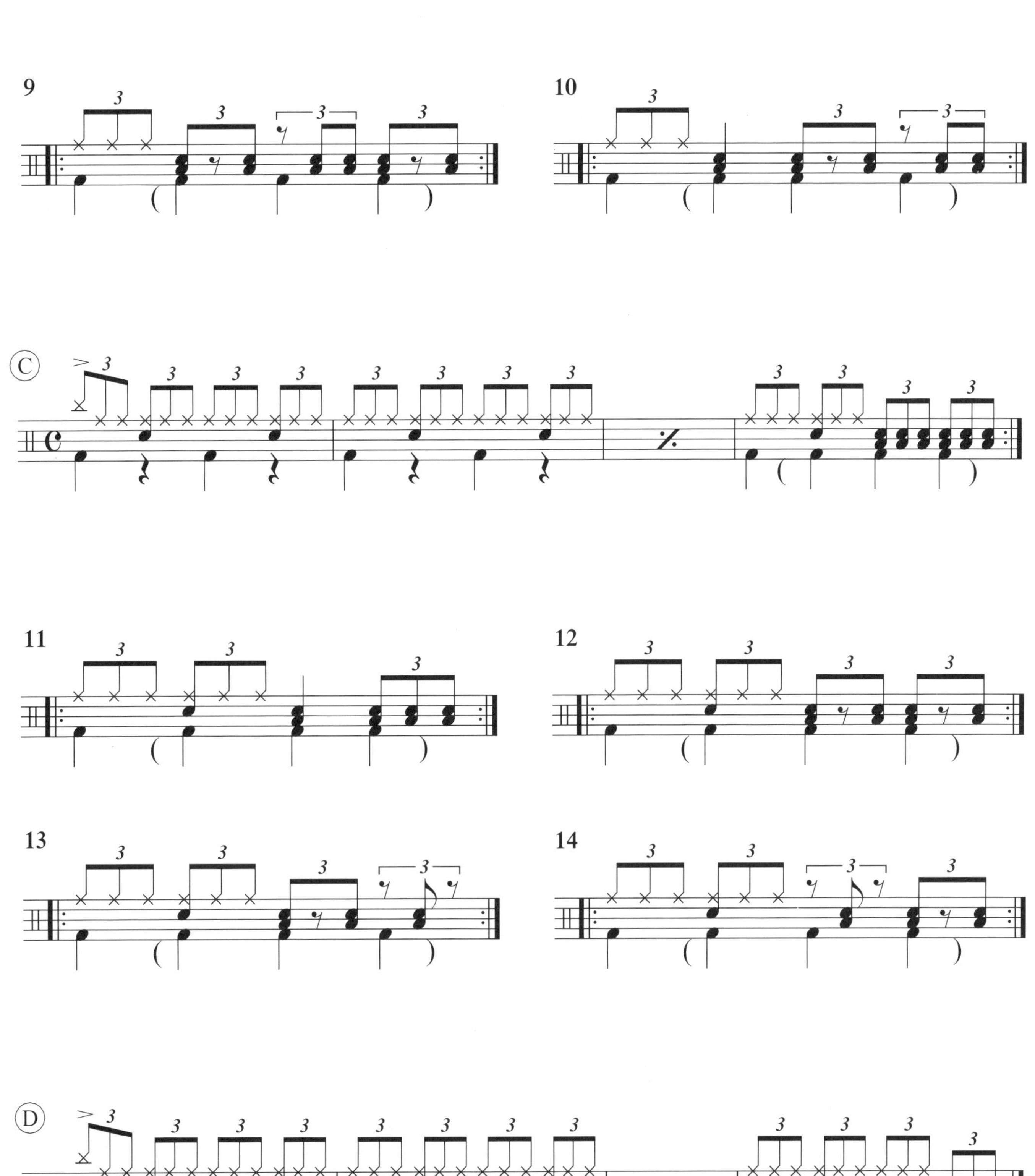
9
10
C
11
12
13
14

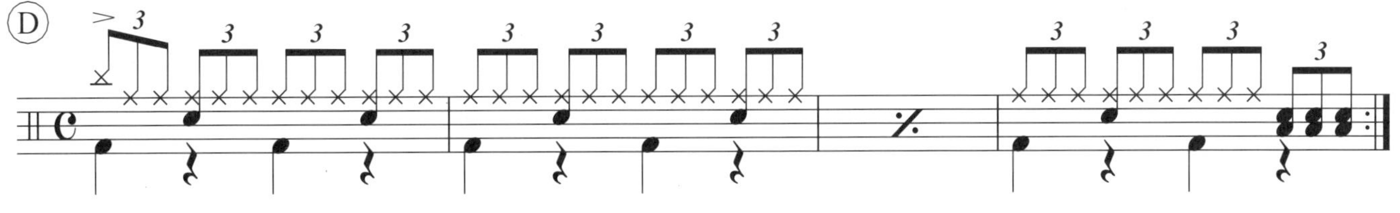
D

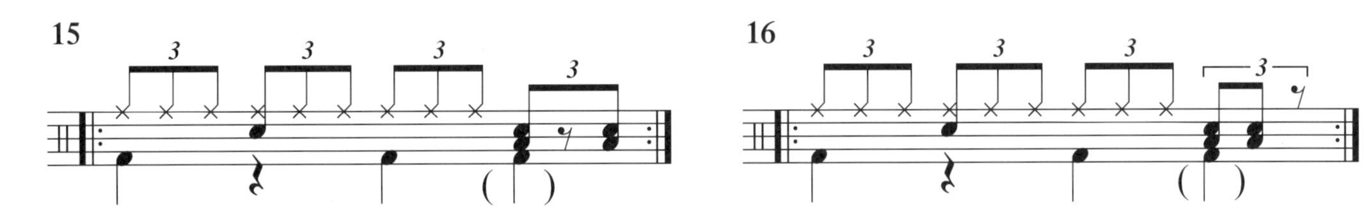
15
16

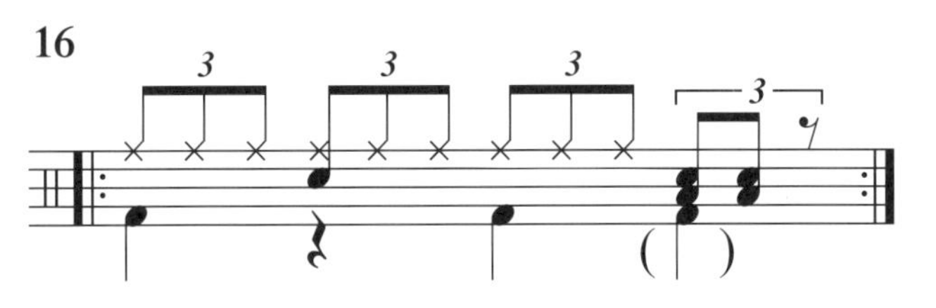

3連符のハイハット・オープン

まず初めは、ベース・ドラムなしで**1～12**が演奏できるようになったら、Ⓐ～Ⓓのリズム・パターンに**1～12**のハイハットのパターンを当てはめてみましょう。

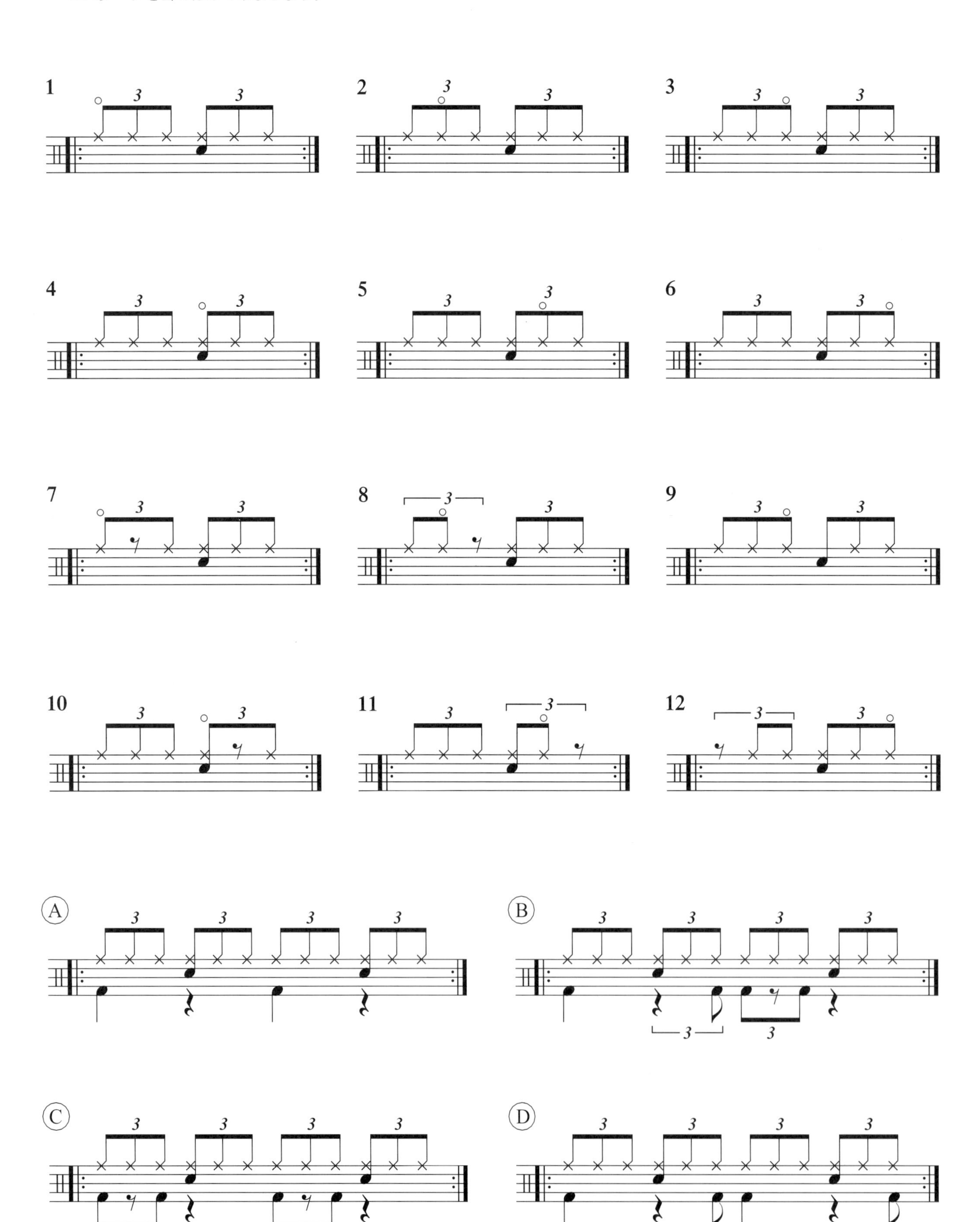

ライド・シンバルを加えたトリプレット・リズム

譜例Ⓐはチップで叩く、Ⓑはカップを叩く、Ⓒはエッジを叩く、ⒹはⒷとⒶのコンビネーションです。まず初めにⒶ～Ⓓをベース・ドラムなしで練習して、楽譜どおりに演奏できるようになったら、**1～6**のリズムにⒶ～Ⓓのライド・シンバル・パターンを当てはめて演奏しましょう(叩き方はp.43参照)。

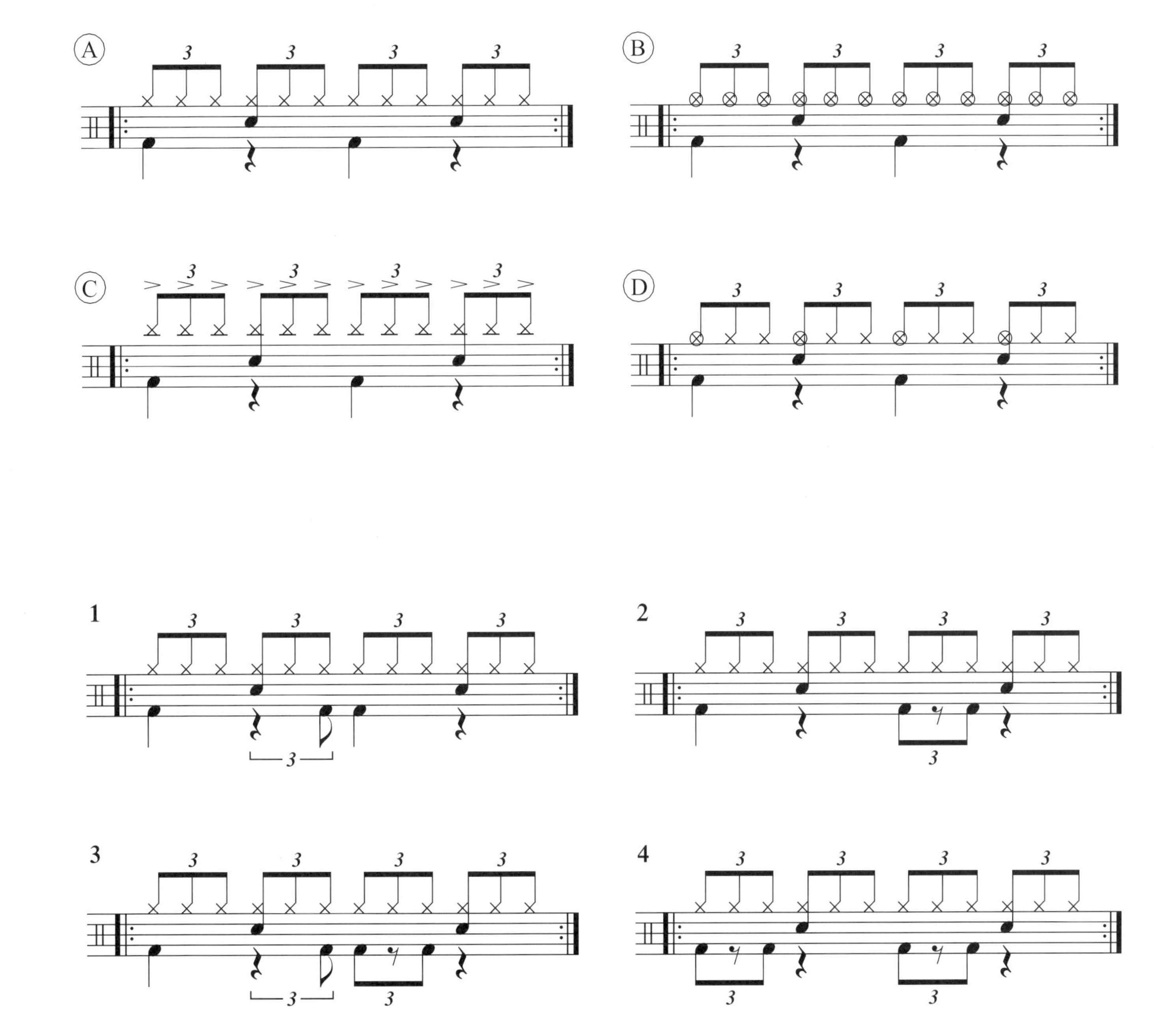

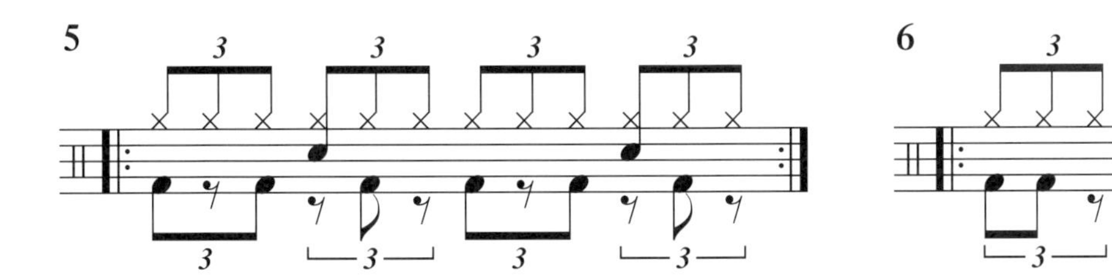

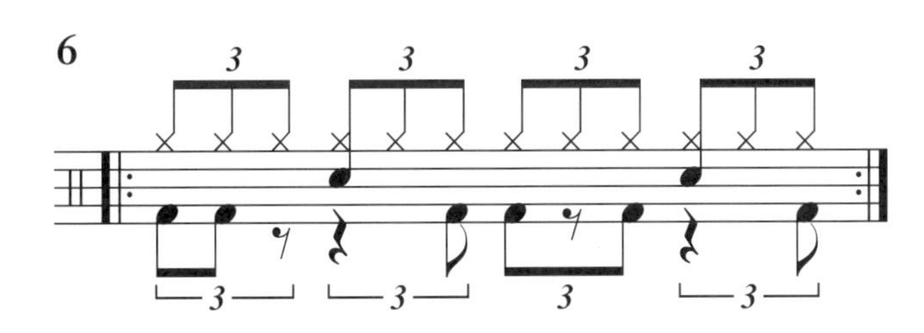

シャッフル･リズム

３連符を土台としたリズムで最もポピュラーなリズムの１つがシャッフル･リズムです。このリズムは、基本的には、３連符の真ん中が休符になっています。

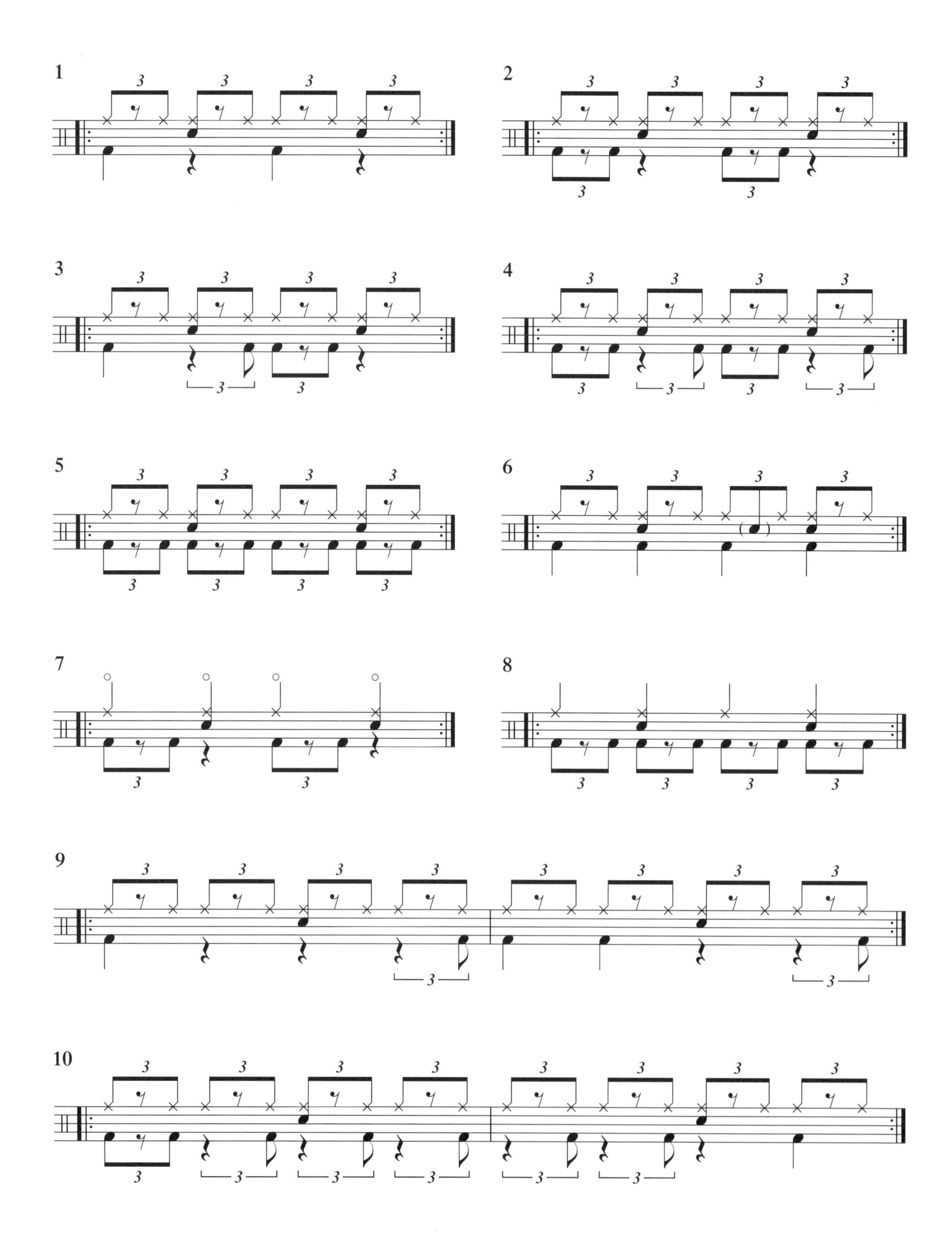

リズム・トレーニングのヴァリエーション

16分音符のフット・テクニック

私が指導している生徒の多くが苦労する、ベース・ドラムで16分音符が2つ連続ででてくる難しいフレーズです。この練習は、まずハイハットの16分音符を練習して、ベース・ドラムの入る位置を確認してから演奏しましょう。

16分音符などの速いフレーズでのフット・テクニックは、既習(p.18)の踏み方だけではうまくいかない場合もあるかもしれません。ボートから少しずれたところを踏むなど、いろいろな場所を踏んでみて試してみましょう(写真AとB)。足に力を入れすぎないように、スプリングの力を利用してプレートの上で足をすべらせる感覚で踏んでみるとよいでしょう。

A

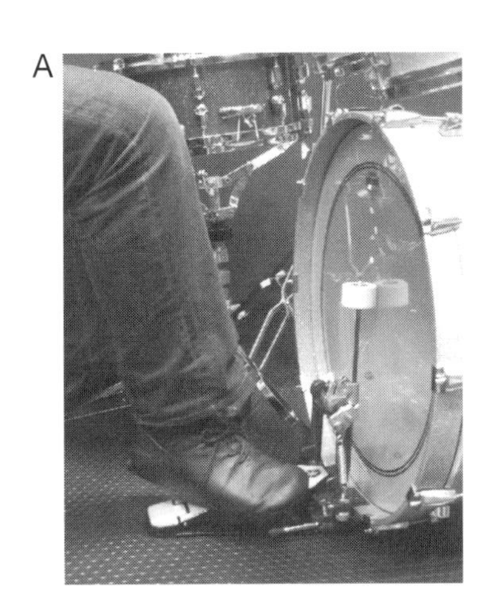

B

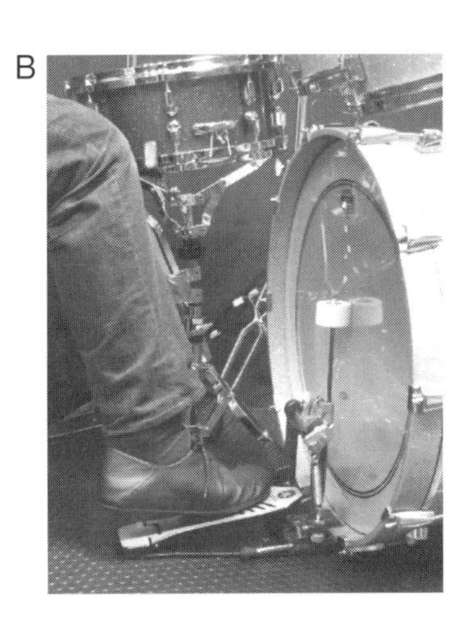

1

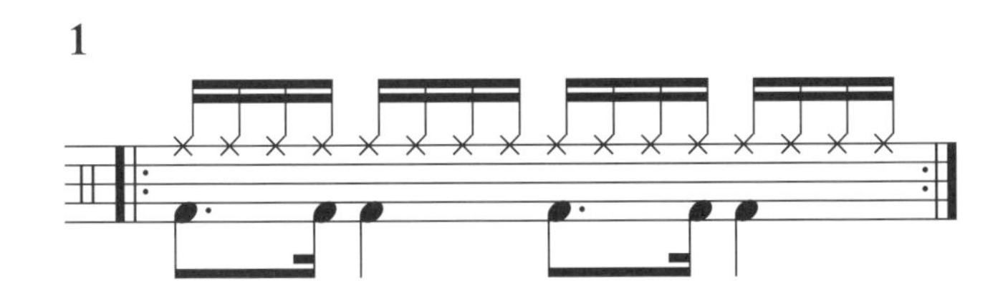

2

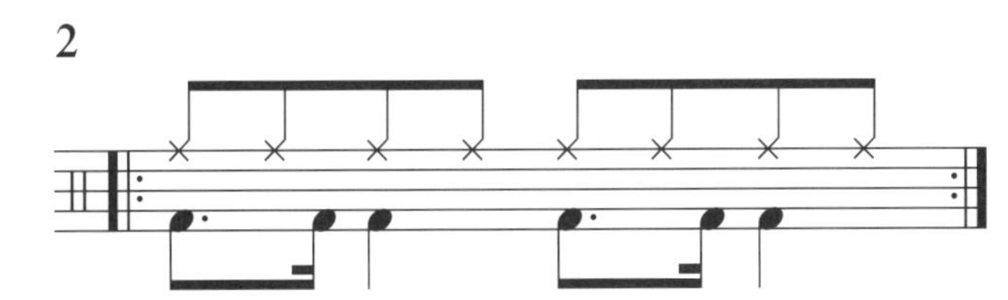

3

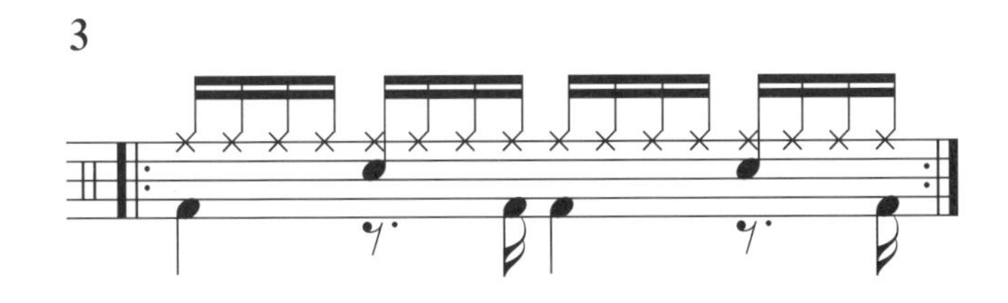

4

5

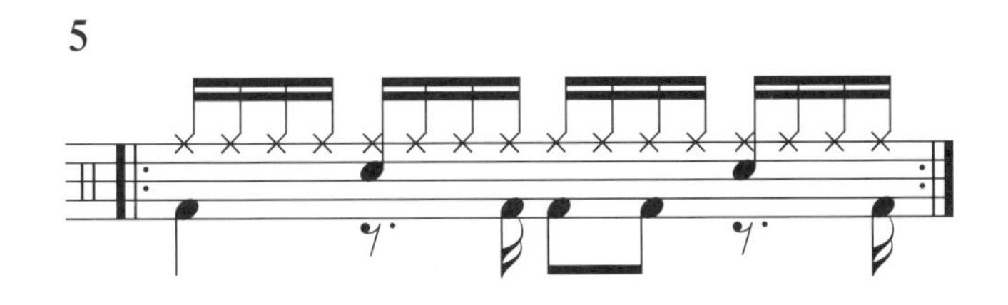

6

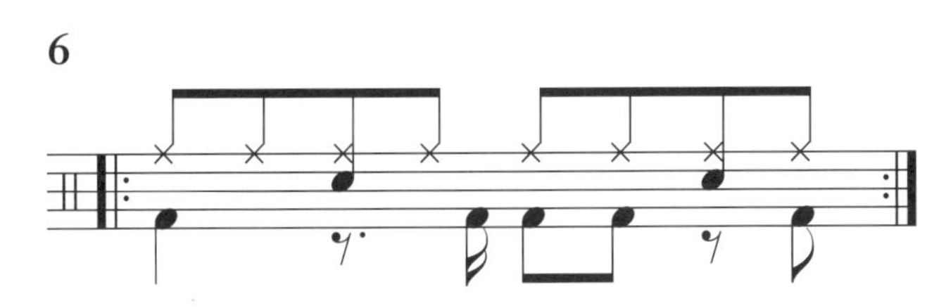

7

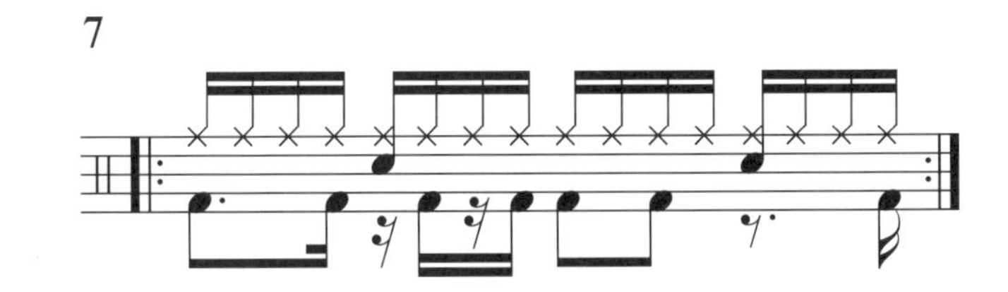

8

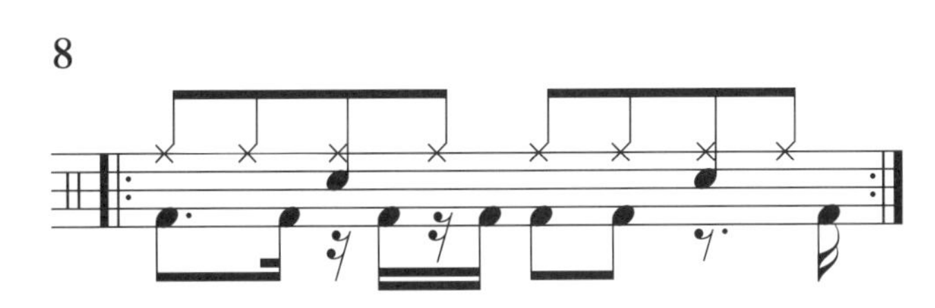

スネア・ドラムのヴァリエーション

ここまでの練習ではスネア・ドラムを２拍と４拍めで叩いてきましたが、次は、スネア・ドラムをさまざまな位置（拍）で叩く練習をしましょう。

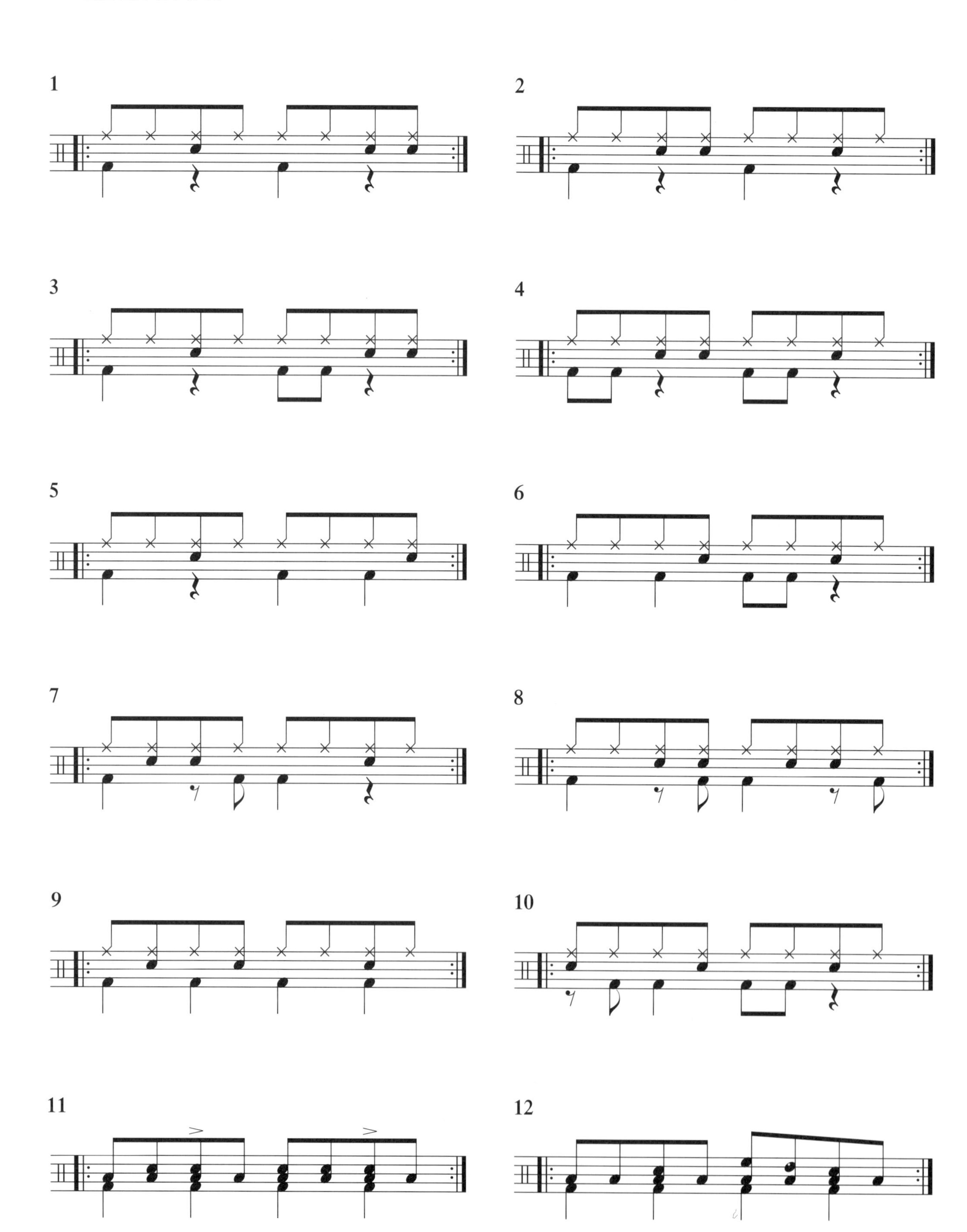

13

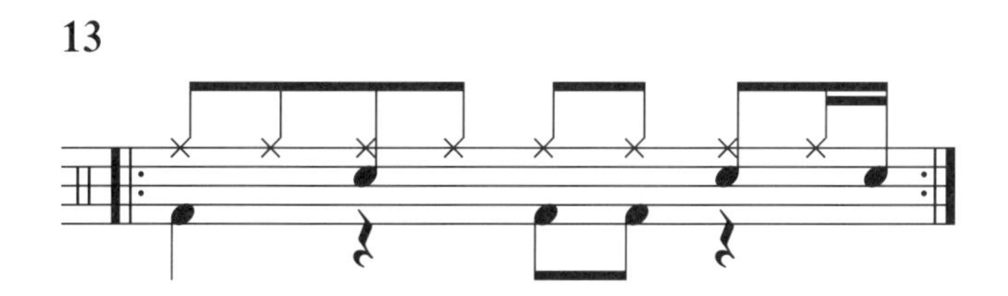

14

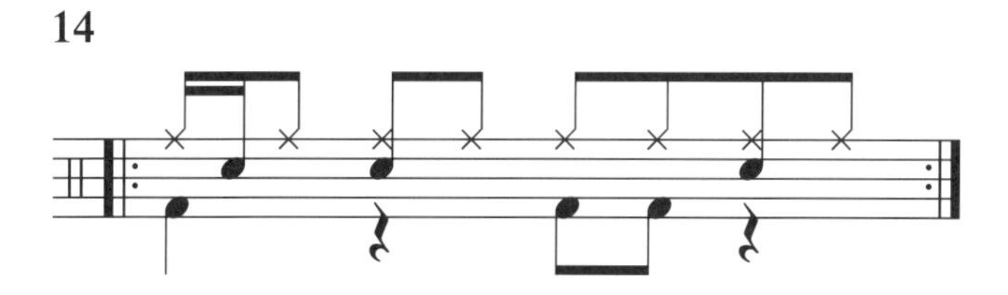

15

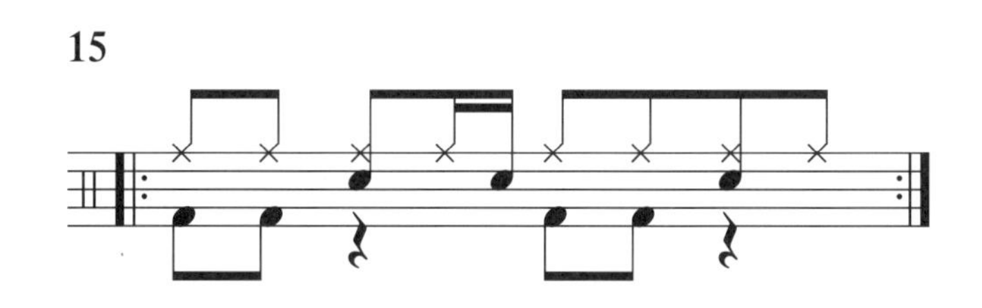

16

17

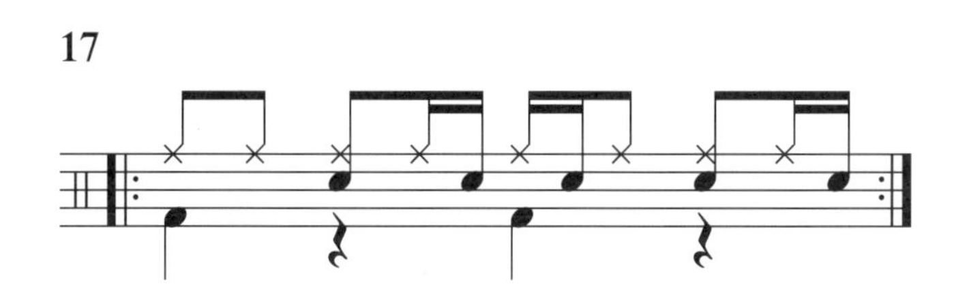

18

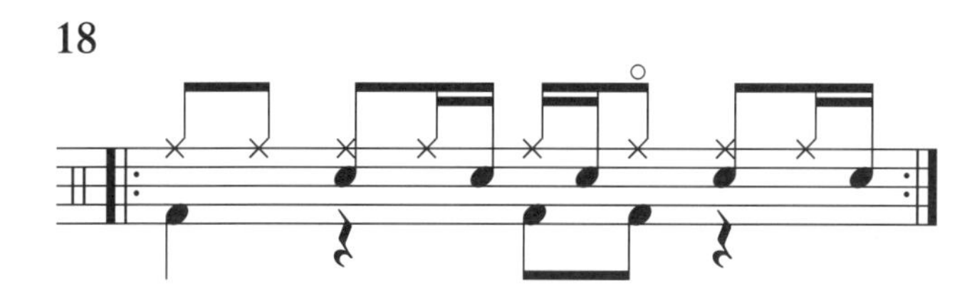

19

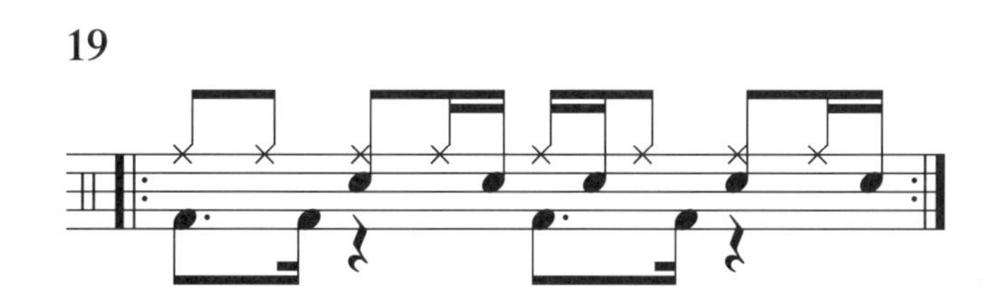

20

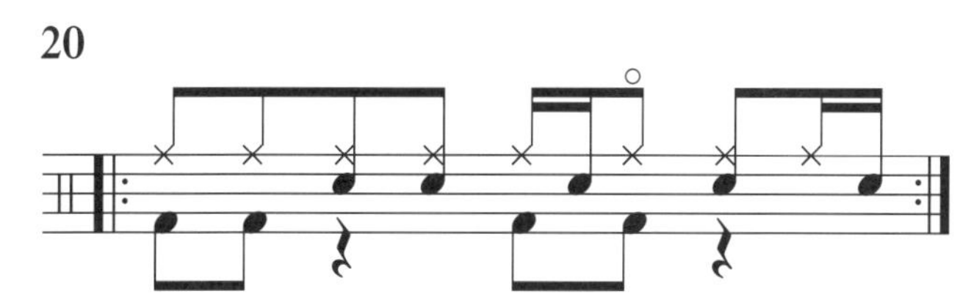

21

（　）の付いている音符（ゴースト・ノート）は弱く叩く

22

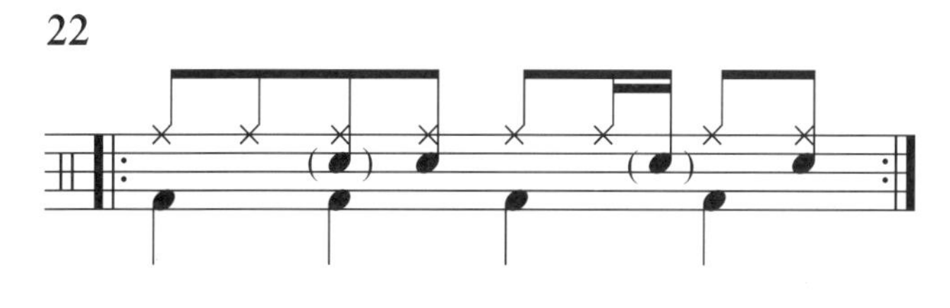

23

24

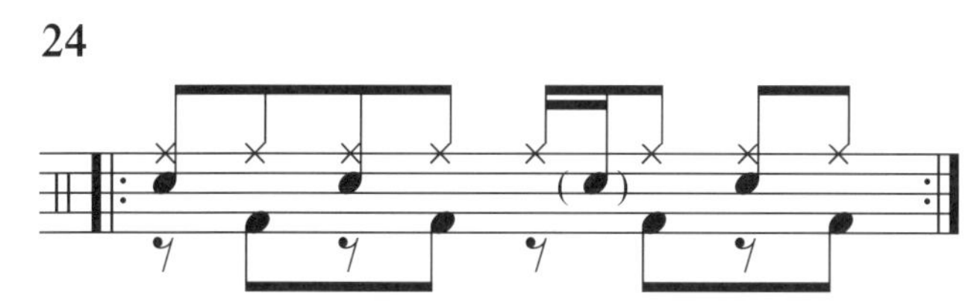

フット・ハイハット

ハイハットをクローズにしたときに得られる「チャッ」という音は、下側のシンバルの角度によって、またペダルの踏み込み方によって音量とトーンが変わります。下側のシンバルの下にあるネジで角度を調節したり、ペダルの踏み込む深さをいろいろ試して、歯切れのよいサウンドがでるように練習しましょう。音量を出したいときや盛り上がったときに使うことがあります。

写真AとBはクローズ・ハイハット、写真Cはフットハットのみでオープン（クラッシュ）をしている写真です。かかとでハイハット・ペダルの下の部分を押し出すように踏みましょう。踏んだら、すぐにボードから足を離す感じです。

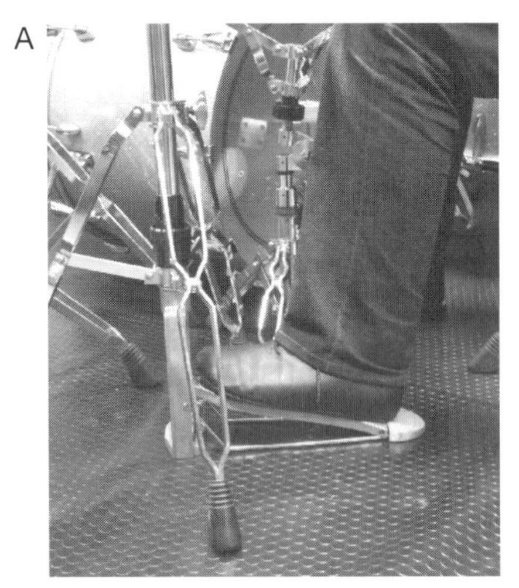

かかとをつけたまま、つまさきで踏む（クローズ）

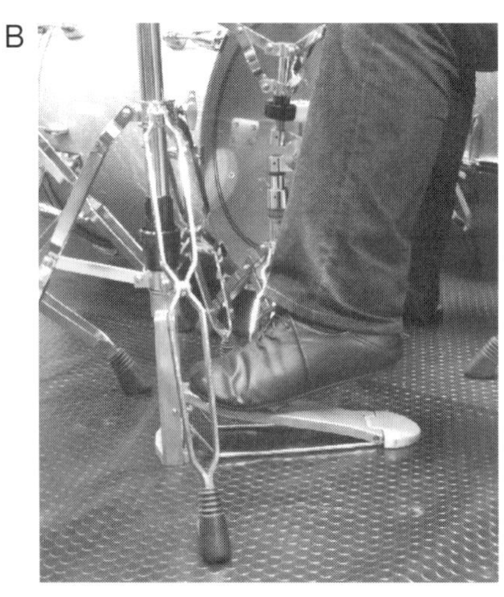

かかとを上げて、つまさきで踏む（クローズ）

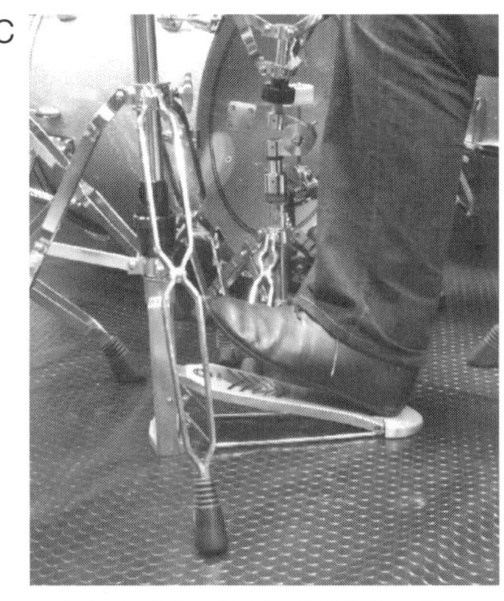

かかとでボードの下部分を軽く蹴るように踏む（オープン）

まず初めは、Ⓐ～Ⓕを練習します。これができるようになったら**1～10**を練習しましょう。これらの両方ができるようになったら、Ⓐ～Ⓕと**1～10**の練習を組み合わせて演奏しましょう。

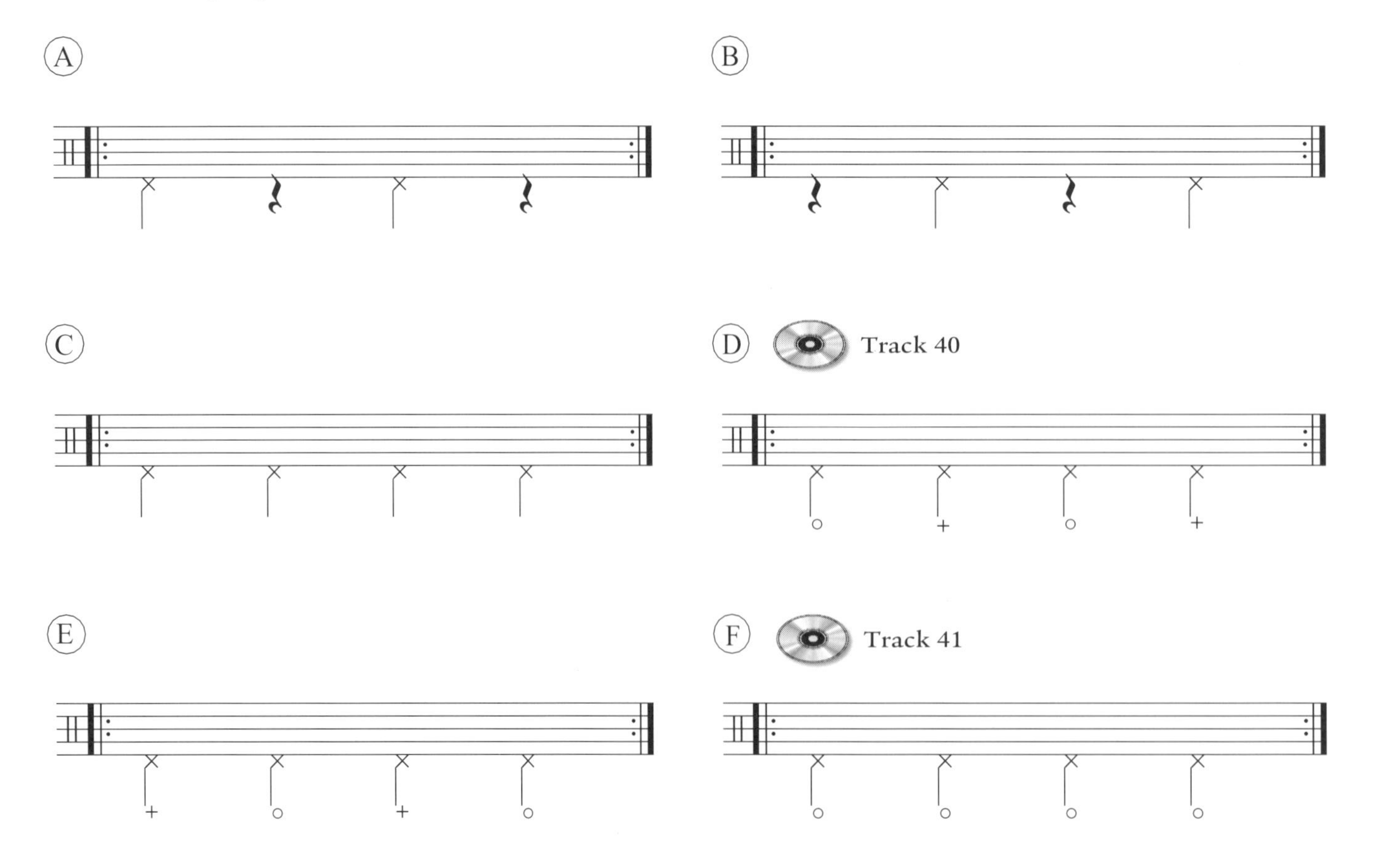

1

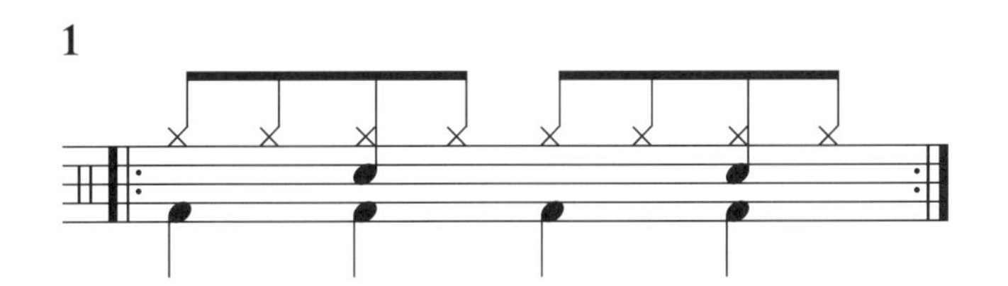

2

3

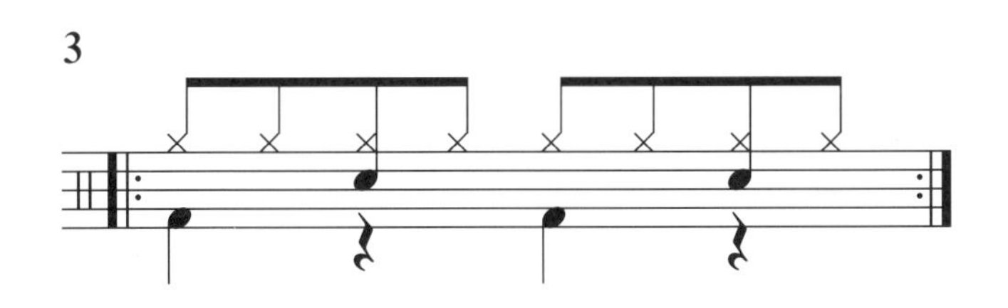

4

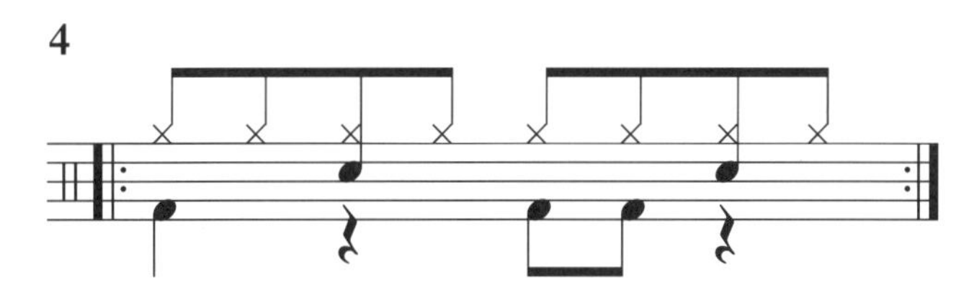

5

6

7

8

9

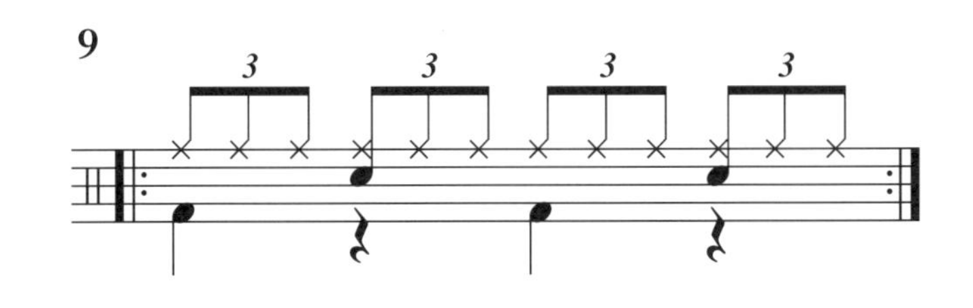

10

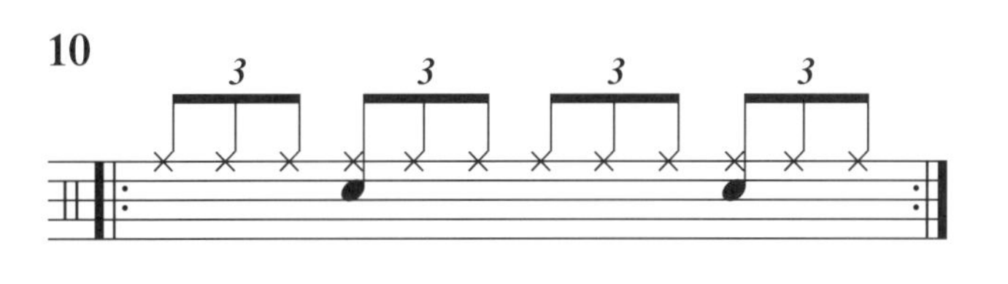

組み合わせ例

3 + Ⓒ

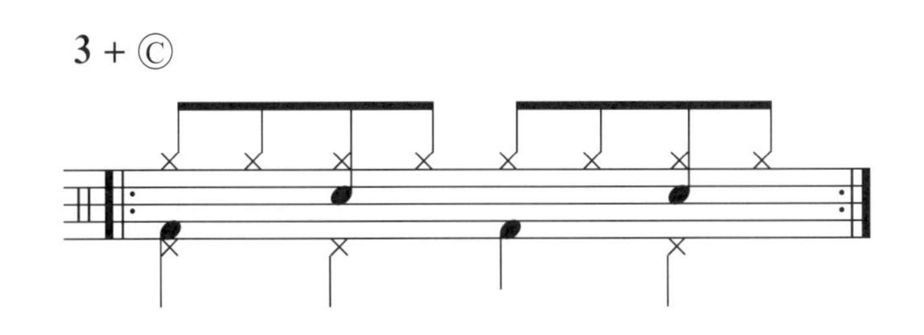

6 + Ⓕ

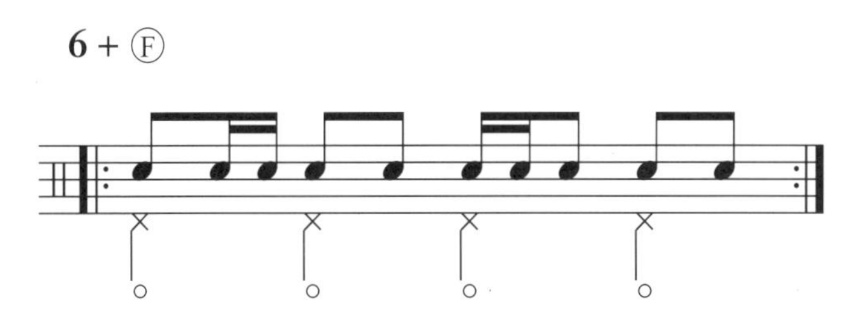

ハイハットとベース･ドラムのコンビネーション

以下は、私がドラムの生徒たちの課題として練習させているリズム･パターンです。これらは私の著書**パーカッション&ドラムスのための リズム･パターン集**に収められているリズム･トレーニングをドラムセットに置き換えたものです。

Ⓐ～Ⓡがハイハットのパターン、**1**～**16**がベース･ドラムのパターンです。スネア･ドラムはすべて２拍めに入ります。ベース･ドラムのパターンに16分音符が３連続するフレーズはとても難しいので、テンポの遅い場合のみ行い、速いフレーズのときは演奏しなくてもかまいません。

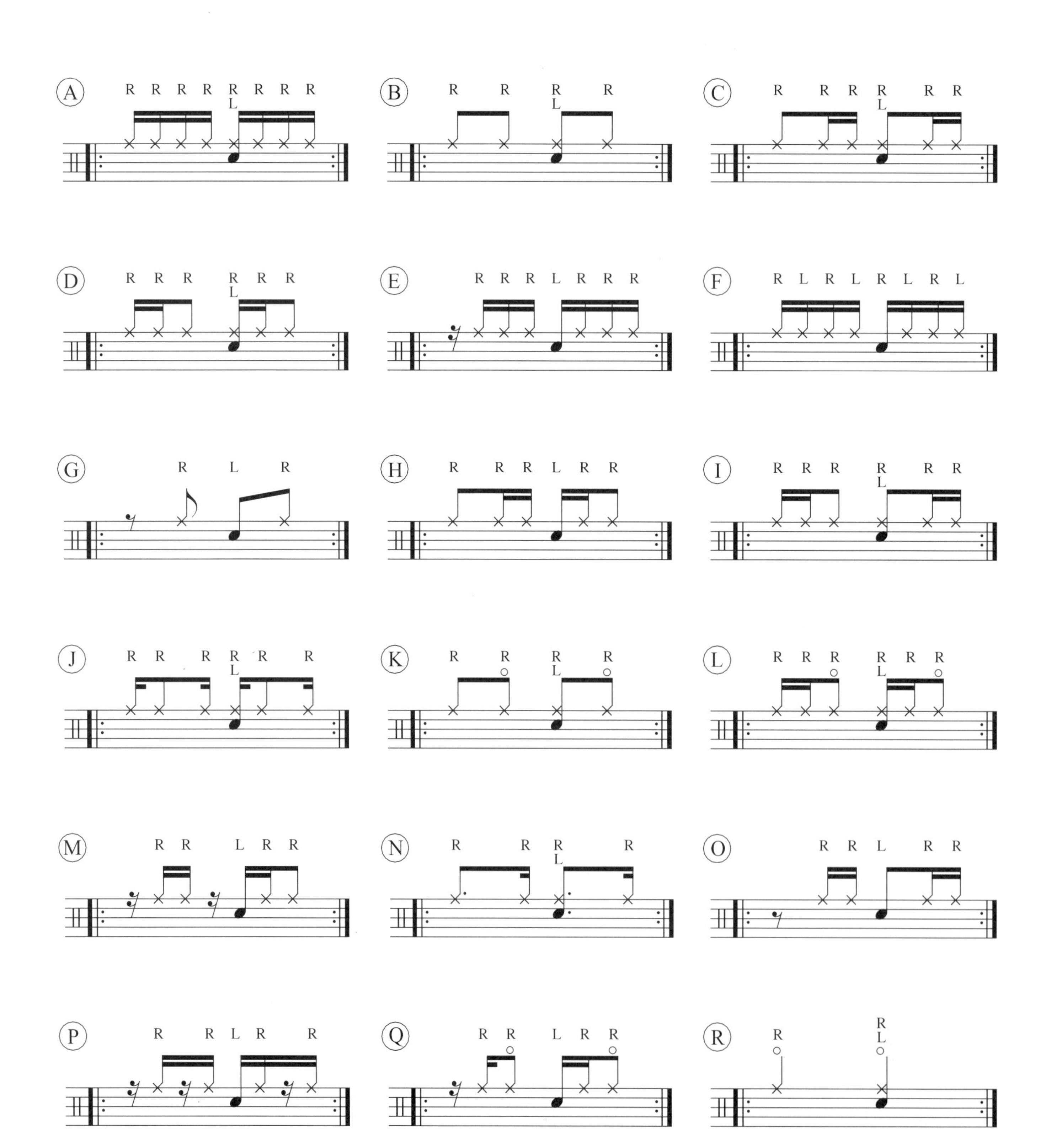

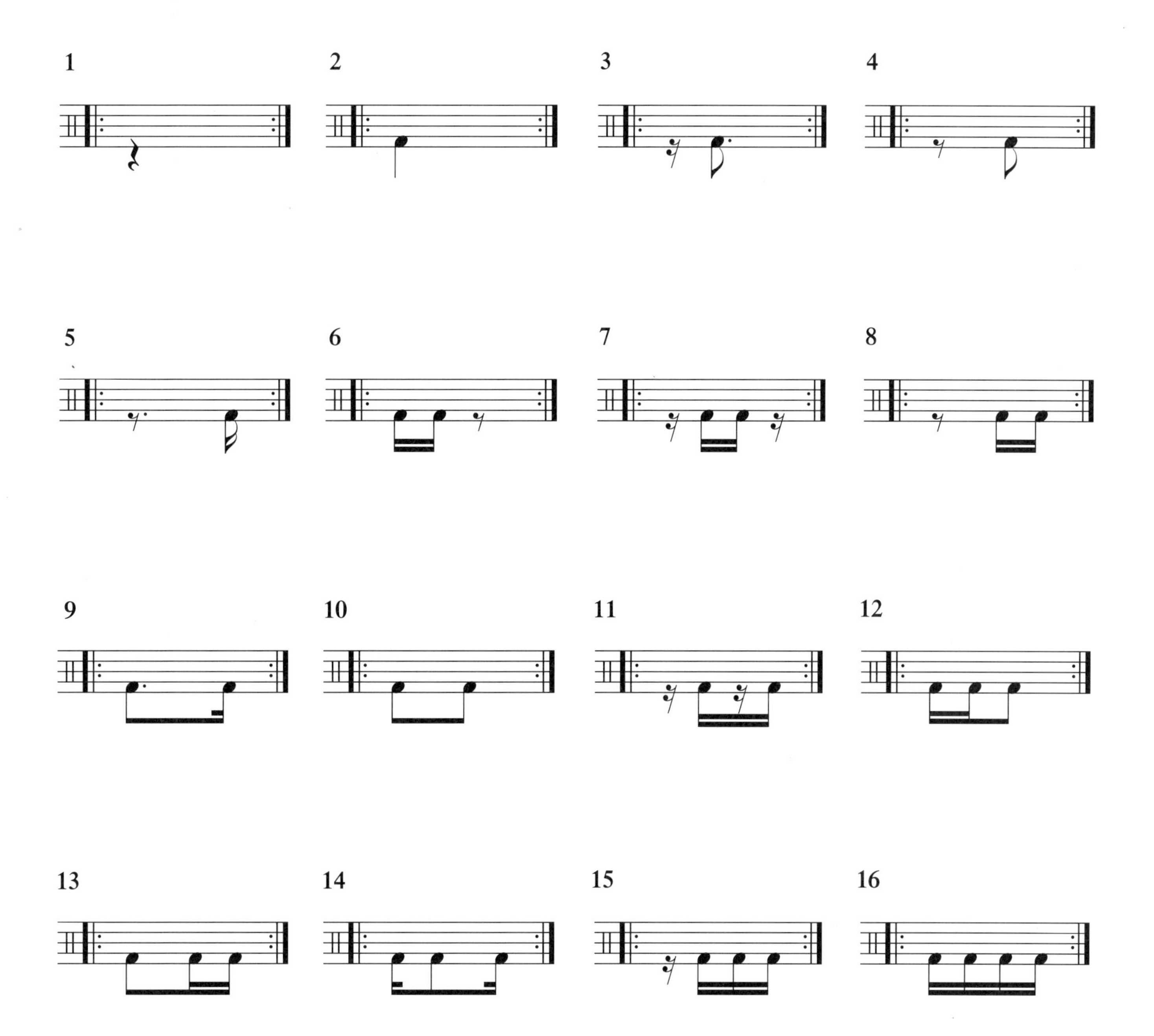

1
2
3
4
5
6
7
8
9
10
11
12
13
14
15
16

1～**16**の譜例は、p.96のⒶのハイハット・パターンに、p.97の**1**～**16**のベース・ドラムのパターンを１拍と３拍めにあてはめたものです。CDには**2**～**16**が収録されています。

Track 42 (**1**を除く)

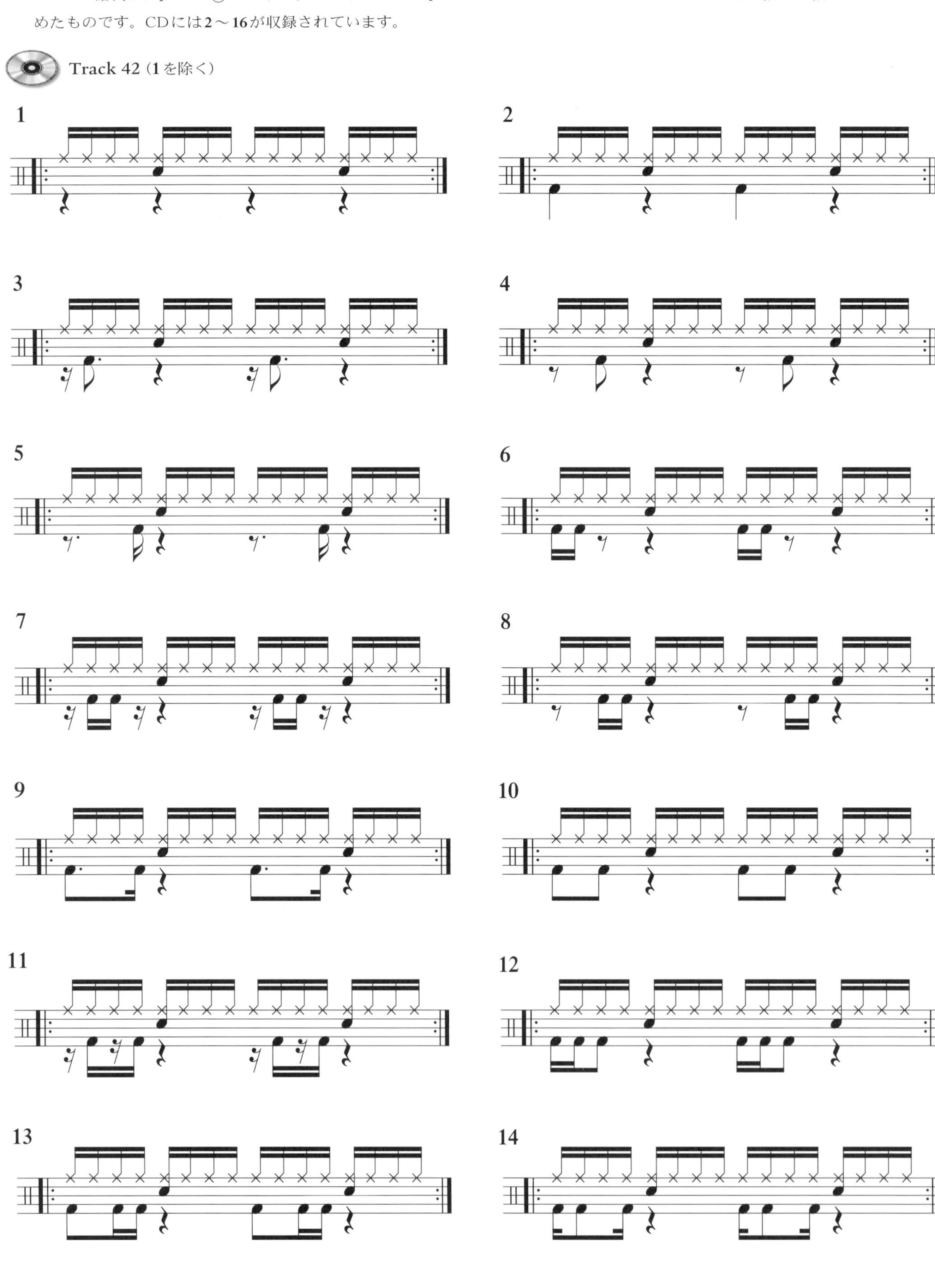

1～**16**の譜例は、p.96のⒶのハイハット・パターンに、p.97の**1**～**16**のベース・ドラムのパターンを２拍、４拍めにあてはめたものです。

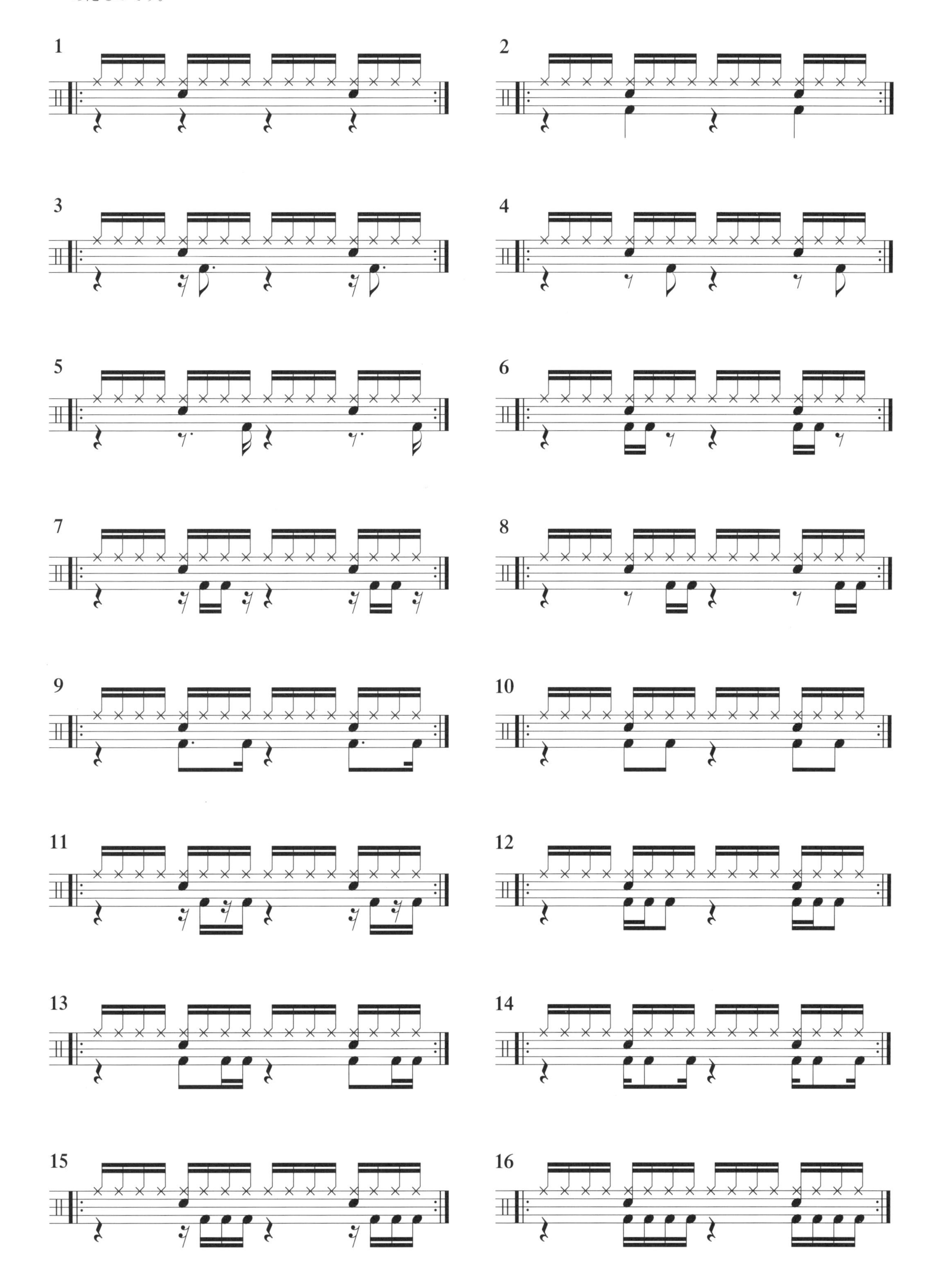

1〜**16**の譜例は、p.96のⒶのハイハット・パターンに、p.97の**1**〜**16**のベース・ドラムのパターンを１〜４の各拍にあてはめたものです。

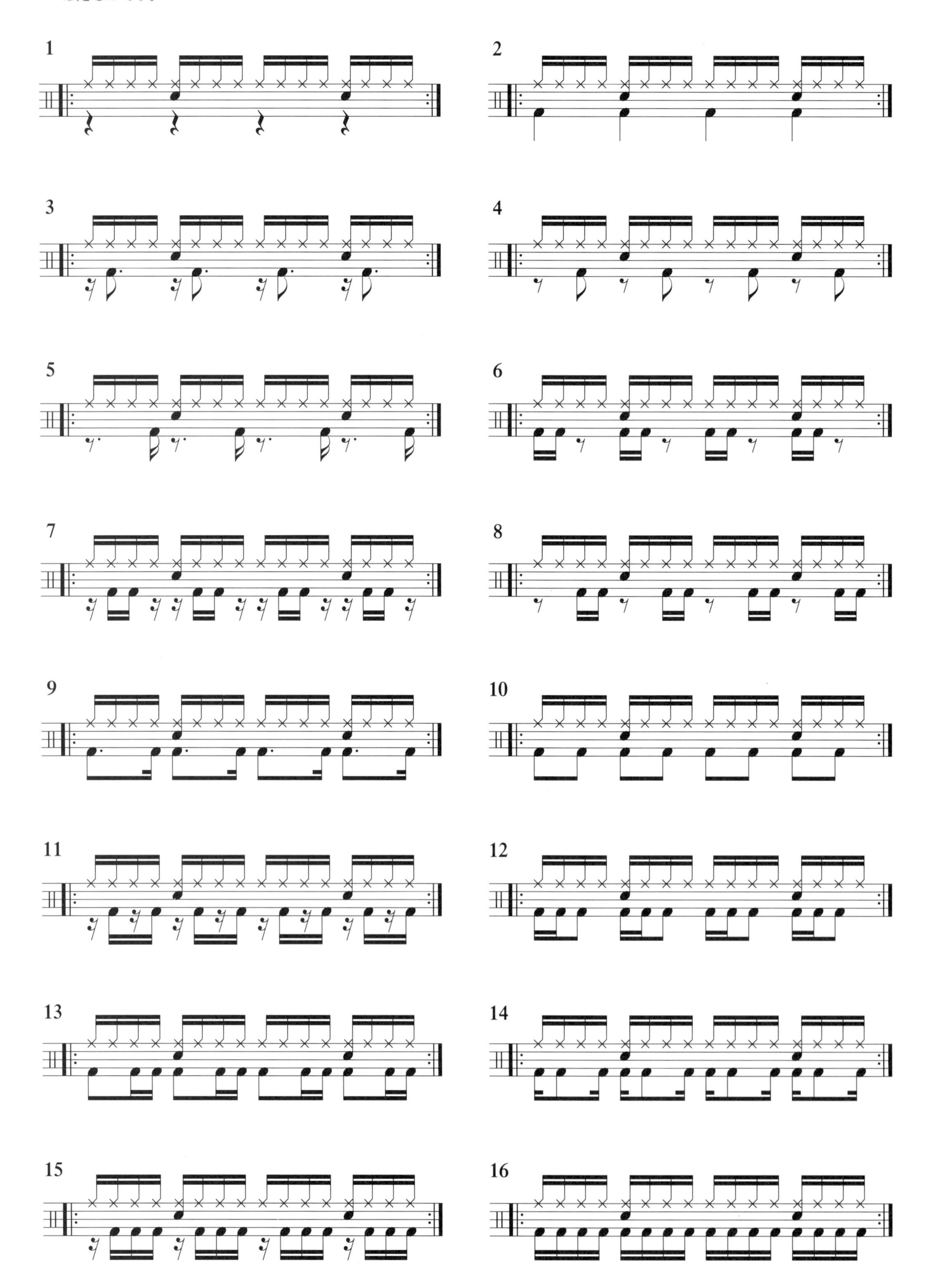

著者使用ドラム・セットの紹介

2ベース・ドラムのセットはソロ用セット
1ベース・ドラムのセットはアンサンブル用セット

ドラム・セット：ヤマハ
シンバル：ジルジャン
パーカッション：トカ
スティック：プレイウッド

played by **Kenny Washington**

定価［本体2,800円+税］

イージー・ジャズ・コンセプション／リズム・セクション ドラムス

《模範演奏＆プレイ・アロングCD付》

Jim Snidero 著　リズム・セクション：*Kenny Washington* (Drums), *Paul Gill* (Bass), *Dave Hazeltine* (Piano)

もっと簡単に、楽しくジャズを演奏できないものかと考えている人、基礎からジャズを演奏したい人.... ジャズは好きだけれども理論がちょっと...。そんな人は**イージー・ジャズ・コンセプション・シリーズ**から始めてみよう。

掲載されている曲は、有名なジャズ・チューンのコード進行に基づいて創られていて、譜面上はとても簡単な曲ばかりです。それをただ単に演奏するだけでは、味も素気もない伴奏になってしまいます。しかし、付属のCDに収録されている模範演奏を聴けば納得、ジャズ(スウィング)しているのです。難しく考えずにCDと一緒に演奏してみることが、上達の第一歩となります。

模範演奏のソロイストはもちろん、リズム・セクションには、ニューヨークを拠点として世界中で活躍しているミュージシャンを起用しているので、これだけでも、ジャズの本質を身をもって体験できます。特に、ビギナーやコンボ(バンド)を組んでいない人には、最高のグルーヴを打ち出してくれる超一流プレイヤーとの演奏は他では絶対に体験できません。また、本書のドラム譜の上段には、メロディー・ラインを(小玉で)並記してあります。ドラムスは、スタディ・ガイドで演奏されているものよりやさしくアレンジされています。

played by **Kenny Washington**

定価［本体3,300円+税］

イージー・ジャズ・コンセプション、ジャズ・コンセプションの間をつなぐ新シリーズ

インターミディエイト・ジャズ・コンセプション／リズム・セクション ドラムス

《模範演奏＆プレイ・アロングCD付》

Jim Snidero 著

リズム・セクション：*Kenny Washington* (Drums), *Paul Gill* (Bass), *Paul Washington* (Bass), *Dave Hazeltine* (Piano)

インターミディエイト・ジャズ・コンセプションは、*Jim Snidero*が執筆した優れたジャズ・エチュード・ブックのシリーズ、**イージー・ジャズ・コンセプション**と**ジャズ・コンセプション**の中間レベルのシリーズです。既刊の２つのシリーズと同様、それぞれの楽器において付属CDで演奏しているソロイストもリズム・セクションも、非常に優れたミュージシャンたちをフィーチャーしています。

本書はCDと本のセットで、スタンダード、モーダル・チューン、ブルースをベースにした15のエチュードを掲載しています。

付属のCDには、２つの異なるヴァージョンがレコーディングされています。１つはソロイストとリズム・セクションによる模範演奏、もう１つはリズム・セクションのみのマイナス・ワン・ヴァージョンです。ソロイストがエチュードをどのように演奏しているかを聴き、CDと一緒に、すばらしいジャズ・スタイルとインプロヴィゼイションの両方を学びましょう。

played by **Kenny Washington**

定価［本体3,300円+税］

ジャズ・コンセプション／リズム・セクション ドラムス

《模範演奏／プレイ・アロングCD付》

Jim Snidero 著　リズム・セクション：*Kenny Washington* (Drums), *Dennis Irwin* (Bass), *Mike LeDonne* (Piano)

ジャズ・コンセプション・シリーズの２１曲のドラムスをトランスクライブした楽譜、およびリード・シート付

本書はビッグ・バンドやコンボでの、リズム・セクションの要となるドラムスについて、基礎から学習できます。ソロ・パートをいかにサポートするかはベース・ラインの重要な役割です。*Kenny Washington*の模範演奏が収録されたＣＤを参考に、リズム・セクションとしてのベース・ラインの学習ができます。

各エチュードのソロ・パートはその曲にマッチした楽器を選択、１枚のジャズ・アルバムとしても十分堪能できます。CDでは細かいフレージングを聞き取りやすくするために、ドラムスが大きめにミキシングされています。またステレオ・ミックスにより、右チャンネルを絞ることで各リズムのマイナス・ワンとして使用できます。

しっかりとしたジャズの語法と音楽性を学ぶことができ、より上級者の場合には、教本を初見演奏の練習に活用したり、CDのエチュードをトランスクライブ（採譜）したり、後で本と照らし合わせるとよいでしょう。また、単にこの素晴らしいリズム・セクションと共演を楽しむのもよいでしょう。

あらゆるジャンルで、世界的に活躍しているパーカッショニスト大久保 宙が贈る スネア・ドラムのための画期的なメソッド

基本リズムを学ぶ

スネア・ドラムのためのベーシック・リズム・メソッド《模範演奏CD付》

Basic Rhythm Method for Snare Drum

大久保　宙：著・演奏

定価［本体2,800円+税］

本書は、世界20カ国以上の国でコンサート、大学で講義などを行ってきた打楽器奏者・大久保宙が、そのノウハウをつめこんだ初のパーカッション教則本です。

本書は、ドラムの基礎を学ぶことをテーマに創られています。本書はページが進むにつれて、そのレベルの内容が難しくなっていきますが、初めてドラム、パーカッションを始める人がベーシックなことから挑戦できる内容になっています。後半になると内容も徐々に難しくなっていくので、経験者にもお勧めの1冊です。

本書の目的

•基本的なリズムの習得　•スネア・ドラム・テクニック　•音の強弱（ダイナミクス）　•さまざまなスタイルの拍子のトレーニング

本書の内容

•ウォーミング・アップ　•4分音符、8分音符、16分音符、3連符　•3/4拍子、1/4拍子、6/8拍子、3/8拍子、3/4拍子、5/4拍子、変拍子　•アクセント　•ダイナミクス　•パラディドル　•ロール、フラム、ドラッグ　•さまざまなリズム・パターンのコンビネーション　•マーチング・スタイル　•スネア・ドラム曲集

50の練習曲は、ベーシックなものから、4/4、3/4、2/4、5/4、3/8、6/8、3/2など、さまざまな拍子に対応しています。また、付属CDを聴きながら演奏の確認をすることができます。

クラシックや吹奏楽だけでなく、コンテンポラリー・ミュージックのドラマーまで、ジャンルを問わず幅広く活用できます。

パーカッション＆ドラムスのためのリズム・パターン集《模範演奏CD付》

Repetition Movements & Music Progression Phrases for Percussionist & Drummer

大久保　宙：著・演奏

定価［本体3,000円+税］

本書は、スネア・ドラムのためのベーシック・リズム・メソッドと併用し、細かくいろいろなパターンのリズムを学びたい人、吹奏楽、オーケストラを学んでいてロールに苦労している人、いままで以上に新しいフィルのアイディアを欲しい人が使用すると、より効果的です。

オーケストラ、吹奏楽を学ぶパーカッショニストからロック・ドラマー、ジャズ・ドラマーそしてラテンパーカッション、民族打楽器の演奏をしている人たちにお勧めの教則本です。

本書の内容

•ベーシック・シングル・ストローク・フィンガー（スティッキング）テクニック　•8分音符と16分音符のリズム、フラム、パラディドル、アクセント移動　•3，5，6、7連符のリズム・パターン、フラム、パラディドル、アクセント移動　•シングル・ストローク、ダブル・ストローク、シングル＋ダブルのコンビネーションの練習パターン集　•1拍半、2拍半フレーズ　•2ストローク・ロールから20ストローク・ロールなどパターン集　•左右独立した3，4，5、7、8連符コンビネーション

Music Progression Phrasesでは、新しい観点からドラマー、パーカッショニストに新しいアイディアを提供します。Music Progression Phrasesのさまざまなパターンを CDを参考に学ぶことができます。CDにはスネア・ドラム、ドラムセット、パーカッションなどのデモ演奏が収録されています。

さまざまなスタイルのスネア演奏をアンサンブルで学ぶ

スネア・ドラムのためのデュエット＆アンサンブル

Snare Drum Duet & Ensemble

《模範演奏＆マイナス・ワンCD付》

大久保　宙：著・演奏

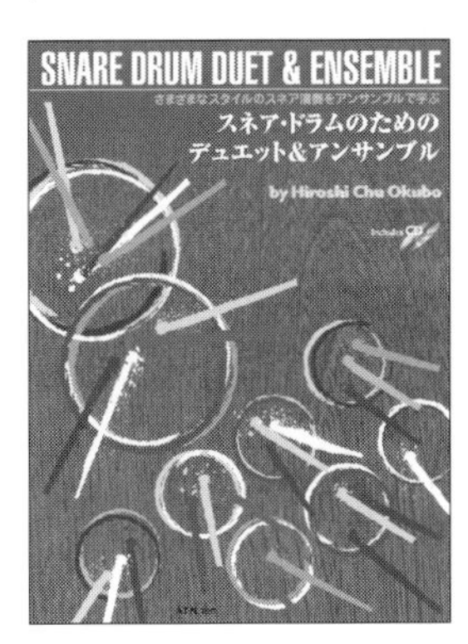

定価［本体3,000円+税］

リズム＆ドラム・マガジンのハンド・ドラム講座などでも注目のパーカッショニスト、大久保宙によるスネア・ドラムのためのメソッド第3段。既刊**スネア・ドラムのためのベーシック・リズム・メソッド**と**パーカッション＆ドラムスのためのリズム・パターン集**で基本のリズムとテクニックからさらに上級のテクニックを学んだ後は、本書でアンサンブルの楽しさを学びます。

デュエット、3人編成、4人編成、5人編成の練習曲が含まれているので、ブラス・バンドや音楽教室など、スネア・パートの人数に合わせた練習の方法を示しています。

付属のCDは、今までにない画期的な編集がなされ、それぞれのパートが1人でも練習できるようになっています。例えば、3人編成の練習曲では、アンサンブル・トラックと1パートだけを省いたマイナス・ワン・トラックがそれぞれ用意されているので、3パートすべてをアンサンブルの中の1つとして練習することができます。

ピーター・アースキン　ドラム・パースペクティヴ－考察と展望 《CD付》

Peter Erskine / The Drum Perspective

Peter Erskine 著・演奏

定価［本体3,500円+税］

Peter Erskine / The Drum Perspectiveは、すべてのスタイルにお勧めできるメソッド・ブックです。本書はドラム・テクニック、ジャズ・リズムを学ぶだけでなく、*Peter Erskine*のドラム哲学を学ぶことができます。また付属のCDは、彼のCDのレコーディングからピックアップしたサンプルの楽譜を参考にしながら学ぶことができます。また彼のドラム・ソロの譜面も掲載してあるので、*Peter Erskine*のフレーズをこの１冊で学ぶことができます。

付属CDに収録されたレコーディング
But Is It Art? (Peter Erskine)
Straphangin (Mike Mainieri / An American Diary)
L.A. Stomp (Peter Erskine and Richard Torres)
Know Where You Are (Kenny Wheeler)
Babe Of The Day (Vince Mendoza)
Not A Word (Peter Erskine)
Erskoman (Peter Erskine)
Crackdown (Mark-Anthony Turnage)
Elvin's Mambo (Bob Mintzer Big Band)
Not An Exit (Otmaro Ruiz)
November (John Abercronbie, Marc Jhonson, Peter Erskine w/John Surman)、他

すべてのミュージシャンに贈る
ピーター・アースキン タイム・アウェアネス

《模範演奏＆プレイ・アロングCD付》　*Peter Erskine* 著・演奏

定価［本体3,300円+税］

*Peter Erskine*がドラマーだけでなくすべてのミュージシャンに贈る、タイム(リズム)の真髄を極めるための教材！

ドラマーのための優れた教材を多数執筆している*Peter*が、数多くの偉大なアーティストとの共演および自らのキャリアを通して確立した知見を、すべての楽器プレイヤーのために伝授します。音楽を構成する基本３要素(リズム、メロディ、ハーモニー)の内リズムにフォーカスを当て、音楽をクリエイトするために必要なスキルを*Peter*ならではの切り口で解説しています。

具体的な内容

1. ビートの概念について
2. サブディヴィジョンについて
3. アンサンブルにおける各種のアプローチについて
4. さまざまなリズム・スタイルにおけるアプローチについて

デヴィッド・ガリバルディ フューチャー・サウンド

David Garibaldi　FUTURE SOUNDS　《模範演奏CD付》

David Garibaldi 著・演奏

定価［本体2,800円+税］

伝説的なファンク・グループ、TOWER of POWERの黄金期ともいえる1970年から1980年まで、同グループのドラマーとして在籍した*David Garibaldi*によるドラム教則本。特にベーシスト*Rocco Prestia*との絶妙なコンビネーションにより世界最強のリズム・セクションを作りあげ、そのソリッドかつユニークな演奏により一躍モダン・ファンク・ドラム界にその名をとどろかせました。本書は1993年の初版以来、全米およびヨーロッパでベスト・セラーを続けるテキスト・ブックです。やっと！ついに！日本語版がATNより出版！

Garibaldi のこのユニークなエクササイズは、日本のファンク・ドラマーたちを虜にすることうけあいです。今までミステリーだったファンク・ドラミング、それもコンテポラリー・スタイルの練習方法、フィーリングなどについて論理的に解説しています。

本書がファンク・ドラマーたちに新しい可能性を与えてくれることは間違いありません。なお、*Garibaldi*は、現在Tower of Powerに復帰、日本には2004年１月と2005年２月に来日するなど、世界を舞台に精力的に活動しています。

定価［本体3,500円+税］

キューバン・リズム・ランゲージを発展させる

オッド・メーター・クラーヴェ・フォー・ドラムセット

（奇数拍子クラーヴェ）

Conor Guilfoyle 著

《模範演奏CD付》

現在の音楽シーンでは、アフロ・カリビアン・リズムを取り入れて個性的な演奏をするドラマー（***Dave Weckl***、***Horacio "el negro" Hernandez***、その他）が多数活躍しています。彼らのテクニックが優れているのはもちろんのことですが、ドラミング（およびトータルに音楽をクリエイトすること）における個性的かつ有効なアイディアは、アフロ・カリビアン・リズムに対する深い理解があってのものです。

本書 **オッド・メーター・クラーヴェ・フォー・ドラムセット**では、キューバのリズムをさまざまな拍子にフィットさせることで、奇数拍子におけるユニークなアプローチを紹介します。あなたは本書を学習することで、マンボ、ソンゴ、ワワンコ、モザンビーケなどのリズムを新しい拍子のクラーヴェにフィットさせることができるでしょう。

本書は、奇数拍子、コーディネーション、あるいは単にすばらしいグルーヴなどを学ぶために、さまざまなレヴェルの人たちが使用できる内容になっていますが、ある程度の読譜力とドラムセットの演奏スキルをもっている中級～上級者にお勧めします。

本書には300を越える譜例、および付属CDには98トラックもの模範演奏が収録されており、奥深い伝統音楽をベースに新しい可能性の扉を開くことができます。

具体的な内容

クラーヴェについて
さまざまなリズム・スタイル（パターン）
7拍子のクラーヴェ
9拍子のクラーヴェ
5拍子のクラーヴェ
オリジナル・クラーヴェを創る

定価［本体3,500円+税］

ピーター・オマラ

ファンク／フュージョン・スタイルのリズム・コンセプト ドラムス

《模範演奏＆プレイ・アロング2CD／スタンダードMIDIファイル付》

Peter O'Mara／Christian Lettner 著　*Peter O'Mara／Christian Lettner／Patrick Scales* 演奏

本書は、ファンク／フュージョン・スタイルのリズム・コンセプトについて、より深く学習できる教則本です。本書で紹介する16曲は、*Peter O'Mara*自身により、さまざまなファンク／フュージョン・スタイルのリズムを使って書かれています。付属のCDは、すべて実際のリズム・セクションの演奏をライヴ・レコーディングしており、曲、スタイルの本質を最大限に提供しています。また収録曲は、ベース、ギター、ドラムス各巻共通ですので、付属のCDを活用し、おたがいに聴きあいながら楽しく練習することも可能です。

付属のCDには、プレイ・アロング用のオーディオ・トラックの他にスタンダードMIDIファイルが含まれているので、シーケンス・ソフトのインストールされたコンピュータをもっている人には役立ち、便利です。スタンダードMIDIファイルを利用することでリズムだけを使用したり、ハーモニーやテンポを変えたりして、プレイヤーの演奏レベルにあった音源を作ることもできます。

CDのプレイ・アロング・トラックにより、**ライヴ**または**スタジオ**での状況を体験でき、また一流のミュージシャンとともに練習することができます。また、次のような課題に取り組む機会にもなるでしょう。

テーマやソロに対するサポートの方法／いつ、いかにフィルを入れるか／いつ、いかにキック（キメ）に合わせるか／曲全体をどのように音楽的に仕上げるか／偶数拍子または奇数拍子に対して、偶数または奇数から成るグルーヴを演奏する／コード進行を理解する／クリックにしっかりと同調し演奏する／初見で演奏する

本書に収録されたファンク／フュージョン・スタイル

アフリカン・グルーヴ、*George Benson*スタイル、*L. A. Funk*グルーヴ、
*Tower of Power*スタイル、*John Scofield*スタイル、*Mike Stern*スタイル、*Steely Dan*スタイル、
シャッフル・グルーヴ、*James Brown*スタイル、*Tribal Tech*スタイル、*Miles Davis*スタイル、
*Life Time*スタイル、5/4グルーヴ、*Yellow Jackets*スタイル、*Herbie Hancock*スタイル

ピアノ、ギター、ベース、ドラムスのための

ブラジリアン・リズム・セクション

《模範演奏&プレイ・アロング2CD付》

Inside the Brazilian Rhythm Section　*Nelson Fraia、Cliff Korman* 共著

演奏：*Nelson Faria* (Gt), *Cliff Korman* (Pf), *Paulo Braga* (Ds), *David Finck* (A. Bs), *Itaiguara Brandao*(E. Bs), *Café* (Perc)

定価［本体4,800円+税］

- 本書は、今までになかった驚異のブラジリアン・メソッドです!!　ベーシスト、ギタリスト、ピアニスト、ドラマーに、ブラジリアン・リズム・セクションのマスターたちと共演する機会を提供します。
- 付属の2枚のCDには、ピアノ、ギター、ベース、ドラムスの各楽器ごとに模範演奏とプレイ・アロング(マイナス・ワン)トラックが収録され、ソロと伴奏、両方の練習に完璧に機能します。Disc 1のギター/ピアノ用CDには、同じ曲の2つの異なるトラックが収録されています。1つはピアノ演奏なし、もう1つはギターなしのトラックです。Disc 2のベース/ドラムス用のCDには、1つはベースなし、もう1つはドラムスなしのトラックです。
- 本書には、CDに収録された練習曲のチャートと、実際のプレイからトランスクライブした各楽器の演奏例をはじめ、100ページ以上にわたって貴重な情報を提供しています。
- どんなレベルのミュージシャンであっても、ブラジリアン・ミュージックに最も共通な8つのスタイル(サンバ、ボサ・ノヴァ、パルチード・アウト、ショーロ、バイアウン、フレヴォ、マルシャ・ハンショ、アフォシェ)を学びながら、インスピレーションと上達への手引きを得ることができるでしょう。

ドラムセットとパーカッションのための

ブラジリアン・リズム 《模範演奏CD付》

Berklee / Brazilian Rhythms for Drum Set and Percussion

Alberto Netto 著

定価［本体4,200円+税］

本書は、最もポピュラーで影響力のあるブラジリアン・リズムを、伝統的なブラジルのパーカッションとドラムセットで学ぶことができます。ブラジリアン・ミュージックが世界的に広まるにつれ、世界中のドラマーやさまざまなジャンルのミュージシャンがブラジリアン・リズムを取り入れてきました。このパーカッションのリズムがどのように展開し、独特のブラジリアン・サウンドの中で発展していったか、そのドラムセットへの応用の仕方を学ぶことができます。

ブラジリアン・パーカッションに不可欠な、以下のテクニックやスタイルを学ぶことができます。

• ハンド・パーカッション　• ブラジリアン・ミュージックのすべてのリズムのルーツであるサンバ　• ブラジル北東部で生まれた有名な音楽のフォホー　• パレード、クラブ、ストリート・ダンシングで演奏されるカーニヴァル・リズム　• アフロ・ブラジリアン文化直系のリズムである、アフロ・ブラジリアン・リズム　• 宗教的行事と伝統を基にした音楽である、カトリック・ミュージック

ドラムセットのための

アフリカン・リズム 《模範演奏CD付》

African Rhythm for Drumset

Christian Bourdon 著・演奏

定価［本体3,300円+税］

本書は、カメルーンやその他のアフリカの地域で演奏されるBikutsi、Mbala、Mangambeu、Ekang、Ashiko、Makossa、Tchamassi、Makassiのリズムを、ドラム譜とベース・パート譜で掲載されており、模範演奏CDで本物のフィールとグルーヴを学ぶことができます。

あなたが演奏する音楽のスタイルが何であれ、それぞれのリズムを聴き取り、また感じ取るためのさまざまな方法を見つけだし、新しい創造性の扉を開きましょう。

「この本には本当にたくさんのいいリズム・パターンが掲載されています！そのほとんどは、私が今までに見たことも聞いたこともないようなものばかりでした。すばらしい！」 *Jim Chapin*

「この本は今までに知らなかったことを教えてくれるます。これは今まで知らなかったことを知るための旅に行くようなものです」 *Jack*

定価［本体5,000円+税］

バンド・サウンドの土台を築く
ジャズ・ワークショップ・フォー・ベース&ドラムス
《模範演奏CD付》

Workshop for Bass and Drums　*Dave Weigert* 著

バンド・アンサンブル（特にリズム・セクション）が機能するかどうかは、さまざまなファクターに左右されます。そして、数あるファクターの中でも、ドラムスとベースが担う役割は非常に重要なものです。他のプレイヤーがいくらよいプレイをしても、ドラムスとベースがしっかりとしていなければ、タイトなバンド・サウンドは実現できないでしょう。

本書は、リズム・セクションにおいてドラムスとベースがするべきことを、ジャズ、ファンク、ラテンなどの曲を題材に、詳細にわたって解説します。それぞれの楽器ごとにポイントを押さえた解説がなされていますが、さらにドラムスとベースを1つのチームとして捉え、より実践的なアンサンブル形式のレッスンへと進んでいきます。このレッスン方法は、著者が教鞭をとるバークリー音楽大学のアンサンブル・クラスで実際に行われているものです。

本書には、非常にクォリティの高い模範演奏CDが付属します。左右のチャンネル・バランスを調整することで、ベースあるいはドラムス用のプレイ・アロングCDとしても活用できます。このCDを聴く(使って練習する)ことで、アンサンブルにおける演奏のポイントを素早く身に付けることができるでしょう。

本書は、楽器の基本的なスキルはあるもののアンサンブルを経験したことがない初級プレイヤー、さらなるステップ・アップを目指す中級〜上級プレイヤーにお勧めします。

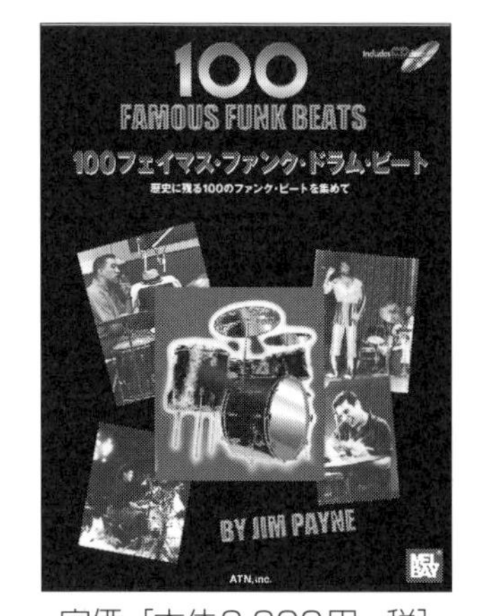

定価［本体3,300円+税］

歴史に残る100のファンク・ビートを集めて
100 フェイマス・ファンク・ビート
《模範演奏CD付》

100 Famous Funk Beats　*Jim Payne* 著・演奏

著者*Jim Payne*は、アメリカで最も尊敬されるドラム・ティーチャー、そしてドラマーの1人です。とくにファンク・ドラミングに関してはその第一人者です。

本書では、*James Brown*から*Tower of Power*まで、歴史に残るドラマーたちがくり出すファンク・ビートを専門的な見地から分析し、解説し、再現しています。これらのビートがなぜ世界的にドラマーの間でくり返し使われてきたのかを、その理由や、ビートが完成した背景など、*Professor Jim Payne*ならではの膨大な調査の集大成ともいえる必携の1冊です。

付属のCDには、著者自身によるビートの模範演奏が収録されています。本書の楽譜は、それぞれの曲の中で最も頻繁に使われているオスティナート・パターンと呼ばれる何回もくり返し演奏されるビートをオリジナル・レコーディングからトランスクライブしたものです。また、曲の中のいくつかのビートは原曲を発展させる、またはヴァリエーションをして、少し変化を加えているものもあります。

「何がビートをファンキーにさせるのか？」歴代の偉大なファンク・ドラムーたちが残してくれた遺産ともいえるリズムを分析することにより、あなたのビートをこれまでにないほどファンキーになることは間違いないでしょう。

推薦の言葉

"Jim Payne はドラム界で数多い尊敬される教育者のひとりだ。彼の指導用のメソッドとその誠実さを心から推薦します。"

Peter Erskine, 国際的に知られるパフォーマー、エデュケーター

"Jim と私は演奏する機会が多々ありましたが、常にエンジョイできました。彼の高い音楽性は、テクニック、また芸術性においても明らかです。彼の数多いJazzやR&Bの優れたミュージシャンたちとの演奏経験が、今日の尊敬を含んだ彼の名声を高めているのです。彼は長年にわたり教育にその身を投じてきました。その教育に対する誠実な取り組みには常に驚嘆させられる。"

John Scofield, 世界的に有名なギタリスト

"Jim Payneは、ドラム界で尊敬される、教師、執筆家、クリニシャン、そして演奏者です。彼は、自分のプロフェッショナル・ミュージシャンになるための知識をもって、他の人をトレーニングし、それを成功させている。"

John Riley, Manhattan School of Music, New York University, New School, NYCの パーカション 講師

ひとつの主題でテクニックを磨く

101 ドラム・エクササイズ《模範演奏CD付》

101 Drum Exercises

長谷川 清司：著

定価［本体3,200円+税］

本書は今までにはなかったアプローチで、読譜力、テクニック、表現力などを向上させることを目的とした、ただ１つの**頭脳活性化ドラム・メソッド**です。

本書の**101のドラム・エクササイズ**は、**７つのセクション（アクセント、ルーディメンツ、リズム・パターン、シンコペーション、ハイハット・オープン、２ウェイ-３ウェイ-４ウェイ、ジャズ）**に分けられ、**101とおりのヴァリエーション**から成り立っています。メロディ譜を見ながら、各エクササイズの演奏方法などのアドヴァイスに従って練習します。各エクササイズのドラム譜だけで練習することは、読譜力やテクニックは上達しますが、頭脳活性化にはなりません。メロディ譜だけを見て、頭と身体を一体化させることによって、読譜力やテクニックはもちろん、記譜力や創造力、そして表現力が身につきます。

アクセントやルーディメンツでは、吹奏楽の打楽器奏者に必要なテクニックを、またドラマーには欠かせないリズム・パターンや４ウェイ(4-way)などを取り上げているので、初心者からプロ・レベルまで、スティックを握る人なら誰でも活用できるように書かれています。

本書は、４分音符と８分音符だけ(いくつかの付点４分音符も含む)で創られたメロディ(Melody)を、**どのように応用するか**をテーマにしています。それぞれのセクションは、独立した目的で書かれているので、どこからスタートしても効果が上がります。ビギナーのドラマーは、SECTION ⅠとⅡの基本テクニックから始めることを勧めます。

最初は、巻末のメロディ譜を切り離して、各エクササイズの隣に置いて、確認しながら練習しましょう。メロディは、必ず各エクササイズのどこか(右手、左手、両手、右足、左足、両足)にあるので、まずチェックします。１小節だけをくり返したり、２小節をリピートしてグルーヴ感を養います。また、16小節や32小節を続けることにより、目と頭のピント・スピードアップにもつながります。

ドラムの性能を最大限に活かす

ドラム・チューニング・ガイド《CD付》

DRUM TUNING - the ultimate guide

Scott Schroedl 著

定価［本体2,300円+税］

ドラム・セットのチューニングは、ドラマーたちにとってフラストレーションのたまる作業でした。ドラマーの数だけ多くのチューニング・テクニックがあります。チューニングには個性が表れ、ドラマーにそれぞれ特有のサウンドとスタイルを与えます。ギタリストはチューナーを使って簡単にチューニングができますが、ドラムのチューニングはより難しく、そして取り組みがいがあります。ドラムには、ドラムの総合的なピッチを左右する多くの倍音が存在します。ドラムのチューニングとはそのようなピッチの違いを認識することがすべてです。

本書は初心者のためにステップごとに簡単に構成されていますが、ドラムの性能を極限まで出したいと願っているプロのドラマーでも使えます。本書の中で紹介されているいくつかのテクニックは一見難しそうに見え、そして聞こえるかもしれません。しかし、チューニングの基本に焦点を置くことによってすぐに納得するでしょう。あなたはよりよいチューニングをすることによって、あなただけの最高のサウンドを発見するでしょう。

準　備
ラグのスプリング・ラトル（振動ノイズ）、作業をするために使う道具

ヘッドの基本
ヘッドの選び方、タム・ヘッドの構成、スネア・ヘッドの構成、バス・ドラム・ヘッドの構成、バス・ドラムのバター・ヘッド（ペダル側）、バス・ドラムのレゾナント・ヘッド

ドラムの構造とヘッドの特性
シェルの材質、プライ、深さ、ベアリング・エッジ、シェルの内装、シェルの外装、フープ、ラグの数、サスペンション・マウント

タム（タムタム）
チューニングのプロセス、ヘッドの設置、微調整、サスペンション・マウント、ヒット感によるチューニング、タム・セットの比較

スネア・ドラム
チューニングのプロセス、スネア・テンションの調整（スナッピー・スイッチの調整）、スネア・ドラムのミュート、ドラムのチューニングを保つために　バス・ドラム　チューニングのプロセス、レゾナント・ヘッドに穴を開ける、バス・ドラムのテスト、バス・ドラムのバター・ヘッドの保護、バス・ドラム・ビーター

１つの楽器としてのドラム・セット

ドラム・チューニングの補助器具

ドラムのサウンドとチューニングの歴史

ヘッド交換のタイミング

ヒントと復習

Pete Parada
Saves the Day
Dan Trapp
Senses Fail
88% COPPER,
12% TIN,
100% ZILDJIAN
Zildjian
SINCE · 1623
Atom Willard
Angels & Airwaves
©2007 Avedis Zildjian Company
ZHT™

ATN, inc.

初心者から中級まで

ザ・ベーシック・ドラムス

The Basic Drums

発　行　日 2008年 6月10日（初版）

著　　者 大久保 宙
カバーアート 坂田 旅魚
協　　力 瀬古 裕信
金山 典世
制　　作 早川 敦雄
発行・発売 株式会社 エー・ティー・エヌ

住　　所 〒161-0033
東京都新宿区下落合 3-12-21 目白エミネンス 102
TEL 03-6908-3692 / FAX 03-6908-3694
ホーム・ページ http://www.atn-inc.jp

3598

ISBN978-4-7549-3598-6